ROMUALDAS
DRAKŠAS

MAIŠTAS

MAIŠTAS

Fantastinis romanas

2009

UDK 888.2-3
Dr57

Viršelio dailininkė *Eglė Raubaitė*
Dizainerė *Nijolė Juozapaitienė*

ISBN 978-9955-790-69-3

© Romualdas Drakšas, 2009
© Leidykla „Eugrimas“, 2009

Žmonija

MAIŠTAS

Jaunas vaikinas jau beveik dešimt minučių susirūpinęs žiūrėjo į savo mintyse paskendusią aukštą moterį, rymančią prie lango. „Elena, kada pradėsime?“ – kelis kartus jau žiojosi klausti vaikinukas, bet kiekvieną kartą nutildavo taip ir neištaręs nė žodžio. Neseniai prabudęs, jis dar neatsikratė savo ankstesnių trūkumų – kantrybės stokos, nuolatinio skubėjimo nežinia ko ir nežinia kur, bet jau sugebėjo tinkamai valdytis ir neleisti šiems trūkumams pasireikšti.

– Vis galvoju, ką pasakoti toliau, sekretoriau, – pagaliau prašneko Elena. – Pasakojimas turi būti įdomus. Visgi paliekam atminimą ateinančioms žmonių ir ne žmonių kartoms. Negi pulsi rašyti apie tai, kaip rinkome savanorius ar kaip didėjo prabudusiųjų skaičius ir plėtėsi jų bazė Skruzdžių planetoje? Kam tai įdomu? Elementari rutina...

– O gal papasakok apie kovas Dvarvų galaktikoje? – nedrąsiai įsiterpė sekretorius, niekaip negalėdamas atsikratyti minčių apie iki prabudimo turėtus trūkumus ir smerktinus įpročius. „Štai kodėl niekaip negaliu atsikratyti įpročio rytais gerti kavą? – mąstė vaikinukas. – Kiti jau kitą dieną po prabudimo atsikrato narkotikų priklausomybės, o aš niekaip neatpratu nuo kavos.“

– Nustok tu pagaliau su savo kava, – pyktelėjo Elena. – Išmok slėpti savo mintis arba bent jau pasistenk susikaupti darbui. Labai jau garsiai mąstai, trukdai susikoncentruoti. Be to, – matydama nuraudusį ir susigėdusį sekretorių, jau gerokai švelniau tęsė: – Kavoje nieko smerktino nėra. Aš pati mielai išgeriu rytais puodelį geros kavos. Tad nesigraužk. Geriau grįžtame prie darbo. Tai, sakai, kovos Dvarvų galaktikoje?

– Kodėl gi ne? – linktelėjo sekretorius, pagaliau atsikratęs jį kamavusių minčių. – Ne juokai, kai trys rasės susivienija ir staiga nutaria įsiveržti į mūsų galaktiką.

– Gal ir taip, – numykė Elena. – Žinai, apie tai dar ankstoka rašyti. Tai tebuvo bandymas. Mus patikrino ir aš nesu įsitikinusi, ar gerai išlaikėme egzaminą.

– Turi omenyje mūsų sukeltus sprogimus?

– Mėgsti juokus, sekretoriau, – prunkštelėjo Elena. – Tai, ką pridarėme, tu vadini tiesiog sprogimais...

– Manai, Ardas buvo teisus? – vaikinukas pabandė pakreipti temą prieš pat jo asmeninį pabudimą tarp prabudusiųjų kilusių ginčų link.

– Manau, taip, – niūriai linktelėjo moteris. – Tačiau dauguma manė kitaip. Jie nepritarė rizikai. Netgi Tomas ir ligijiečiai... O dabar turime laukti atsako. Visi tai supranta ir ruošiasi. Kažkas žaidžia įdomią „šachmatų" partiją, kurioje žmonėms numatytas tik stumdomų figūrų vaidmuo. Tik ar jie nenudegs nagučių taip bežaisdami? Kaip kažkada pasakė Iskinas, kai viešėjo Žemėje: „Net ir šachmatų figūros gali sukilti." Na, bet baigiam apie tokius rimtus dalykus. Susiraskime įdomesnę temą. Ką tu manai apie „Harato krizę"?

– O... – supratingai numykė sekretorius. – Išprotėjęs Kūrėjas, karingi raguočiai... Įdomi istorija. Manau, kad tu ją žinai geriau nei aš. Girdėjau, buvai tarp tų, kurie vyko aiškintis į Haratą.

– Aha, – šyptelėjo moteris. – Buvau tarp tų, kurie gėdingai pabrukę uodegas skuodė iš raguočių planetos. Gerai. Baikim aptarimus. Pradedam darbą. Rašyk...

2030 metų spalio 12 diena. Harato planeta

Abu planetos mėnuliai jau senokai ridinėjosi dangaus skliautu, bet gigantiškam geiperiui, žemišką leopardą primenančiam padarui, šiąnakt taip ir nepavyko pagauti grobio. Maža to, kad visi be išimties miško gyventojai puikiai slapstėsi nuo jo skvarbių akių žvilgsnio, jam ir pačiam jau kuris laikas teko slapstytis po krūmu, laukiant, kol pasišalins porelė įsibrovėlių. Žinoma, koks nors jaunesnis ir savimi labai pasitikintis geiperis būtų pabandęs jėga išvaryti atėjūnus iš jo medžioklės teritorijos. Jie juk neturėjo tokių durklo pavidalo ilčių ar aštresnių už peilius nagų, kuriais galėjo pasigirti šis milžiniškas katinas, o vienintelis įsibrovėlių ginklas – didžiuliai galvą puošiantys ragai – negalėjo būti labai pavojingi laukiniam, kovų užgrūdintam medžiotojui. Tačiau šis geiperis buvo kitoks. Seniai nebe jaunikis jis silpstančias jėgas kompensavo milžiniška patirtimi. Plėšrūnas jau kartą, labai jam asmeniškai nelaimingą ir sunkią dieną, buvo sutikęs tokius padarus. Tada rūkstančiu kailiu, už nugaros palikęs apanglėjusį savo patelės lavoną, jis sugebėjo pasprukti nuo žaibų ir griaustinių, kuriais svaidėsi šie keisti raguočiai. Tad dabar geiperis net negalvojo apie kokius nors kardinalesnius veiksmus, o gulėdamas po krūmu kantriai laukė, kol tie nerimstantys atėjūnai pasišalins iš jo medžioklės valdų, norom nenorom klausydamasis jų pokalbio, kuris šiam milžiniškam katinui atrodė kaip beprasmiškas mūkimas.

– Nebegaliu daugiau, Darhai, – jau kelintą kartą pasakė sukniubęs raguotis. – Jis tuoj pralauš paskutines užtvaras. O, dievai, kaip man skauda...

– Tu privalai, brolau, – švelniai apkabinęs draugo galvą, kalbino jį Darhas. – Mums tiek daug pavyko. Negalim sustoti beveik prie ribos. „Atrodo, šį kartą jam tikrai labai blogai, – svarstė haratas, bandydamas pakelti bičiulį. – Jei sukniubęs prieš pusvalandį jis dar sugebėjo atsikelti, tai šį kartą, manau, teks jį nešti. Tik ar man pakaks jėgų? Labai sekina „parazito“ balsas galvoje. Kol kas „draugų“ sukonstruoti sąmonės barjerai mane gelbsti, tik ar ilgai. Akivaizdu, kad Turnui jie nebepadeda. Kiek laiko praeis, kai, sudoroję Turną, jis rimtai imsis manęs? Gal dar spėsim pasprukti... Nebe daug liko bėgti. Čia pat riba... Dar valandžiukė ir atsidurtume „draugų“ kontroliuojamoje zonoje. Reikia judėti...“, – nusprendė haratas, padvigubindamas savo pastangas pakelti bendrakeleivį.

– Nebereikia, nebekankink manęs, – sudejavo Turnas. Gelsvas iš jo akių bėgantis skystis rodė, kad šis, kadaise toks galingas ir tvirtas karys, apako. – Aš mirštu, Darhai. Dabar jis imsis tavęs. Bėk, brolau, palik mane. „Draugai“ mane atvirai perspėjo, kad jei „parazitui“ pavyks sunaikinti užtvaras, aš neišgyvensiu. Dangau, kaip man skauda. Smegenys tuoj suplėšys galvą. Aš nieko nebematau...

– Dar pabandyk, brolau. Tu gali. Tu pats stipriausias elitinės gvardijos karys. Tau nebaisus joks skausmas ir jokios kančios, – kaip skęstantysis šiaudo, įsikibęs gęstančios vilties, Darhas dar bandė išjudinti draugą.

– Buvau, bičiuli. Dabar aš tik mirštantis mėsos gabalas. Nebepadeda niekas... Palauk, jis kažką sako... Jis liepia tau perduoti demiurgams žinią. Siūlo bendradarbiauti... Dar kažkas... Nori atkeršyti žmonėms.

– Žmonėms? – nustebęs perklausė Darhas, bet draugas jo net neišgirdo.

– Sako, nebeplės savo užimtos teritorijos ir likusį Haratą paliks valdyti demiurgams, jeigu jie sugebės į jo zoną atvilioti grupelę žmonių. Labiausiai jis nori žmogaus, vardu Ardas. Dangau, kokios šlykščios jo mintys... Jis nori palaužti, sutrypti, paniekinti žmones, paversti juos savo vergais, nemąstančiais galvijais. Jis trokšta keršto...

– Kokio keršto? Už ką? – dar kartą perklausė Darhas, bet draugas jo nebegirdėjo.

– Eik, brolau, jis tavęs nebelies, – sušnabždėjo mirštančiojo lūpos. Paskutinė skausmo dejonė ir perbėgęs gulinčiojo kūnu virpulys užgesino ir tą menkutį Darho vilties spindulėlį. Vilties, kad draugas, su kuriuo dvidešimt metų petys į petį tarnauta elitinėje gvardijoje, kuris buvo jėgos ir valios įsikūnijimas, geležinis Turnas, dar sugebės pakilti.

– Ilsėkis, broli, ramybėje. Nebeišgirsiu tavo ramaus ir savimi pasitikinčio balso, nebepajusiu tvirtos rankos... Aš perduosiu šią žinią... Tačiau tegu jis žino, kad kas bebūtų tie žmonės, eisiu su jais nors į pasaulio kraštą, kol pamatysiu sudegusias „parazito“ likučius. Aš tavęs niekuomet nepamiršiu, brolau, – ištaręs šiuos žodžius, Darhas atsistojo ir sparčiu žingsniu nužygiavo ribos link. Jau eidamas haratas vis bandė prisiminti, kur jis girdėjo apie tuos žmones. „Ar kartais ne tie beplaukiai neūžaugos, kurie apimti beprotybės sunaikino save kartu su dviem mūsų eskadrom? Jei taip, kaip demiurgai, taip „parazitas“ turbūt vadino mūsų „draugus“, gali atvilioti grupelę žmonių į jo zoną. Gal dar ne visi žmonės susinaikino? Gal dalis jų išliko? Bet kaip jie galėjo pakenkti „parazitui“? Jie juk tokie bejėgiai. Pralaimėjo haratams, išprotėjo neatlaikę kovos. Kažkokia mistika... Gal „draugai“ galės paaiškinti.

Tuo metu skvarbios plėšrūno akys nulydėjo tolstantį haratą. „Gal ir nėra tokia jau nesėkminga ši naktis, – dingtelėjo geiperio galvon. – Gyvasis nuėjo, bet tas, kuris numirė, liko čia. Jis tikrai nebeturėtų būti pavojingas... Nors gal jis dar nemirė?“ Atsargus stuktelėjimas letena, bakstelėjimas nosimi ir, pradingus paskutinėms plėšrūno abejonėms, mėnulių šviesoje suspindėjo iššieptos didžiulės milžiniško katino iltys. Paskui tik plėšomos mėsos ir palaimingo murmėjimo garsas trikdė nakties tylą. Šiąnakt geiperis puotavo...

Tuo pačiu metu Harato planetos sostinė

– Kaip man malonu vėl pamatyti savo baltąjį brolį... – tiesdamas rankas ir pasipuošęs kuo nuoširdžiausia šypsena Mėlynojo demiurgų rato valdovas išskubėjo pasitikti savo pirmojo svečio.

– Sveikas ir tu, brolau, – taip pat nuoširdžiai Baltojo rato valdovas apkabino mėlynąjį demiurgą. Čia reikėtų pasakyti, kad, skirtingai nuo neprabudusių žmonių, demiurgai vienas kitam neveidmainiavo. Baltasis demiurgas iš tiesų mėgo savo kolegą ir todėl atskubėjo visa para anksčiau nei likusiųjų ratų valdovai. Tiesą sakant, ši skubėjimo priežastis tik iš dalies teisinga. Dar bendravimo bendrojoje sąmonėje metu jis pajuto, kad Mėlynasis ratas susidūrė su problemomis Harate. Kai pagaliau Mėlynojo rato valdovas pamynė savo išdidumą ir sukvietė visus valdovus susitikti ir dar, priešingai tradicijoms, ne savo rato planetoje, o Harate, baltasis suprato, kad problemos gerokai rimtesnės, nei jis anksčiau manė. „Ką gi, vėl teks visiems kartu priimti sprendimus. Dabar belieka padaryti, kad tie sprendimai būtų naudingiausi Baltajam ratui. Pavyzdžiui, kad būtų pritarta mano asmeninei nuomonei, ir Baltojo rato autoritetas vėl atgautų buvusias aukštumas. Žinoma, tam man reikia įgyti pranašumą prieš kitus valdovus, o pranašumas šiuo atveju būtų papildoma informacija. Kur aš galiu gauti papildomos informacijos? Tik iš Mėlynojo rato valdovo. Vadinasi, turiu su juo susisiekti ir pasikalbėti akis į akį. Bendrojoje sąmonėje to nepadarysi. Taigi turiu greičiau ruoštis kelionėn", – tada labai logiškai baigė savo samprotavimus baltasis demiurgas ir štai, aplenkęs viena para visus likusius ratų valdovus, įžengė į Mėlynojo rato rūmus Harato planetoje.

– Atrodai tiesiog žydintis, – nerūpestingai šnekėjo mėlynasis demiurgas, sutikdamas svečią. – Matau, tie sukrėtimai, kuriuos patyrei su žmonėmis, praėjo nepalikę pėdsakų.

– Niekis, – mostelėjo ranka baltasis. – Atsigavau gana greitai. Žinai, buvau dar porą kartų tėvą sutikęs.

– Na ir? – susidomėjo pašnekovas.

– Nieko. Šnektelėjome. Jis pasikeitė prisijungęs prie prabudusiųjų bendrosios sąmonės. Tapo labiau žmogumi. Bandau jį suprasti. Buvęs rato valdovas... Tokia iškili asmenybė ir staiga panoro tapti žmogumi, – net praėjus tiek metų, baltojo balse vis dar atsirasdavo nuoskauda kalbant šia tema.

– O kodėl gi ne? – gūžtelėjo pečiais Mėlynojo rato valdovas. – Ne jis vienas taip pasirinko. Dvidešimt du poilsio atgulę Mėlynojo rato nariai nutarė grįžti į gyvenimą ir tapti žmonėmis. Gal ir mes kada nors pasirinksim tokį kelią. Kas žino? Be to, žmonės ganėtinai įdomūs padarai, turiningo vidinio pasaulio. Tavo tėvas, manau, yra laimingas.

– Galbūt... – sutiko baltasis, nusprendęs nebetęsti šios temos. – Geriau papasakok, kaip tau čia sekasi. Atvirai tariant, atrodai labai nuvargęs. – Iš tiesų Mėlynojo rato valdovas atrodė taip, tarsi metus neturėjo progos normaliai pasiilsėti.

– Chm... – numykė pašnekovas. – Ilgokai pasakoti. Kai ką tu žinai, kai ko – dar ne. Gal iš pradžių pavakarieniaukim. Klausyk, brolau, tu ką nors jauti? Kokį nors mentalinį foną ar spaudimą?

– Lyg ir ne, – atsakė baltasis, gerokai nustebęs dėl tokio klausimo.

– Aš irgi ne. Keista, – vėl myktelėjo Mėlynojo rato valdovas. – Žinai, pirmą kartą per penkerius metus aš nejaučiu bandymų pralaužti mūsų mentalinių užtvarų. Kažkas keičiasi... Tik nežinau – į gera ar į bloga, – staiga mėlynasis pamatė susirūpinusį ir nustebusį svečio veidą ir greitai atsitokėjo. – Nebijok, brolau, aš dar neišprotėjau. Tai tiesiog visos istorijos dalis. Eime, pavakarieniausim, pailsėsim ir aš tau viską papasakosiu.

• • • • •

– Tai kaip ten viskas prasidėjo? – sotus Baltojo demiurgų rato valdovas patogiai išsitiesė jam pasiūlytame gulte ir pasiruošė rimtesniam pokalbiui. Iki tol pašnekovai kalbėjo apie viską – nuo paskutinių naujienų Mąstančiųjų sąjungoje iki sparčiai plintančių naujų būsto dizaino elementų, bet taip ir nepalietė pagrindinės temos. Pagaliau baigus vakarienę baltasis demiurgas nusprendė pirmas pradėti tą kalbą, dėl kurios, tiesą sakant, jis ir atskubėjo į Harato planetą. – Pradinę informaciją, tą, kurią jūsų ratas paskleidė bendrojoje sąmonėje, aš žinau, bet įtariu, kad šios mano žinios toli gražu nėra išsamios.

– Chm... – numykė, pritardamas kolegos minčiai, Mėlynojo rato valdovas. – Žinai, brolau, tikėjomės savo jėgomis įveikti visas negandas, nenorėjom kelti panikos...

– Aha, – linktelėjo baltasis demiurgas. – Be to, politika, naujų žinių paieškos, kurios galbūt padės išaukštinti Mėlynąjį ratą tarp demiurgų ir panašiai. Kiek suprantu, argumentai tie patys kaip ir tada, kai mano klanas, su niekuo nesitaręs, pabandė pagrobti žmogų, vardu Ardas, iš Isų planetos.

– Sakykim, kad argumentai panašūs į tuos, kurių vedinas Baltojo rato valdovas pasistengė visa para aplenkti kitus, ne tokius supratingus savo kolegas, – atsakydamas į lengvą bičiulio pašaipą, atkirto mėlynasis demiurgas. Abu pašnekovai nuoširdžiai nusikvatojo, puikiai suprasdami vienas kitą. Tokie žaidimai ir varžymasis tarp atskirų ratų buvo sudėtinė demiurgų politinio gyvenimo dalis. Tačiau tada, kai iškildavo rimtas pavojus, galintis grėsti visai demiurgų rasei, bet kokie slapukavimai būdavo metami į šoną. Visuose ratuose tiek paprasti jų nariai, tiek jų valdovai puikiai žinojo leistinas tarpusavio konkurencijos ribas ir niekuomet per visą rasės gyvavimo istoriją nebuvo jų peržengę. Ne išimtis buvo ir šis atvejis.

– Taigi, viskas prasidėjo prieš penkerius metus, – patogiau įsitaisydamas pasiruošė ilgai pasakoti Mėlynojo rato valdovas. – Staiga nei iš šio, nei iš to pirmą kartą haratų istorijoje tarp jų atsirado religinė sekta. Kelis pirmus mėnesius tai atrodė tik kaip nepavojinga išimtis per amžius nusistovėjusiose haratų tradicijose. Keliasdešimt naujos sektos šalininkų, propaguodami tikrojo planetos valdovo ir vienintelio Dievo atėjimo ir viešpatavimo pradžios idėjas, taikiai rinkdavosi nedidukame pastate, viename iš didžiausių miestų, esančiame priešingoje planetos pusėje nuo haratų sostinės ir mūsų pagrindinės bazės, kur ramiai skleidė ir aptarinėjo savo mintis. Tačiau vėl labai staiga viskas pasikeitė. Per kelias savaites sektos šalininkais tapo faktiškai visi miesto gyventojai, o dar po kelių savaičių – ir beveik dešimt aplinkinių miestų. Maža to, šie fanatikai pradėjo propaguoti smurtinį valdžios pakeitimą visoje planetoje. Visose aikštėse ir skveruose, visose kaip po lietaus pridygusiose šventyklose garsiai buvo šaukiama apie planetos valdovą, kaip apie vienintelį valdžios šaltinį, ir jo kulto narius, kaip vienintelius nusipelniusius šios valdžios. Žinoma, Haratų planetos vyriausybė su tokiais įvykiais nesitaikstė ir pasiuntė kariuomenę įvesti tvarkos.

– Ir ta kariuomenė perėjo į sektos pusę? – spėjo baltasis demiurgas.

– Būtent, brolau. Tik prisiartinusi prie kulto kontroliuojamos teritorijos, kuri kasdien plėtėsi.

– Tada jūs įtarėt priešišką mentalinę įtaką?

– Taip.

– Ir?

– Planetoje buvę mano rato nariai pabandė nustatyti įtakos šaltinį, bet susidūrė su rimtu pasipriešinimu, kuris negrįžtamai pakenkė vieno meistro ir tuzino padėjėjų smegenims. Pasipriešinimas buvo toks galingas, kad iš pradžių net nesugebėjome nustatyti paties objekto. Tapo akivaizdu, kad kažkas labai stiprus mentališkai bando atimti Harato planetą iš mūsų. Pasiunčiau dar dešimt labiausiai patyrusių rato meistrų, bet to pasirodė per maža. Mums tik pavyko nustatyti, jog objektas įsikūrė tiesiai po pirmuoju sektos užimtu miestu. Maža to, jis išvedė iš rikiuotės dar du mano meistrus ir išplėtė savo įtaką beveik trečdalyje pietinio kontinento. – Pasakotojas ilgam nutilo. Matėsi, kad Mėlynojo rato valdovui sunku pripažinti ne tik savo meistrų, bet ir savo paties bejėgiškumą.

– O vėliau į planetą nusiuntei visus savo meistrus ir nuvykai pats? – padėdamas kolegai paklausė baltasis demiurgas.

– Būtent, – linktelėjo mėlynasis.

– Ir?

– Nieko gero. Netekau dar dešimt savo rato narių, iš kurių du buvo meistrai. Taip pat praradome beveik visą pietinį kontinentą, išskyrus šiaurinę kelių šimtų kilometrų pločio pakrantės juostą. Gerai, kad laiku pavyko evakuoti ten buvusius karinius dalinius ir dalį gyventojų. Prieš metus didžiulėmis pastangomis pagaliau stabilizavome padėtį.

– Perėjot į puolimą? – dar kartą pasitikslino baltasis, nenorėdamas praleisti nė vienos smulkmenos.

– Ne, – papurtė galvą pasakotojas. – Nepavyko. Išmokome apsisaugoti ir apsaugoti haratus, bet parazito, taip mes pavadinome užpuoliką, užimtos teritorijos atgauti nepavyko. Susiklostė labai įdomi padėtis. Mes laikėmės savo pozicijose, jis – savo. Kartą parazitas bandė pasiųsti savo kontroliuojamus karius pulti mūsų bazės pietiniame kontinente, bet mes juos užvaldėme vos tik jie perėjo mūsų teritorijos ribas. Daugiau tokios klaidos parazitas nebekartojo. Jis be perstojo bandė mūsų jėgas, vargino, spaudė, bet mes, nors ir sunkiai, laikėmės. Pagaliau mums pavyko atrinkti kelis išskirtinai stiprios valios bei ryžto karius ir sukurti ganėtinai stiprią jų proto apsaugą, turinčią apsaugoti nuo parazito įtakos. Pasiuntėme juos į žvalgybą. Tikiuosi sužinoti, kaip užimtose teritorijose verda gyvenimas, kokias karines pajėgas priešas turi sutelkęs.

– Kam tau to? – nusistebėjęs paklausė baltasis demiurgas. – Manau, kad siekei kiek kitokių tikslų, nei bandyti išsiaiškinti, kaip gyvena haratai, valdomi sektos.

– Įžvalgusis mano drauge, – šyptelėjo Mėlynojo rato valdovas. – Nieko nuo tavęs nenuslėpsi. Žinoma, mano nurodyti žvalgybos tikslai buvo svarbūs, bet kur kas labiau norėjau sužinoti, ar išlaikys mūsų sukurti skydai. Jei grįš bent vienas žvalgas, žinosim, kad ilgainiui galim sukurti kariuomenę, atsparią parazito įtakai. Tada pradėsim puolimą.

– Tik vieni jūs nesusitvarkysite. Jums trūksta jėgų ir todėl norėsite kitų ratų pagalbos? – įsiterpė baltasis demiurgas. – Teisingai supratau?

– Ir vėl lenkiu galvą prieš tavo įžvalgumą, brolau, – šyptelėjo Mėlynojo rato valdovas. – Mes tikrai pasiekėme mūsų galimybių ribą ir be kitų ratų pagalbos neišsiversime. Susiklostė panaši padėtis, kaip ir tau istorijoje su žmogumi.

– O su kuo, tiesą sakant, ruošiamės kariauti? – Baltojo rato valdovas pradėjo kažką įtarti, bet pats bijojo garsiai išsakyti savo mintis, todėl klausinėdamas vylėsi, jog yra kitokia galimybė.

– Tai ir yra blogiausia, ką aš turėjau pranešti, mano brolau, – nulenkė galvą mėlynasis demiurgas. – Nesitikėjau, kad taip greitai viską suvoksi.

– Nejaugi tai tiesa, – pašiurpo Baltojo rato valdovas. – O senoliai! – jis net šūktelėjo iš susijaudinimo. – O aš vis galvojau, kur dingo Kūrėjas iš Skruzdžių planetos... Tai mes turėsim kovoti prieš vieną iš savo kūrėjų... – ištaręs šiuos žodžius, baltasis ilgam nutilo, o slogios tylos, kurią, rodos, galima buvo apčiuopti, netrikdė joks garsas. Regis, net paukščiai, iki tol triukšmavę sode, pajuto pakibusią grėsmę ir staiga nutilo. – Kitos išeities neturime?

– Manai, aš apie tai negalvojau? – liūdnai prašneko Mėlynojo rato valdovas. – Jau metai kaip šitai žinau. Supranti, kodėl viską slėpiau?

– Kovoti prieš savo kūrėjus... Juk tai viso, kas šventa, paniekinimas... Jeigu aš taip reaguoju, ką tau pasakys Žaliojo rato valdovas? Tu žinai, kaip jie saugo tradicijas. Aš suprantu ne tik tai, dėl ko taip ilgai tylėjai, bet ir tai, jog esi beviltiškoje padėtyje, jei galvoji prašyti kitų pagalbos. Kokios mūsų alternatyvos?

– Apleisti Haratą. Pamiršti mūsų pastangas ir bent šioje planetoje atsisakyti Didžiojo tikslo, – atsiduso mėlynasis demiurgas. – Aš viską suvokiu, bet, suprask, man neleidžia išdidumas pabėgti ir prisipažinti nugalėtam.

– O toliau kautis vienas tu nesi pajėgus, – palingavo galvą pašnekovas. – Dabar supratau, kodėl taip apsidžiaugei, kai pranešiau, jog ketinu atvykti anksčiau. Tikiesi mano patarimo?

– Būtent, brolau. Tikiuosi. Jei nieko nesugalvosim, labai didelė tikimybė, kad dauguma nuspręs atsitraukti. O aš jaučiu, mes galime įveikti šitą išprotėjusį Kūrėją. Žmonėms tai pavyko padaryti, kai jis buvo visiškai užvaldęs visą planetą ir tiesiog spinduliavo beribe energija. Dabar jis gerokai silpnesnis, nei buvo Skruzdžių planetoje...

– Žmonių buvo tūkstančiai...

– Mūsų irgi gali būti ne mažiau šioje planetoje. Jei tik visi ratai suvienys jėgas, vien aukščiausio lygio meistrų bus keliolika tūkstančių. Jis nevaldo planetos jėgų ir tegali naudotis vien mentaline prievarta. Svarbu neleisti jam sustiprėti...

– Kiek laiko turime? – pasitikslino baltasis demiurgas ir Mėlynojo rato valdovas suprato, kad bent jau šis kolega yra jo pusėje.

– Dešimt metų. Gal kiek daugiau, bet... – staiga kalbėjusysis nutilo neištaręs viso sakinio. Jis labai gerai ir ilgai pažinojo Baltojo rato valdovą, kad suprastų, ką reiškia pastarojo veido išraiška. – Sakyk, nekankink. Aš matau... – paprašė draugo mėlynasis.

– Žmonės, sakai... – numykė Baltojo rato valdovas. Toliau mėlynajam demiurgui nieko nereikėjo sakyti.

– Manai, jie sutiks? Girdėjau, pradėjo kažkokią veiklą gretimoje galaktikoje.

– Priklausys nuo to, kaip jiems nušviesime problemą ir kokiais žodžiais kreipsimės, – rimtai linktelėjo baltasis demiurgas. – Sakyčiau, yra reali galimybė...

– Šaunu... Bet tai vis tiek kova su Kūrėju. Ką pasakys kiti ratai? – staiga Mėlynojo rato valdovo dėmesį patraukė kilęs triukšmas sode ir tarpduryje išdygęs vienas iš rato meistrų.

– Valdove, – pratarė nusilenkdamas įėjusysis. – Grįžo žvalgas. Sako, turi tau žinių nuo parazito. Atgabenome jį tiesiai čionai. Ar priimsi?

2030 metų spalio 14 diena. Harato planeta

Tyla gali būti visokia. Kai kada ji miela. Kai ausys pavargusios nuo amžino šurmulio, nieko nėra geriau už truputį tylos. Ji gali būti nerami. Taip, regis, visa gamta nutyla prieš didžiulę audrą, besikaupiančią horizonte. Tyla būna ir baiminga, kai vaikai kažką pridirbę nustoja šurmuliuoti ir baimingai „suglaudę“ ausytes išsislapsto pakampiuose. Ar šokiruojanti... Kai netikėta žinia nutildo visus aplinkui. Sunku pasakyti, kokia tyla apgaubė Mėlynojo rato būstinės Harato planetoje menę tuoj po to, kai nuskambėjo prisipažinimas: „Visą laiką kovojome su Kūrėju.“ Turbūt šokiruojanti, o gal baiminga, o gal ir tokia, ir tokia... Sunku pasakyti. Vargu ar buvo rasė galaktikoje, kuri taip garbino protėvius. Jei demiurgams tėvų valia buvo šventa, ką bekalbėti apie rasės kūrėjus. Juk tai tas pats, kas visų be išimties demiurgų tėvai.

Net progresyviausi ir maištingiausi iš jų, tokie kaip Baltojo rato valdovas, ilgai raukėsi, kol apsiprato su šia mintimi. Labiausiai Didžiajam rasės tikslui atsidavęs Mėlynojo rato valdovas beveik metus kovojo pats su savimi draskomas abejonių, kol apsisprendė pulti Kūrėją ir ryžosi prašyti pagalbos kitų savo kolegų.

– Brolau, ką tu padarei? – šokiruotas išstenėjo Žaliojo rato valdovas. – Kovojai su Kūrėju? Nori prašyti mūsų pagalbos? Mes tau atrodome panašūs į žmones, kuriems nėra nieko švento, ar sidargus, kurie dėl trumpalaikės naudos sugeba pakeisti savo moralinius įsitikinimus?

– Palauk, mano drauge, – mostelėjo ranka baltasis demiurgas, nutraukdamas besikarščiuojantį Žaliojo rato valdovą ir išvengdamas konflikto tarp Žaliojo ir Mėlynojo rato. – Neskubėk teisti. Ar ne taip sakydavo mūsų protėviai? – skvarbus baltojo žvilgsnis lėtai slydo kiekvieno iš dalyvaujančiųjų veidu. Net žaliajam demiurgui šie žodžiai padarė įspūdį, o ir kiti nurijo jau besprūstančius piktus žodžius. – Prisipažinsiu, kai pirmą kartą išgirdau šią žinią, buvau gerokai šokiruotas. Pykau beveik taip kaip tu, mano brolau, – linktelėjo Baltojo rato valdovas savo kolegai iš Žaliojo rato. – Tačiau paskiau įsiklausiau... Įsiklausiau į tą vidinę kovą, kurią kovojo mūsų svetingasis šeimininkas. Kas nuoširdžiau už jį siekia įgyvendinti mūsų Didįjį tikslą? Nepažįstu nė vieno, kuris tuo tikslu kvėpuotu, su juo miegotų ir keltųsi, kaip tai daro mūsų brolis. Jis teturėjo du pasirinkimus – atsitraukti ir taip dar labiau atitolinti Didįjį tikslą arba kovoti. Kovoti tegu ir su pačiu Kūrėju. Kovoti karą, kuris gali įeiti į mūsų rasės istoriją kaip įrodymas, kad mes sugebame laikytis protėvių iškeltų tikslų. Ir nesvarbu, kas tuo metu būna mūsų priešas, ar kas mums stoja skersai kelio. Užtenka, broliai, – baltasis demiurgas beveik išrėkė paskutinius žodžius. – Užtenka mums trauktis. Mes faktiškai pralaimėjome žmonėms. Kiek dar galime pralaimėti ir trauktis? Pirma žmonės, paskiau Kūrėjas, vėliau koks nors Kūrėjo kūrėjas ir taip be galo...

– Na, dėl pralaimėjimo žmonėms – kiek ginčytinas klausimas, – įsiterpė Geltonojo rato demiurgas. Šis ratas vienintelis dar slaptai stebėjo Žemę iš savo puikiai užmaskuotos bazės Mėnulyje. – Kiek girdėjau, baltojo valdovo idėja apie žmones, kaip pavargusių nuo gyvenimo demiurgų būties pratęsimą, labai pakėlė mūsų rasės autoritetą Mąstančiųjų sąjungoje. Jokia kita rasė neturi tokių galimybių pratęsti savo gyvenimą tampant žmogumi, kaip padarėme mes. Girdėjau, daug kas pradėjo laikyti žmones ir demiurgus kaip neatskiriamas puses. Taigi, dėl pralaimėjimo žmonėms nesutikčiau su savo kolega...

– Tegu, – mostelėjo ranka baltasis demiurgas. – Nesiginčysiu dėl terminijos. Jei kas mano, jog mes laimėjom, tegul taip ir bus. Aš žinau, kaip jaučiuosi. Grįžkim geriau prie aptariamo klausimo. Tas pasakojimas, kurį čia taip drastiškai nutraukėme, iš tiesų nėra baigtas. Manau, jums reikėtų išgirsti ir antrąją jo dalį. Kalbėk, brolau toliau, – paragino baltasis demiurgas Mėlynojo rato valdovą.

– Dėkui jums visiems už mintis ir rūpestį, – mėlynasis akivaizdžiai jautėsi geriau. Vieno iš pačių autoritetingiausių ratų parama, kuri šiame susirinkime buvo taip nedviprasmiškai išreikšta, suteikė jam ramybės ir šiokio tokio tikėjimo gera baigtimi. – Kaip jau girdėjote, tai dar ne visa istorija... Prieš porą dienų, mums su baltuoju kolega svarstant apie galimus sprendimus, grįžo vienas iš žvalgų, mano pasiųstų į Kūrėjo kontroliuojamą teritoriją. Žinoma, pats jo grįžimas patvirtino, kad galima sukurti mentalinį skydą, kurio negalės pralaužti net Kūrėjas, bet svarbiausia ne tai. Mums svarbiausia žinia, kuri per šį žvalgą perduodama.

– Kūrėjas perdavė kažkokią žinią? – pažvalėjo Žaliojo rato valdovas.

– Taip, – linktelėjo rūmų šeimininkas. – Trumpai sakant, jis sutinka su mumis nebekariauti ir neplėsti savo užimtos teritorijos, jeigu mes sugebėsime kaip nors įvilioti pas jį grupelę žmonių. Svarbiausia, kad tarp jų būtų visiems gerai žinomas žmogus, vardu Ardas. Kūrėjas nori jiems atkeršyti. Ganėtinai žiauriai... Tie vaizdiniai, kuriuos jis paliko žvalgo galvoje, nupurtė net mane. Aš asmeniškai manau, kad ilgas gyvenimas ir sukrečiantis pralaimėjimas žmonėms išvedė Kūrėją iš proto.

– Sakai, jiems atkeršyti? – pusbalsiu pratarė geltonasis demiurgas.

– Ar tik jam neatsirūgs šitie norai? – pratęsė kalbėjusiojo mintį Baltojo rato demiurgas. – Atrodo, Kūrėjas vis dar nesuprato, kas yra žmonės. Kad tik netektų brangiai už tai mokėti...

– Kolegos, išsakėte mano mintis, bet tai reikalo esmės nekeičia, – linktelėjo kalbėjusiesiems mėlynasis demiurgas. – Turim nutarti, ką darysim.

– Tad jei, broliai, jau aptarinėjote šią problemėlę prieš porą dienų, gal ir pasiūlymų kokių nors turite? – pagaliau prašneko ir Juodojo rato valdovas, nedrąsiai linkteldamas baltajam ir mėlynajam demiurgams. Juodieji demiurgai labiau specializavosi kūryboje, visa galva pasinerdami į įvairius mokslus. Žymiausi rasės matematikai, chemikai, fizikai ir inžinieriai buvo kilę iš Juodojo demiurgų rato. Tai jų žiniomis ir tyrimais remdamasis Geltonasis ratas kažkada pradėjo žmonių kūrimą, o vėliau plėtojo keturrankių projektą[1]. Tačiau, būdami puikūs mokslininkai, Juodojo rato atstovai labai nemėgo politikos, nors tai jiems netrukdė karštai palaikyti Didžiojo rasės tikslo. Žinoma, juodasis valdovas visuomet dalyvavo savo kolegų susirinkimuose, tačiau sprendimus priimti jis dažniausiai palikdavo kitiems. Taip ir šiandien, šokiruotas išgirstos žinios, bet, kaip ir mėlynasis demiurgas, draskomas prieštaringų minčių, jis sugalvojo, kaip pačiam atrodė, puikią išeitį. „Tegu baltasis su mėlynuoju ir sumąsto, ką dabar daryti. Juk jie kartu su Geltonojo rato valdovu visuomet buvo pagrindiniai idėjų generatoriai. O aš tiesiog pasiklausysiu ir, jei matysiu, kad tai skausmingai nepaveiks mano rato, pritarsiu jų mintims.“

[1] Visi šie įvykiai aprašomi knygoje „Žmogus“.

– Apgalvojom, – rimtai atsakė baltasis demiurgas. Tačiau, koks rimtas jis bebūtų, nesusilaikė nenusišypsojęs. Jis ką tik laimėjo lažybas prieš savo kolegą iš Mėlynojo rato. Puikiai pažindamas juodojo demiurgo charakterį, dar prieš porą dienų, tik subrandinęs veiksmų planą, baltasis prognozavo savo pašnekovui, kad būtent Juodasis ratas pasiūlys jiems imtis iniciatyvos. Mėlynasis demiurgas, priešingai, labai bijojo Žaliojo rato valdovo pykčio ar Raudonojo rato atstovo karštakošiškumo ir manė, kad juodasis kolega nutylės ir galiausiai palaikys galimus oponentus. – Siūlau duoti jam tai, ko jis nori...

– Kaip tai? – nuskambėjo vienu metu net keli balsai.

– Tiesiog, – gūžtelėjo pečiais baltasis valdovas, – kreipsimės į žmones, paprašysim atsiųsti grupelę į Harato planetą ir pasiaiškinti su Kūrėju.

– O kodėl jie turėtų sutikti? Ir kas kreipsis į žmones? – vienu metu nuskambėjo net du klausimai. Tai valdovų pasitarimuose nutikdavo labai retai ir puikiai rodė, kokie visi įsitempę.

– Galiu ir aš, – linktelėjo baltasis demiurgas. – Nuvyksiu į Žemę. Pakalbėsiu su žmogumi, kuris kadaise buvo mano tėvas. Papasakosiu, kokia sudėtinga mūsų padėtis, ir tiesiog paprašysiu pagalbos. Manau, jei pavyks akcentuoti, kad demiurgai nukenčia dėl žmonių prieš kelis metus įgyvendinto sumanymo iškeldinti Kūrėją į Harato planetą, Teromijus mus supras.

– Gerai, – įsiterpė žaliasis valdovas. – Sakykim, Teromijus viską supras, įkalbės Ardą ir kitus žmones mums padėti... Kas toliau? Ar tai nebus slapta kova su Kūrėju?

– Nemanau, brolau, – už baltąjį atsakė Geltonojo rato valdovas. – Mes tiesiog įvykdysim tai, ko mūsų prašo Kūrėjas. Argi tai nėra vaikų pareiga? Jeigu jam pavyks nugalėti žmones, kuo aš asmeniškai labai abejoju, pasistengsim iš to fakto išpešti kokią nors naudą. Jei žmonės jį galutinai įveiks, atgausime be kovos Harato planetos kontrolę. Svarbiausia, mes nekovosime su savo Kūrėju patys ir nesitrauksime nuo Didžiojo tikslo įgyvendinimo šioje planetoje. Manau, bet kokiu atveju būsime tik išlošę.

– Gal tu ir teisus, – pagaliau nusileido Žaliojo rato valdovas, išgirdęs kolegų šnabždesį, aiškiai rodantį, kad jie pritaria geltonojo demiurgo žodžiams.

– Taigi, reziumuojame, – pokalbio gijas vėl perėmė Baltojo rato valdovas. – Aš vykstu pas žmones ir prašau pagalbos. Tada kartu su jų grupe grįžtu į Haratą ir perduodu visą iniciatyvą Mėlynajam ratui, kuris ir toliau lieka atsakingas už šį projektą. Taip? – Kas linktelėjimu, kas pritarimo žodžiais vienas po kito pasitarimo dalyviai sutiko su išsakytomis kalbėjusiojo mintimis.

– Aš dar norėčiau šį tą pasiūlyti, – pratarė geltonasis demiurgas, matydamas, jog visi kolegos atsipalaidavo ir pralinksmėjo taip netikėtai nusimetę nuo pečių siaubingą naštą. – Turiu porą mintelių dėl žmonių, – ir pajutęs susidomėjusius dalyvaujančiųjų žvilgsnius tęsė: – Kaip žinote, mano ratas vis dar slapčiomis seka padėtį Žemėje. Perėminėjam jų radijo ir televizijos programas, o prieš kelerius metus prisijungėm ir prie informacinio tinklo. Taigi, po rimtos analizės mano ekspertai keliose Žemėje gyvenančiose tautose pastebėjo aiškų priešiškumą tiek prabudusiesiems, tiek apskritai šaliai, iš kurios kilęs Ardas, – geltonasis valdovas nutilo, bet iš susirinkusiųjų veidų pamatęs, kad jo minčių dar niekas nesuprato, skubiai tęsė toliau. – Iš jų savo ypatingu priešiškumu išsiskiria žmonės, gyvenantys valstybėje, kuri vadinasi „Rusija“. Tai didžiulė ir ganėtinai stipri šalis, kažkada užkariavusi Ardo gimtinę, bet paskui praradusi kontrolę. Be visa ko, joje pilna karinių bazių su dislokuotomis atominėmis raketomis.

– Na ir? – vis dar nieko nesupratęs perklausė Mėlynojo rato valdovas. Tuo tarpu baltasis demiurgas po truputėlį pradėjo gaudytis kalbančiojo mintyse, todėl kolegos nepertraukinėjo.

– Galėtumėme pasiųsti šnipą į tą Rusiją. Sukurstyti grupę žmonių ir užimti vieną iš tokių karinių bazių ir tada pradėti grasinti atominiu smūgiu Ardo tėvynei.

– Kokia mums iš to nauda? – vienu metu iš skirtingų pusių nuskambėjo tas pats klausimas.

– Stebėtumėme prabudusiųjų reakciją. Gal ilgainiui pavyktų įkurti atraminę bazę pačioje Žemėje. Taip įgautumėme dar didesnę įtaką žmonėms, – paaiškino geltonasis.

– Na, ir kaip tu tai įsivaizduoji? – paniekinamai išsiviepė Juodojo rato valdovas. – Pagal tave, mes galime vienu metu prašyti žmonių pagalbos ir grasinti Ardo gimtajai šaliai. Kažkaip kvailokai skamba. Nemanote?

– Gal ir ne, – į pokalbį įsiterpė baltasis demiurgas. – Jei misiją atlikti pasiųstume persikūnijusį į žmogų demiurgą, niekas nesužinotų, kad mes kažkaip su tuo susiję. Tereikėtų išrinkti tinkamą misijai egzempliorių...

– Būtent, – nudžiugęs, kad jį pagaliau suprato, linktelėjo Geltonojo rato valdovas. – Reikėtų parinkti individą, kuris nėra pavargęs nuo gyvenimo, atvirkščiai, dar jaunas ir kupinas ambicijų ir meilės savo rasei. Be to, jis turėtų būti vienas iš geriausių mentalinės prievartos meistrų.

– O kur tokį rasit? – gūžtelėjo pečiais Žaliojo rato valdovas. – Jis jau suprato pasiūlymo prasmę, bet vis dar buvo nusiteikęs skeptiškai.

– Atrodo, aš turiu tinkamą kandidatūrą, – tardamas šiuos žodžius plačiai šypsojosi baltasis demiurgas. Viskas, jo manymu, klostėsi labai gerai. Baltasis ratas akivaizdžiai atgavo turėtą įtaką ir autoritetą, o dabar net du labai svarbūs projektai priklausė nuo jo asmeninių pastangų.

Dar ilgai netilo kalbos rūmų menėje. Tik tada, kai du planetos mėnuliai savo šviesa apšvietė ištuštėjusį parką šalia rūmų, demiurgai pagaliau baigė kurti planus, diskutuoti ir ėmėsi malonesnių užsiėmimų. Kaip visuomet po tokių ilgų ir vargingų darbų, jie visa galva pasinėrė į linksmybes.

2030 metų spalio 20 diena. Andromedos ūkas. Dvarvų užimta erdvė

Šalta atšiaurios žvaigždės šviesa pačiame dvarvų teritorijos pakraštyje blankiai apšvietė vienišą sidargų kovinį laivą. Dar prieš dešimt metų būtų neįsivaizduojama tokia laivo kapitono beprotybė – nuvesti savo komandą ten, kur amžini sidargų priešai jau po kelių valandų net iš paties stipriausio šios rasės kreiserio nepaliktų jokių materialių pėdsakų. Dabar laikai pasikeitė. Galima pasakyti, jog toks banalus posakis net neatspindi visų pasikeitimų masto. Teisingiau būtų parašyti – „laikai iš esmės pasikeitė“. Maža to, kad sidargų kovinis laivas – toli gražu ne stipriausias – be jokių kliūčių perskrido visą dvarvų kontroliuojamą erdvę, jis, nutviekstas blyškios baltojo nykštuko šviesos, jau beveik tris paras patruliavo ir dairėsi vietos, tinkamos įkurti karinę bazę. Tačiau tai dar ne viskas. Laive, be sidargų, buvo keli kitų rasių keleiviai. Trys iš jų – dvirankiai ir dvikojai padarai, buvo vadinami žmonėmis, o ketvirtas, šiuo metu įgijęs žmogaus išvaizdą, buvo ilgus šimtmečius pats nekenčiamiausias ir negailestingas priešas dvarvas. Dar ir dabar ne visos sidargų patelės sugebėjo pamiršti praėjusio karo baisumus, ne visos pritarė Labiausiai patyrusiųjų tarybos sprendimui veikti kartu su buvusiais priešais, tačiau, nepaisant to, pakluso jam ir vykdė savo pareigą. Ypač sunkiai su permainomis susitaikė gimtosios galaktikos spiečiai, prieš tai buvę pirmose kovos su dvarvais eilėse. Laivo vadė – jauna, dar neįgijusi teisės į savo spiečių, patelė – buvo gimusi būtent gimtojoje sidargų galaktikoje. Tad nenuostabu, kad per visą kelionę ji kiekvieno apsilankymo Bendrojoje sidargų sąmonėje metu aktyviai reikšdavo savo nepasitenkinimą įpirštais keleiviais ir dažnai pagaudavo save įsivaizduojant, kaip būtų šaunu sudraskyti šiuos gležnus svetimųjų kūnus. Tačiau viso labo ji tik taip mąstė. Kokia pikta ji bebūtų, su savo keleiviais ši patelė elgėsi kuo maloniausiai. Nežinia, kas tokį elgesį labiau lėmė. Gal tie trys paralyžiuoti sidargų patinai, jau po kelių skrydžio valandų nusprendę išbandyti žmonių tvirtumą? O gal tas kategoriškas ir jokių prieštaravimų nepripažįstantis tarybos įsakymas besąlygiškai klausyti laivo svečių nurodymų? Vargu, ar tai kada nors sužinosime. Galų gale šių klausimų atsakymai ne tokie labai ir svarbūs, kad dėl jų vertėtų laužyti galvą. Svarbu tik tai, kad sidargai, nors ir labai įsitempę, puikiai vykdė savo pareigas, o žmonės ir jų palydovas, suvokdami esamą padėtį, stengėsi be reikalo savo pranašumo nedemonstruoti ir neerzinti laivo šeimininkų. Taip jie visi blaškėsi po kosminę erdvę gerą savaitę, kol...

• • • • •

– Supratau, – šūktelėjo sekretorius. – Tu susiruošei pasakoti apie pirmąjį mūšį su diratais.

– Na, taip, – abejingai gūžtelėjo pečiais Elena, visa savo povyza demonstruodama nepritarimą karštai reiškiamoms sekretoriaus emocijoms. – Ar tai pagrindas šūkauti ir mane pertraukinėti? Rašyk toliau... Po galais, susipainiojau, – pyktelėjo Elena tiek ant sekretoriaus už tokį grubų įsiterpimą į pasakojimą, tiek ant savęs už netikėtai susipainiojusias mintis. – Rašyk...

• • • • •

– Matai, vis dėlto Hansas buvo teisus, – žmogus mostelėjo ranka link penkių nežinomos rasės kosminių laivų, pasirodžiusių priešais sidargų laivą. – Tu be reikalo abejojai, Teromijau.

– Prisipažįstu klydęs, – su šypsena atsiliepė pašnekovas. – Bet, Ardai, pats pagalvok. Kokia tikimybė, kad iš tų atskirų duomenų nuotrupų Hanso padaryta išvada apie svetimos rasės patruliuojamos erdvės ribas bus teisinga? Tuo labiau neįtikėtina, jog tie laivai pasirodė būtent dabar. Čia jokie skaičiavimai negali padėti. Vis dėlto manau, kad Hansas šiek tiek numato ateitį.

– Na, nežinau, – kiek padelsęs atsiliepė Ardas, o būtent jis, Teromijus, Elena ir dvarvas buvo sidargų svečiai. – Gal labiau tiktų pasakyti nujaučia, o ne numato. Aš ir pats kai kada pagalvoju, kad kai kuriais atvejais jo išvados ir spėjimai tiesiog negali būti logiškai išmąstomi, bet kažkodėl labai dažnai išsipildo.

– Na, buvo ir neatitikimų, – linktelėjo Teromijus, pritardamas pašnekovui.

– Buvo, bet ne taip dažnai, kaip būtų spėliojant man arba tau. Tu pažiūrėk į laivų formą, – staiga pakeitė temą Ardas, stebėdamas sparčiai artėjančius atėjūnus. – Kam jiems tie atsikišimai? Gal čia kokie pabūklai?

– O mes imkim ir išbandykim, – šypsodamasis pasiūlė Teromijus. – Baltieji padarė pirmą ėjimą, sulaukė atsako, metas jiems daryti antrą.

– Tik, kitaip nei reikalauja visos šachmatų taisyklės, baltieji pradėjo karalienės ėjimu. Įdomu, kada priešininkai visa tai supras? – palingavo galvą Ardas. – Tikiuosi, labai ilgai neužtruks ir daug kraujo nekainuos.

– O mes jiems tai vaizdingai pademonstruokime, – nenustygo vietoje Teromijus, vis ragindamas pašnekovą.

– Gerai. Metas. Elena, prisijunk prie bendrosios sąmonės ir transliuok ten viską, ką matai ir jauti. Manau, mums su Teromijumi reikės nemažai energijos, todėl negalėsim jos skirti kam nors be mūšio. Drauge, – kreipėsi Ardas į šalia stovėjusį dvarvą. – Tu turi savo užduotis, į kurias aš nesikišu. Tiesiog perduok laivo vadei pasirengti šuoliui Motininio avilio planetos link, bet pasakyk jai, jog privalo sulaukti, kol mes grįšime į laivą. Supratai? – sulaukęs dvarvo patvirtinimo, Ardas tęsė šį kartą jau kreipdamasis į Teromijų: – Einam...

• • • • •

– Tai tu dalyvavai tame pirmajame mūšyje su diratais? – susižavėjęs sekretoriaus balsas nutraukė Elenos pasakojimą.

– Dalyvavau, – kiek pamaloninta tokio nuoširdaus pagalbininko domėjimosi, Elena nusišypsojo. – Šiaip tai aš dalyvavau ne tik šiame, bet ir kitame mūšyje su diratų eskadromis. Po „Harato krizės“ kartu su trisdešimčia kitų prabudusiųjų buvau pasiųsta į sidargų jau įkurtą naują bazę. Tada mums vadovavo Saulius. Žinai, keisti tie diratai. Tai vien technologijomis pagrįsta arba neregėtų drąsuolių, arba kvailų užsispyrėlių, arba visiškų „dundukų“ rasė. Paskutinį kartą jie prarado beveik pusę šimto laivų, kol pagaliau susiprato, kad prieš žmones kariauti neverta. Ech, gerai tada kovojome... Sudarėme vieną liniją ir, suvieniję jėgas... Nors gal kiek ir kvailokai... Tiesą sakant, po mūšio keli žmonės buvo taip išsekę, kad dar kiek ir būtų apleidę šią ašarų pakalnę. Jei diratai tada būtų turėję dar penkiasdešimt laivų, neliktų nei mūsų, nei tos sidargų bazės su keliais koviniais kreiseriais. Na, bet neužbėkim įvykiams už akių. Rašyk toliau.

– Palauk dar, – niekaip nenurimo sekretorius. – Jūs kovėtės kosminėje erdvėje? Be skafandrų? Kaip tai įmanoma? Gal tu ką nors painioji?

– Nieko aš nepainioju, sekretoriau. Nusibodai jau man... Dar pertraukinėsi, paprašysiu man skirti kitą pagalbininką. Galėčiau tau perskaityti visą paskaitą apie žmogaus energetines savybes ir mūsų kūno gebėjimą pereiti į visiškai autonominį apsirūpinimo režimą, bet nemanau, kad tam tinkama vieta ir laikas. Jei taip įdomu, atsakymus susirask informacinėje sistemoje. O dabar patylėk ir rašyk toliau...

• • • • •

Galima tik įsivaizduoti diratų, būtent taip vadinosi šioje galaktikos dalyje gyvenanti ir periodiškai bandanti prasiveržti į dvarvų kontroliuojamą teritoriją aštuonrankių ir aštuonkojų, didžiagalvių padarų rasė, kapitono nuostabą, kai jis pagaliau pastebėjo, kokie maži objektai atlekia ir bando užtverti kelią jo eskadrai. Tiesą sakant, ne jis vienas buvo toks nustebęs.

Kiek anksčiau visa sidargų komanda, neišskiriant nė kapitonės, buvo šokiruota pamačiusi, kad žmonės, ramiai buvę laivo viduje, staiga atsirado kosminėje erdvėje be jokių matomų apsaugos priemonių. Maža to, apie juos sklido kažkoks ryškus švytėjimas, o greitis, kuriuo jie skriejo artėjančių diratų link, nenusileido greičiausio kreiserio greičiui.

– Flagmanas skrenda tiesiai ir juos sunaikina priekiniais pabūklais. Kiti apeina iš dešinės ir kairės. Linijos neardyt, – suburbuliavo diratų kapitonas šalia buvusiems flagmano artileristui, eskadros ryšininkui ir pagrindiniam vairininkui. Tik davęs nurodymus, kapitonas nukreipė savo dėmesį į, jo manymu, rimtesnį priešą – netolimos planetos orbitoje skriejantį nematytų formų laivą, aiškiai priklausantį kokiai nors naujai rasei. – Nors ką gali žinoti? – burbėjo sau po nosimi kapitonas. Tiesą sakant, visa diratų rasė pasižymėjo nemokėjimu tyliai galvoti. – Gal čia amžini priešai „besikeičiantieji“ sugalvojo ką nors naujo?

Staiga jo mintis nutraukė kelių laivo plazminių pabūklų šūvių garsas ir vienu metu su jais šalia išdygę sprogimų pliūpsniai. Tik po kelių sekundžių kapitonas įsisąmonino, kad jo vadovaujama eskadra ganėtinai drastišku būdu buvo sumažinta iki trijų laivų.

– Priešai nesunaikinti? – ramiai raportavo artileristas. Senas daugelių kovų dalyvis, mūšiuose praradęs net dvi savo rankas, atrodo, niekada nesutrikdavo.

– Kaip tai nesunaikinti? – niekaip negalėjo atsitokėti kapitonas.

– Šūviai nepadarė jokios žalos... Ką įsakysite toliau?

– Torpedos, – tiesiog užbaubė eskadros vadas. – Visi trys vienu metu po dvi torpedas. Ugnis!

Visos šešios torpedos per kelias sekundes pasiekė taikinius ir...

– Vienas, du, trys, keturi, penki, šeši sprogimai, – raportavo artileristas, bet buvo nutrauktas grubaus laivo krestelėjimo. – Septyni sprogimai, kapitone. Torpedos taikiniams žalos nepadarė, bet jie sunaikino dar vieną mūsų laivą.

Šį kartą kapitonas viską matė pats. Tuo metu, kai torpedos viena po kitos pasiekdavo taikinius ir sprogdavo, iš vieno, atrodo, tokio menko, palyginti su kariniu diratų kreiseriu, objekto šovęs žalsvas trumpas žaibas, beveik nesutikdamas pasipriešinimo, į smulkias dalis išnešiojo kairėje nuo flagmano buvusį laivą.

– Paruošti saulės spindulių ginklą, – netekdamas kantrybės jau ne baubė, o maurojo kapitonas. – Abu laivai vienu metu. Ugnis!

Vėl, atrodo, tokie mirtini ir bet kokią užtvarą perskrodžiantys spinduliai pasirodė visiškai beverčiai ir, pasiekę žmonių apsauginius laukus, tiesiog išsisklaidė erdvėje. Savo ruožtu jau nuo kito, diratų taip siekiamo sunaikinti, objekto atsiskyręs toks pats žalsvas žaibas susprogdino paskutinį flagmano palydovą.

– To negali būti, – kapitonas akivaizdžiai buvo visiškai šokiruotas. Tiesą sakant, visi, gal išskyrus artileristą, diratų flagmano komandos nariai tuo metu mąstė ne ką aiškiau už savo vadą. Ir nieko nuostabaus. Kad skaitytojams būtų kiek aiškiau, kova išoriškai panašėjo į penkių sunkiasvorių tankų ir dviejų beginklių mažų berniukų dvikovą. Tik tie tankai niekaip negalėjo pakenkti savo priešininkams, o pastarųjų metami smulkiausi akmenukai vis sunaikindavo po vieną kovinę mašiną. Taip negali būti, pasakytumėte Jūs. Diratai šiuo atveju galvojo lygiai taip pat, o kai, nepaisant jokių logikos dėsnių, tai vis dėlto atsitiko, nenuostabu, kad skaidriai mąstyti galėjo tik labiausiai patyrę ir pasižymintys puikia savitvarda kariai. – Bandom dar kartą! Visais ginklais vienu metu! – pasigirdo dar viena komanda.

– Užteks! – panikos balsus nutraukė artileristo šūkis. – Kapitone, akivaizdu, kad mūsų ginklai bejėgiai. Siūlau skubiai trauktis ir apie viską pranešti vadovybei. Nemanau, kad papildomos mūsų aukos turėtų kokios nors prasmės.

– Trauktis, taip, teisingai, reikia trauktis, – aidėjo nerišli kapitono kalba. – Mes privalome apie viską informuoti vadovybę. Tai turbūt koks nors naujas besikeičiančiųjų ginklas. Arba nauji jų sąjungininkai. Apsukit laivą! Visu greičiu į bazę!

Jau po poros minučių visais laivo pajėgumais bandydami kuo skubiau pasišalinti iš mūšio lauko, diratai nebematė, kaip abu keisti maži objektai net nesivargino niekur daugiau skristi, o tiesiog akimirksniu išnyko. Nematė jie ir to, kad kitą akimirką abu žmonės vėl atsidūrė tolumoje kybojusio sidargų kreiserio viduje.

– Jau maniau, kad Jums teks sunaikinti ir paskutinį, – dar iš tolo pradėjo kalbą Elena, eidama sugrįžusių kovotojų link. – Labai jau tie suskiai užsispyrę pasirodė. Isai jau po pirmos nesėkmės atsitrauktų ir išanalizuotų padėtį, o šitie kaip nuogi į dilgeles puldinėjo.

– Vaizdingumo tavo kalboje tikrai netrūksta. Galėtum romanus rašyti. Ką gali žinoti, gal kada ir teks... – šyptelėjo Ardas, išgirdęs moters palyginimus. – Paskutinį laivą bet kokiu atveju būtume palikę sveiką. Gal įsibraučiau į vidų ir pagąsdinimui sumažinčiau komandos narių skaičių, bet visų nenaikinčiau. Šiame mūšyje buvo svarbiau pasiųsti žinią, nei sunaikinti visus priešininkus.

– Dabar jų eilė kaip nors atsakyti, – pritarė kolegai Teromijus. – Tikėtina, jog po kokio pusmečio ar kiek anksčiau pabandys dar kartą su didesniu laivų skaičiumi, o paskui apsiramins...

– Ir pasirodys rimtesni priešininkai, – pratęsė draugo mintis Ardas. – Manau, jie gali ir anksčiau užgriūti. Liepsiu sidargams nedelsiant pasiųsti čionai kelis rimtesnius laivus ir pradėti įrenginėti bazę. Jiems į pagalbą skirsime tris dešimtis stipresnių prabudusiųjų. Pasaugos aplinką...

– Trisdešimt užteks, – linktelėjo pritardamas Teromijus. – Netoli saulė... Jei prireiks, pasinaudos jos energija. Prieš tokius priešininkus, su kuriais susidūrėme šiandien, turėtų atsilaikyti.

– Tiesa, vos nepamiršau, – trijulei jau beveik įžengiant į patalpą, kurioje buvo sukoncentruotas laivo valdymas, pagaliau į pokalbį įsiterpė Elena. – Būdama bendrojoje sąmonėje gavau pranešimą, kad į Žemę atvyko Baltojo demiurgų rato valdovas. Jis ieško tavęs, Teromijau. Sako, demiurgams iškilo didžiulis pavojus. Labai nori iš pradžių pakalbėti su tavimi, o paskui prašys, kad truputį laiko jam skirtų Ardas.

Nė vienas iš trijulės ilgai daugiau nebeištarė nė žodžio. Ši tyla, nelaukta ir grėsminga, geriau už bet kokius žodžius bylojo apie tai, kokia svarbi buvo Elenos persakyta žinia.

2030 metų spalio 25 diena. Žemės planeta

„Kodėl man tai turi rūpėti? Aš žmogus, o ne demiurgas... Koks man skirtumas, patiria išblyškėliai sunkumų ar ne...“ – jau kelias valandas, žingsniais matuodamas savo kabinetą prabudusiųjų būstinėje, Teromijus negalėjo rasti sau ramybės. Dar vakar jis išklausė Baltojo demiurgų rato valdovo prašymą, bet vis dar negalėjo apsispręsti. Iš pradžių atrodė viskas paprasta. Žmonėms neturi rūpėti demiurgų bėdos... Taigi, apie jokią pagalbą ir pakartotinį santykių aiškinimąsi su Kūrėju negalėjo būti jokios kalbos. Vėliau... Vėliau kai kas keitėsi. Viskas prasidėjo nuo atsiminimų. Atsiminimų, kurie lindo neprašyti į paviršių, jaukė mintis ir jausmus. Atsiminimų apie praėjusį gyvenimą, planetą, kurią jis mylėjo, tautą, kuria rūpinosi, ir sūnų, kuris, tarsi gyvas priekaištas dabartiniam abejingumui, viskam, kas buvo anksčiau, sėdėjo priešais viltingai laukdamas atsakymo. Galbūt, jei Teromijus viduje būtų likęs demiurgu ar galų gale tapęs ne tokiu pareigingu ir vertinančiu gėrį žmogumi... Galbūt tada jis galėtų nesunkiai atsakyti baltajam valdovui vien iš pragmatinių sumetimų. Žmonėms nereikalingas papildomas konfliktas. Tai tik atitrauktų reikiamas pajėgas ir dėmesį nuo bręstančių sukrėtimų Dvarvų galaktikoje. Tačiau... „Jis gi mano sūnus. Mes patys užkrovėm haratams ant galvų tą išprotėjusį monstrą. Kokie šlykštynės bebūtų tie raguotieji velniai, jie nenusipelnė amžiams likti vergais. Gal žmonių sprendimas nusiųsti Kūrėją į Haratą nebuvo visiškai teisingas...“ Tokios ir panašios mintys niekaip neleido Teromijui pasirodyti pragmatiku ir atsakyti neigiamai į demiurgų prašymą.

– Tik vieno aš nesuprantu, – galų gale Teromijus atsigręžė į sėdintį baltąjį valdovą. – Kodėl jums tiesiog nepasitraukus iš tos planetos? Niekada nepatikėsiu, kad demiurgai staiga tapo gailestingosiomis seserimis ir kupini noro padėti priespaudą kenčiantiems haratams.

– Be abejo, taip nėra, – ramiai su išgirstu teiginiu sutiko demiurgas. „Ką gi, artėja lemiamas momentas," – svarstė baltasis valdovas, rikiuodamas mintis. „Jei pasakysiu jam apie Tikslą, atsakymas iš karto bus neigiamas. Teks suktis kitaip." – Mes norime valdyti šią planetą. Haratai – puikūs kariai, o demiurgai, be atlantų, kurių yra labai nedaug, ir alorų, kurie nėra geri kovotojai, neturi antžeminių karinių pajėgų. Kontroliuodami haratus, mes būsime saugesni.

– Saugesni, sakai, – šyptelėjo Teromijus. – Jums nėra nuo ko saugotis. Tvarką ir saugumą šioje galaktikoje užtikrina žmonės. Jei bent minutei pagalvojai, jog aš pamiršau jūsų Didįjį tikslą ir nesuprantu jūsų užmačių... Gerai, nesvarbu. Aš užtarsiu jus ir pakalbėsiu su Ardu bei Hansu, bet su viena sąlyga. Jūs valdysite haratus tik kaip žmonių vietininkai. Prabudusieji nustatys demiurgų buvimo Harato planetoje taisykles, kurių privalėsite laikytis.

– Kokios bus tos taisyklės? – pasikeitusiu balsu paklausė baltasis demiurgas galvodamas apie tai, jog tokios sąlygos viską iš esmės keičia. „Ar verta toliau prašyti pagalbos... Mes – žmonių vietininkai. Šlykštu..." Tačiau jau po kelių sekundžių jis suprato to pasiūlymo naudą ir, beveik nesiklausydamas Teromijaus žodžių apie ribotą demiurgų kiekį Harato planetoje ir kitus įsipareigojimus, bandydamas nuslėpti kilusį džiaugsmą išrėžė: – Be abejo, šie reikalavimai teisingi. Mes su viskuo sutinkame.

– Tikrai? – kiek nustebo dėl tokio pašnekovo nuolaidumo Teromijus. – Gerai, palauk manęs čia valandėlę. Einu šnektelti su Ardu ir Hansu.

• • • • •

– Jie taip lengvai sutiko padėti demiurgams? – niekaip vietoje nenustygstantis sekretorius nustojo rašyti ir, jau primiršęs Elenos grasinimus, vėl pradėjo pokalbį.

– Kodėl lengvai? – gūžtelėjo pečiais moteris. Šį kartą ji buvo linkusi paaiškinti. O gal ne tiek paaiškinti, kiek pabandyti išsiaiškinti. Ją ir pačią senokai kamavo abejonės dėl tokio, santykinai greito prabudusiųjų sutikimo veltis į dar vieną konfliktą. – Ginčai tęsėsi porą valandų. Hansas prieštaravo. Jo nežavėjo net mintis apie galimą haratų, kaip kareivių, panaudojimą. Hanso nuomone, raguočiai mums visiškai nebuvo reikalingi. Aš pati dabar manau, kad jis buvo teisus. Ne tokius karus kariauja žmonės, kad jiems reikėtų pėstininkų. Ardas, priešingai, palaikė Teromijaus pasiūlymą. Manau, atsiskleidė jo gerumas. Išgirdęs, kad savo veiksmais pasmerkė vergijai visą mąstančių būtybių rasę, jis tiesiog negalėjo likti nuošalyje. Kiti pirmieji prabudusieji taip pat nebuvo vieningi. Regina pritarė Ardui ir Teromijui. Saulius sutiko su Hanso argumentais. Galų gale visi rado kompromisą. Į Haratą su žvalgybine misija buvo pasiųsti dešimt prabudusiųjų.

– Su žvalgybine misija? – perklausė sekretorius. – Tai jūs iš pradžių neturėjote kovoti su Kūrėju?

– Ne, – linktelėjo Elena. – Mūsų užduotis buvo surinkti kuo išsamesnę informaciją apie Kūrėjo galias ir patikrinti demiurgo žodžius dėl patekusių į vergiją haratų kančių. Ardas buvo nusiteikęs labai ryžtingai ir ši žvalgybinė misija tebuvo viskas, ką sugebėjo pasiekti Hansas.

– Hansas siekė atidėti tikrą sprendimą? – spėjo sekretorius.

– Būtent, – linktelėjo Elena. – Jis bijojo, kad, prasidėjus rimtoms kovoms Dvarvų galaktikoje, Ardas bus užsiėmęs su kažkokiu nusmurgusiu Kūrėju kažkokioje nusmurgusioje planetoje. Be Ardo žmonėms būtų gerokai sunkiau.

– O kodėl taip džiaugėsi demiurgai?

– Viskas labai paprasta. Visų pirma jie bandė išspręsti savo problemas prabudusiųjų rankomis. Antra, gavę oficialų žmonių vietininko statusą, jie staiga įgijo didžiulį autoritetą Mąstančiųjų sąjungoje, o tai ateityje lėmė ir papildomas šiai rasei skirtas žvalgybines ir galaktikos tyrinėjimo teises. Tiek Ardas, tiek Hansas, tiek pats Teromijus viską suprato, bet jiems, tiesą sakant, tokie smulkūs demiurgų džiaugsmai ir žaidimai buvo visiškai nesvarbūs.

– Nors imk ir kabink šūkį: Žmonės – visatos valdovai, ir jiems nerūpi kirminų gyvenimas, – nusišaipė sekretorius.

– O gal tiesiog atsimink, kad ereliai musių negaudo, – atkirto jam Elena. – Tada nereikės čia visokius kvailus šūkius kurti. Gerai, baigiam... Rašyk toliau...

• • • • •

2031 metų sausio 25 diena. Žemės planeta

„Iki šiol negaliu suprasti, kodėl sutikau dalyvauti šioje misijoje. Gal dėl to, kad ją pasiūlė pats rato valdovas? Nedaug mano amžiaus sulaukusių demiurgų galėjo pasigirti išskirtiniu geriausių meistrų dėmesiu, ką ten bekalbėti apie tai, koks dėmesys buvo parodytas mano asmeniui. Aš žinojau, kad esu talentingas, bet niekada nemaniau, jog galiu būti taip įvertintas. Žinoma, niekas manęs neapgaudinėjo. Demiurgai niekada vienas kito neapgaudinėja. Gudrauti, nutylėti – tai taip įprasta mums, bet niekas negalėtų įsivaizduoti vienas kitam meluojančio demiurgo. Tai tau ne šlykštūs žmogėnai, galintys sutrypti gulintįjį ar įsmeigti peilį į nugarą savo broliui. Truputį nuklydau... Valdovas buvo atviras su manimi. Jis viską pasakė apie pavojus, kurie laukė manęs šioje misijoje, apie galimą mano užduoties naudą ir svarbą tiek mūsų ratui, tiek visai rasei. Tiesą sakant, dėl svarbos jis ir pats abejojo. Nežinau... Man tada atrodė, kad galimybė įkurti bazę pačioje Žemėje ir, pavertus ištikimais vergais, valdyti nedidelę žmonių grupę gali būti puiki perspektyva tolesniam demiurgų pranašumo įtvirtinimui.

Vis dėlto, kodėl sutikau? Manau, tai buvo iššūkis... Iššūkis mano gebėjimams, mano patriotiškumui. Pirmiausia iššūkis man pačiam. Mane perspėjo, kad tapęs žmogumi galiu nebenorėti būti demiurgu. Šitą problemą aš žinojau ir sėkmingai ją įveikiau. Gaila, kad niekas neperspėjo apie tai, kokia prieštaringa asmenybė gali būti žmogus. Atvirai pasakius, dabar aš jau nebežinau, ko manyje daugiau – žmogaus ar demiurgo. Abejojimas iš mažens žinomomis tiesomis, begaliniai svarstymai, savų atsakymų ieškojimas... Niekada... Niekada anksčiau aš nepatyriau tokių jausmų. Kaip aš galiu abejoti tuo, dėl ko jau vieną kartą apsisprendžiau? Tai neįmanoma. Joks individas negali per kelis mėnesius taip kardinaliai pasikeisti ir pradėti abejoti savo paties priimtais ir puikiai argumentuotais sprendimais. Bent jau aš taip maniau anksčiau. Dabar matau, kad gali. Gal aš suklydau pasirengimo etape? Gal? Tačiau kur gali slypėti ši klaida?

Atsimenu, sunkiai apsipratau prie naujo kūno. Negaliu pasakyti, ar jis buvo geresnis, ar blogesnis. Tiesiog jis buvo kitoks. Kita energija, kitos galimybės. Mažiau elegancijos, daugiau lankstumo ir jėgos. Mentalinių savo gebėjimų nepraradau, bet tarp fizinių ir energetinių atradau tokių, apie kuriuos demiurgai negalėjo net svajoti. Nežinau, ar buvau dėl to labai patenkintas. Buvo smalsu, neneigsiu, bet negaliu pasakyti, ar tai suteikė kokių nors teigiamų emocijų. Gal todėl, jog man patiko būti demiurgu, patiko mano rasės fizinis pavidalas. Aš jau buvau pripratęs prie savo ankstesnio kūno ir visiškai nesidžiaugiau naujuoju, nors gal kiek ir tobulesniu pavidalu. Geltonojo rato meistrai džiaugėsi. Jie sakė, kad esu puikus jų teorijos patvirtinimas. Gal? O gal ir ne? Kažkaip nelabai jaudino mane jų kuriamos teorijos. O gal tiesiog dabar nelabai jaudina? Sunku pasakyti... Bet kokiu atveju geltonieji demiurgai padirbėjo iš peties. Jie parengė puikią Žemės tautų analizę, suformulavo pasiūlymus ir patarimus. Tiesiog imk ir rinkis... Gal pajutote mano žodžiuose sarkazmą? Turiu pasakyti, kad toks aš dabar ir esu – sarkastiškas ir abejojantis. Tada man atrodė, kad jų atliktas darbas puikus. Dabar taip nemanau. Ką jie apskritai gali suvokti apie žmones vien analizuodami televizijos programas ir vertindami faktus ir įvykius. Neįmanoma suprasti žmonių, pačiam nebūnant žmogumi. Tiesiog neįmanoma, ir viskas. Taip aš jiems ir pasakysiu, kai grįšiu... O gal teisingiau, jeigu grįšiu... Pažiūrėsim...

Jie man pasiūlė vykti į šalį, kurios pavadinimas buvo Rusija. Sakė, kad ten galėsiu rasti labai daug žmonių, nemėgstančių Ardo tautos ir tiesiog nekenčiančių prabudusiųjų. Na, dėl šito tai jie tikrai neklydo. Radau tokių ir tiesiog būriais... Bet apie tai kiek vėliau. Dabar grįšiu prie pasirengimo. Apsipratęs su nauju savimi, pasirinkau ir naują vardą. Vardų man pasiūlė daugybę. Tiesą sakant, teko gerokai pavargti, kol išsirinkau ne tik tinkamą, bet ir arčiausiai širdies. Pasivadinau Demetrijumi. Geltonieji kažką pasakojo apie vardo kilmę, bet matyt, klausiausi neatidžiai... O gal tiesiog pamiršau? Žmogaus gebėjimas užmiršti mane tiesiog sužavėjo. Turiu teoriją šiuo klausimu. Manau, kad žmogaus smegenis galime palyginti su bet kokiu elektroniniu informacijos kaupikliu. Dalis jų skirta „operacinei sistemai" palaikyti, tai yra kontroliuoti žmonių gebėjimus, o nedidelė dalis skirta kaupti informacijai. Tam, kad būtų išvengta informacijos perviršio ir sistemos perkaitimo, žmogaus smegenys išmoko ištrinti nereikalingus duomenis ir susikurti naujos vietos. Demiurgų ši dalis kur kas didesnė, bet už tai nukentėjo mūsų rasės gebėjimai ir sumenko galimybių įvairovė. Žinoma, tai tik mano teorija. Gal kam pasirodys kvailoka, bet man šiuo metu ji labai patinka. Tiesa, apie ką aš čia? Vėl nukrypau.

Spalio pabaigoje atsidūriau Maskvoje. Kaip aš ten atsidūriau? Geltonieji viskuo pasirūpino. Iš pradžių nedideliu laiveliu su puikiu maskuojamu ekranu nuvykau į jų slaptą bazę Mėnulyje. Paskui tinkamu laiku (kurio teko kelias dienas palaukti) tuo pačiu laiveliu buvau pristatytas į tokį mielą kaimelį kažkur Vakarų Sibire. Gerai, nei tas kaimelis buvo mielas, nei malonus. Kažkokios suklypusios trobos. Girti ir apsvaigę žmonės. Purvas, skurdas... Patyriau tai, kas vadinama kultūriniu šoku. Pirmiausia niekaip nesuprantu žmonių polinkio slopinti savo sąmonę. Na, nesvarbu... Ilgai aš to kaimo neapžiūrinėjau. Sulaukiau pro šalį važiuojančios pakeleivingos mašinos ir išvykau. Būtų mano valia, niekuomet nebūčiau tuose kraštuose rodęsis. Tiesiog taip sutapo, kad tuo metu tai buvo silpniausiai prabudusiųjų stebima Žemės dalis. Na, gal išskyrus džiungles Pietų Amerikoje ir Sacharos dykumą. Bet iš ten man būtų labai sunku nusigauti iki Rusijos. O čia... Galima pasakyti – tiesioginis skrydis, be persėdimų. Taigi spalio pabaigoje atsidūriau Maskvoje.

Toliau viskas ėjosi kaip iš pypkės. Apsilankiau keliuose filmuose ir spektakliuose. Na, gerai, aš dar galiu suvokti žmonijos polinkį apgaudinėti save ir žiūrėti visokias išgalvotas istorijas. Bet taip tikėti nesąmonėm... Patį pirmą vakarą nuėjau į tokį filmuką „Diena po rytojaus". Turiu pasakyti – absoliutus absurdas. Staiga pasikeičia klimatas... Net turint paviršutinišką mokslinį išsilavinimą aišku, kad klimatas staiga keičiasi tik paveiktas didelių išorės jėgų. Sakykim, nukristų asteroidas, pro šalį praskriejęs dangaus kūnas pakeistų planetos sukimosi greitį... Tada aš suprasčiau tokios minties realumą. Tačiau staiga, nei iš šio, nei iš to... Dar puiki mintis – klimatas keičiasi dėl žmonių poveikio. Gal kurioje nors atskiroje pasaulio dalyje žmonės ir sugebėtų pakeisti klimatą. Pavyzdžiui, nusausinę upes ar iškirtę visus miškus. Visoje planetoje pakeisti klimatą yra tiesiog ne jų nosiai. Nebent visą planetą apmėtytų atominėmis bombomis. Įdomu, ar tokias nesąmoningas mintis žmonėms sukelia per didelis susireikšminimas ar, atvirkščiai, nevisavertiškumo kompleksas? Reikėtų šį klausimą kada nors išsamiai panagrinėti.

Tiesa, nepasakiau, kad apsistojau labai gerame viešbutyje. Geltonasis ratas iš tiesų puikiai padirbėjo. Pavyzdžiui, sukūrė man fiktyvią banko sąskaitą, kurioje atsirado milijonas eurų. Vėliau pasidomėsiu, kaip jie tai padarė... Manau, čia jiems pasitarnavo žmonių informacinių sistemų netobulumas.

Taigi, pinigų turėjau sočiai ir uoliai juos leidau. Filmai, spektakliai, restoranai, parodos, koncertai... Kur aš tik nebuvau? Jūs paklausite manęs, kam man reikėjo vaikščioti po tokias vietas? Labai paprasta. Pirmiausia norėjau susipažinti su žmonių visuomeniniu gyvenimu, o be to, tokiose masinio susibūrimo vietose galėjau užmegzti pirmąsias pažintis. Galiausiai turėjau suburti veiksmingą, visa širdimi prabudusiųjų nekenčiančių žmonių grupę. Turėjau gi kur nors jų ieškoti... Bet kokiu atveju man pasisekė. Jau pirmą lapkričio savaitę buvau pakviestas į vadinamųjų Rusijos intelektualų vakarėlį.

Papasakosiu apie jį plačiau. Kitaip nesuprasite, kokie menkystos ir snobai ten buvo susirinkę. Paskutinį mėnesį mane kamuoja mintys, kad, be prabudusiųjų, Žemėje visiškai nėra protingų žmonių. Arba pilka masė, besivadovaujanti pačiomis primityviausiomis mintimis ir instinktais, besisavinanti svetimas idėjas, arba snobai, pseudofilosofai. Kita vertus, tokią pilką masę labai lengva valdyti. Jie tiesiog trokšta paklusti. Štai dabar aš visiškai esu užvaldęs šimtinę puikiai treniruotų buvusių kariškių ir saugumiečių. Turiu pasakyti, kad nė vienas iš jų net nesipriešino. Galėjau užvaldyti ir tūkstantį, bet įvedžiau labai griežtus atrankos kriterijus, o galų gale tiek man ir nereikia. Pasirodo, žmonėms normalu būti vergais. Čia visiškai kaip laukinėse džiunglių planetose. Stipresnis valdo silpnesnį, o tas dar silpnesnį ir taip be galo. Žinoma, mano tyrimai toliau Maskvos nepažengė, todėl visada lieka galimybė, kad kituose miestuose ar bent kitose šalyse viskas kitaip. Nors, tiesą sakant, aš tuo abejoju. Gerai, apie tai kiek vėliau, o dabar grįšiu prie jau minėto vakarėlio.

Buvo lapkričio 7-oji. Tie snobai šventė kažkokią didingos praeities šventę. Atvirai pasakius, nei aš ten gilinausi į Rusijos istoriją, nei man buvo įdomu, kokia ten šventė jiems rūpėjo. Geriau papasakosiu ne apie visokias vietinių aborigenų minėtinas dienas, bet apie patį vakarėlį. Kad geriau suprastumėte mano pasipiktinimą, įsivaizduokite vaizdelį. Kelių šimtų kvadratinių metrų butas miesto centre. Jame iš kampo į kampą šlaistosi dvi dešimtys „intelektualų“, kurie tai susiburia į grupeles, tai vėl išsiskiria poromis, bet be perstojo diskutuoja apie politiką, ekonomiką ir kitokius jiems rūpimus dalykus. Viskas skendi tabako dūmų debesyje. Iš kažkur sklinda garsų kakofonija, kurią šie žmogėnai užsispyrusiai vadina atpalaiduojančia muzika. Viduryje svetainės ant kilimo ganėtinai įdomia poza įsitaisęs „goblinas“. Na, gerai, tą atgrasų tipą aš pats taip pavadinau. Labai jau jis man išoriškai panašus į filmuose matytus goblinus. Plikas, raukšlėtas, smailesnėmis nei kitų žmonių ausimis... Vienu žodžiu, nuo kinuose matyto padarėlio skyrėsi nebent spalva – nebuvo žalias. Iš pradžių maniau, kad tai koks nors klounas, pakviestas linksminti svečių. Koks buvo mano nustebimas, kai sužinojau, kad šis plikis ne kas kitas, o dvasinis visų susirinkusiųjų lyderis. Kaip pasakė viena cigaretės iš rankų nepaleidžianti blondinė: „Jis iš visų mūsų toliausiai nuėjęs pažinimo keliu.“ Taupydamas Jūsų nervus, aš nepasakosiu, kokių nesąmonių prisiklausiau per kelias buvimo toje kompanijoje valandas. Galų gale man nelabai rūpėjo jų kalbos. Visų pirma man reikėjo žinių. Žinių apie konkrečius žmones, kurie galėtų man padėti įgyvendinti išvakarėse susikurtą planą. Tad kol tie kvailiai tauškė visokius niekus, aš ramiausiai rausiausi jų smegeninėse. Turiu pasakyti, tai nebuvo lengvas darbas. Kokių tik šiukšlių nebūna žmonių galvose! Kai kur atvirkščiai – nieko nebūna. Kai kurios moterys man pasirodė visiškai tuščiagalvės. Jei kokia mintis į jas ir užklysdavo, tai turbūt apsukusi ratą ir nieko neaptikusi pasijusdavo labai vieniša ir skubiai maudavo laukan. Vėl truputį nuklydau nuo temos. Geriau grįšiu prie girdėtų diskusijų. Kaip jau minėjau, į didžiąją dalį tų sapaliojimų aš nekreipiau jokio dėmesio, bet vienas pokalbis, pasižymėjęs ypač kvailomis mintimis, mane gerokai suerzino. Tikrai neplanavau įsitraukti į kokias nors diskusijas, bet šį kartą nesusilaikiau.

Žinoma, viskas prasidėjo nuo to „goblino“, to dvasinio lyderio, vietinio guru. Na, vienu žodžiu, nuo to labai nemalonaus plikio ištartos giliamintiškos frazės:

– Aš visų pirma esu ne kūnas, o dvasia. Fizinis kūnas man tėra antraeilis dalykas. Svarbiausias mano kelyje į tobulėjimą yra dvasinis pasaulis, – šnekėjo „goblinas“, pritariamai linksint aplinkiniams mulkiams, iš kurių turbūt tik mažesnė pusė suprato, apie ką kalbama. Manau, jie linksėjo tik todėl, kad, šių mulkių manymu, dvasinio lyderio ištarti žodžiai tiesiog gražiai skambėjo. Nors, tiesą sakant, tolesnis mūsų pokalbis parodė, kad ir pats vietinis „guru“ visiškai nesuvokė, apie ką kalba.

– Kaip tai? – iš pradžių aš nesupratau, ką jis norėjo pasakyti.

– Manyje vyrauja dvasinis lygmuo, – atlaidžiai šypsodamasis iš mano nesupratingumo, plikis nepatingėjo paaiškinti. – Fizinis kūnas ir fizinis pasaulis man svarbūs tik tiek, kiek leidžia tobulinti mano vidinę begalybę ir pasiekti absoliučią harmoniją.

– Bet tokiu atveju galima daryti išvadą, kad tu visiškai valdai savo fizinį apvalkalą, – aš jau supratau, koks „minties galiūnas“ bando man skaityti paskaitą. Atvirai pasakius, nežinau, kodėl panūdau sugriauti jo susikurtas oro pilis. Gal taip pasireiškė mano panieka tiems „intelektualams“, o gal tiesiog prasiveržė susikaupęs pyktis.

– Žinoma, – net nepagalvojęs atrėžė „goblinas“, sulaukdamas pritariančio savo sekėjų murmėjimo.

– Taigi, ne fizinis kūnas kontroliuoja tave, o tu – jį, – toliau piktdžiugiškai ruošiau spąstus vietiniam „guru“. – Vadinasi, tu nejauti alkio, nejauti būtinumo vaikščioti į tualetą, galų gale nenori rūkyti ar vartoti alkoholio... Visa tai tavo fizinis kūnas atlieka tik todėl, kad tavo dvasia jam taip liepia elgtis. Jei tavo be galo išlavėjęs ir nušvitęs vidinis aš nuspręstų nerūkyti, tai šis fizinis apvalkalas paklustų iš karto?

– Chmm... – šį kartą tik numykė plikis. Aš jau prieš tai buvau pastebėjęs, kad „goblinas“ gerokai buvo įjunkęs į tabaką. – Turbūt taip, bet rūkymas man padeda atsipalaiduoti ir atsikratyti fizinio pasaulio sudrumstų minčių, – vėl pritariamai suošus sekėjams, plikis išspaudė dar vieną „genealią“ mintį.

– Kaip gi taip? Juk tu visiškai valdai savo fizinį kūną. Jis turėtų atsipalaiduoti vien tau apie tai pagalvojus. Kam tau tabakas ar kitos pagalbinės priemonės? Nebent tu suklydai ir dar nekontroliuoji savo fizinės esybės.

– Chmm... – ir vėl tik numykė „goblinas" neturėdamas ką pasakyti. – Gal ir taip... Gal aš paskubėjau su tokiu pareiškimu ir iš tiesų tebesu pažinimo kelyje.

– Ir kaip gi tu šiuo keliu žingsniuoji? – Žinoma, aš galėjau šitą tipuką palikti ramybėje, bet kažkodėl jaučiau vidinį poreikį jį visiškai sutrypti. Galų gale aš niekuomet neteigiau, kad esu tik dvasinis pavidalas ir man nebūdingi fizinio pasaulio sukeliami jausmai. Manau, mano kūnas ir dvasia tiek anksčiau, kai buvau demiurgas, tiek dabar, kai esu žmogus, puikiai vienas su kitu sutaria, sudaro šaunią komandą ir visuomet atsižvelgia į vienas kito poreikius. Čia, žinoma, tik mano nuomonė. – Kaip tu gauni pažinimą? Kaip mokaisi? Kodėl manai, kad tobulėji?

– Aš gyvenu jau dešimtą gyvenimą, – pradėjo suokti „goblinas". – Nuo Egipto, senovės Graikijos, Romos valstybės iki pat dabar... Kiekvieną gyvenimą gyvendamas aš vis labiau tobulėjau. Ir štai dabar...

– Tiesa, o kodėl tu manai, kad tavo nugyventi gyvenimai būtinai turi nuosekliai eiti iš praeities į ateitį? – aš sąmoningai nutraukiau plikio pasakėles ir peršokau prie kitos, gerokai konkretesnės temos. Žinoma, jei su manimi diskutuotų demiurgas, niekuomet neleisčiau sau elgtis su pašnekovu taip nepagarbiai. Tačiau žmogėnas, tuo labiau ne pats geriausias jų egzempliorius, tikrai nenusipelnė mano pagarbos. – Kodėl ne atvirkščiai? Arba kodėl apskritai turi būti kokia nors nuosekli gyvenimų tvarka?

– Kaip tai? – iš karto „neįkirto" mano pašnekovas.

– Labai paprastai, – aš atsainiai gūžtelėjau pečiais, taip dar labiau demonstruodamas savo intelektinį pranašumą. – Sakykim, žmonijai iš viso lemta gyvuoti milijoną metų. Tai tam tikra uždara laiko atkarpa visoje, vėlgi darykim prielaidą, begalinėje laiko tiesėje. Iki šios atkarpos ir po jos žmonija negzistuoja. Kodėl mums nesukūrus teorijos, kad reinkarnacija galima bet kuriame šios atkarpos taške? – matydamas buką pašnekovo žvilgsnį, aš aiškinau toliau. Jei atvirai, šioje vietoje pasireiškė puikiai dėstytojams pažįstama situacija, kurią jie apibrėžia viena fraze: „Aš studentams aiškinau, aiškinau ir pagaliau pats pradėjau suprasti, bet jie dar nesuprato". – Sakykim, šis tavo gyvenimas prasidėjo dvidešimtajame amžiuje, tačiau kitas prasidės Romos laikais, o dar kitas – Egipto faraonų laikais, tačiau dar kitas – jau dvidešimt antrajame amžiuje. Žinoma, tai tik teorija, bet už tai paaiškinanti visus neaiškumus, kylančius nagrinėjant reinkarnaciją. Štai, kad ir dabar gyvenančių žmonių skaičiaus didėjimas. Tu bent jau mane supranti?

– Bandau, – myktelėjo plikis.

– Gerai, – šį kartą aš jau atlaidžiai jam nusišypsojau, kaip mokytojas nusišypso bukam, bet besistengiančiam suprasti mokiniui. – Įsivaizduok, kad iš viso yra tam tikras skaičius žmonių dvasiniu pavidalu. Sakykim – dešimt milijardų. Visi jie gyvena vienu metu tik skirtinguose laiko atkarpos taškuose, – pamatęs suglumusį pašnekovo žvilgsnį, patikslinau: – Skirtingu laiku. Na, gal ne visuomet skirtingu. Gerai, paaiškinsiu papraščiau. Sakykim, šiuo metu Žemėje gyvena septyni milijardai, tačiau prieš dešimt tūkstančių metų gyveno šimtas tūkstančių žmonių. Ką tau sako šie skaičiai?

– Kad tiek yra ar buvo Žemės gyventojų, – pabandė atsakyti plikis.

– Ne, – papurčiau galvą. – Tai reiškia, jog šie laiko atkarpos taškai negali sutalpinti daugiau sielų. Tačiau tai nerodo, kad būtent tu negalėjai gyventi prieš dešimt tūkstančių metų ir šiuo metu. Sakykim, tau skirti du šimtai gyvenimų. Tai va, visus šiuos du šimtus gyvenimų tu gyveni vienu metu tik skirtingais laikmečiais. Vadinasi, tikras žmonių sielų skaičius yra ne mažesnis nei maksimalus vienu laiku fiziškai egzistuojančių žmonių skaičius. Štai, jei kada nors ateityje bus taip, jog viename laiko atkarpos taške gyvens dešimt milijardų žmonių, ir tai bus maksimalus per visą Žmonijos gyvavimo etapą vienu laiku gyvenusių žmonių skaičius, vadinasi, būtent dešimt milijardų bus mūsų pradinis dėmuo nustatant visą žmonių sielų skaičių. Tik va, kokia prasmė į uždarą laiko atkarpą patalpinti ribotą skaičių sielų ir nustatyti joms ribotą kiekį gyvenimų?

– Man mokytojas sakė... – pradėjo plikis.

– Aha, tu dar ir mokytoją turi, – išsiviepiau kaip vaikas, ką tik gavęs saldainį. Man patiko tyčiotis iš žmogėnų ir jausti savo pranašumą. Retorikos varžybos, labai paplitusios tarp demiurgų, buvo vienos iš mano mėgstamiausių. Iš pradžių išsiaiškinau, kad jo mokytojas labai garbinga ir daug išmananti asmenybė, nes, pasirodo, išklausė daug visokių paskaitų visame pasaulyje ir lankė daug kursų. Paskui paaiškėjo, kad „goblinas“ dvidešimt metų užsiima joga. Kai tik tai sužinojau, nedelsdamas perėjau į puolimą. Pirmiausia jam įrodžiau, kad joga jis visiškai neužsiima. Pati joga yra gyvenimo būdas, o jis tedaro gimnastikos pratimus. Vėliau į miltus sutryniau jo mokytojo reputaciją, sakydamas, jog tai kvailys, užkibęs ant perėjūnų ir aferistų jauko, be reikalo leidžiantis pinigus įvairioms paskaitoms. Tą vakarą aš į darbą paleidau visą savo diskusijų arsenalą. Štai tokie klausimai – „O kodėl taip teigi? Iš kur tai žinai? Gal kur skaitei? Jei skaitei, tai kur konkrečiai? Gal tiesiog fantazuoji? Gal gali konkrečiau?“ – visiškai išmušė mano pašnekovą iš vėžių. Galiausiai iki valiai iš visų išsityčiojęs nusprendžiau, kad vakaras buvo ne toks jau blogas, kaip maniau jį būsiantį. Be visa ko, būtent plikio smegeninėje radau mane dominančios informacijos... Apie buvusį kariškį, tarnavusį specialiuose daliniuose ir demonstruojantį fanatišką patriotizmą bei neapykantą visoms Baltijos valstybėms, taip apmaudžiai išsprūdusioms iš Rusijos glėbio. Būtent tokių tipų man ir reikėjo. Dabar jų turiu visą šimtą, bet tuomet man jis pasirodė puikus radinys.

Vėliau tokių linksmybių jau nebebuvo. Tiesą sakant, nebuvo jokių linksmybių. Viskas tapo banalu ir nuobodu iki koktumo. Nors gal aš nesu visiškai teisus. Praeitą mėnesį buvau sutikęs „Šventąjį". Gaila, nejaučiat ironijos mano žodžiuose. Istorija iš pradžių atrodė linksma, tačiau vėliau mane sutrikdė. Kaip sakiau, viename vakarėlyje sutikau „Šventąjį". Jis, matai, girdėjo Dievo balsą ir jautė Dievo kūną... Nežinau, kas labiau paveikė... Tai, kad aš ateivis ir nesu toks skeptiškas kaip Žemės gyventojai, ar tai, kad esu ganėtinai liberalių pažiūrų ir neatmetu jokios logiškai įmanomos įvykių aiškinimo galimybės. Vienu žodžiu, jis mane iš pradžių sudomino. Pagalvojau, gal tai tikrai neeilinė asmenybė, turinti platesnį spektrą gebėjimų. Na, kad ir telepatinių... Tačiau vėliau jis mane nuvylė. Sakė, nori būti kunigu, bet jo piktybiškai nepriima. Pasikalbėjus pasirodė, kad tas „Šventasis" neturi net elementariausių žinių apie religijas. Jis nesuvokė nieko – nei kam reikalingos maldos, nei kuo viena religija skiriasi nuo kitos, o savo asmenybės susidvejinimą ir pokalbius su savimi traktavo kaip aukštesnių jėgų pasireiškimą. Tada pasielgiau negražiai. Nutaisęs patį rimčiausią veidą jam kalbėjau, kad jis yra unikalus, nors viduje supratau, kad iš žmogaus tyčiojuosi. Blogiausia, kad jam nepakako intelekto suvokti, jog tapo patyčių objektu. Vėliau dėl tokio poelgio gailėjausi. Negalima tyčiotis iš nelaimingo žmogaus. Nuo to laiko nebevaikščiojau į jokius vakarėlius. Juose susidariau per daug slogų įspūdį apie žmones. Niekur neskubėdamas vieną po kito susirinkau rekrutus, supirkau reikiamą įrangą, pergalvojau savo planą ir štai rytoj, t. y. 2031 metų sausio 26 dieną, mes visi išvykstam. Kur išvykstam, aš dar nesakysiu. Galiu tik užsiminti – mūsų tikslas yra prie Uralo kalnų. Plačiau papasakosiu vėliau. Jei pavyks, žinoma..."

Po šių žodžių jaunas šviesiaplaukis vyras užvertė savo dienoraštį ir pasirąžė, mankštindamas sustirusius raumenis. Šiandien jis padarė darbą, kuriam ruošėsi beveik visą mėnesį, tačiau nuolat atidėliojo. Jei viskas bus taip, kaip Demetrijus suplanavo, po kelių savaičių dienoraščio rašymas bus pratęstas.

Šaižus garsinis signalas išvertė iš kėdės prisnūdusį operatorių.

– Mėšlas! – riktelėjo besikeldamas nuo žemės haratas. – Kurių galų... Būtinai reikėjo per mano pamainą... – staiga raguotis užsičiaupė ir sužiuro į monitorių. Nutilti tikrai vertėjo. Iki tol raminamai ir švelniai mirguliavęs stebėjimo sistemos monitorius, kasdien rodęs vis tuos pačius dirbtinius planetos palydovus, iš esmės pasikeitė. Dabar ekrane mirgėjo skaisčiai raudonas užrašas „pavojus“, o tarp įprastų, vis dar mirguliuojančių taškelių, žyminčių palydovų buvimo vietą, greitai judėjo ryškus objektas.

– Jis gerokai didesnis už mūsų paleistus palydovus. Panašus į karinį kreiserį, – sumurmėjo operatorius, atidžiai žvelgdamas į naują tašką stebėjimo sistemos monitoriuje. Tada dar kažką neaiškiai sumurmėjo ir nutilo. Pagaliau jis pats suprato, ką iš tiesų reiškė neseniai jo paties ištarti žodžiai. Jau kitą sekundę operatorius vienu šuoliu atsidūrė kitame kambario gale ir iš visų jėgų spustelėjo sienoje įtaisytą mygtuką, virš kurio puikavosi užrašas, liudijantis apie nelabai gerą kai kurių asmenų nuomonę apie šio ir panašių operatorių protinius gebėjimus. Šalia mygtuko buvo parašyta: „Pavojaus mygtukas. Spausti tik pastebėjus į planetos orbitą įskrendančius neatpažintus objektus. Nežaisti. Nereikalingas pavojaus paskelbimas baudžiamas.“ Gali būti, kad paslaptingi šio užrašo autoriai kiek persistengė grasindami bausmėmis. Pažįstant eilinius haratus, efektas nuo tokio skelbimo galėjo būti atvirkštinis, bet lygiai taip pat nepageidaujamas. Operatoriai tiesiog galėjo pradėti vengti pranešinėti apie stebėjimo sistemos užfiksuotus neatpažintus skraidančius objektus. Kaip ten bebūtų, šį kartą taip neatsitiko. Haratas paspaudė pavojaus mygtuką, o už trisdešimties kilometrų įsikūrusioje demiurgų būstinėje nuskambėjo pavojaus signalas. Dar jam nenutilus, Mėlynojo rato valdovo asmeninis sekretorius pravėrė valdovo kabineto duris ir ramiu balsu ištarė:

– Žmonės atvyko, valdove.

– Suorganizuok gerą sutikimą ir palydėk pas mane. Noriu su jais pakalbėti.

– O jeigu jie turės kitokių planų? – pasitikslino sekretorius. – Bandyti naudoti mentalinę prievartą?

– Jokiu būdu! – net šūktelėjo mėlynasis demiurgas. – Jokių bandymų. Pakviesk labai mandagiai. Jeigu jie norės iš pradžių pailsėti, privalai užtikrinti, kad žmonėms nieko netrūktų, o audienciją perkelk rytdienai. Žmonės turi jausti draugiškumą. Atsimink, mums reikia jų pagalbos. Elkitės tinkamai. Haratų palyda turi būti visiškai apdorota.

– Nė vienos blogos minties apie žmones?

– Būtent, – mostelėjo ranka mėlynasis valdovas. – Gali eiti.

„Ką gi, prasidėjo, – pagalvojo demiurgas, vėl užsidarius jo kabineto durims. – Tikiuosi, žmonėms pavyks... O gal geriau tikėtis, kad Kūrėjui pavyks? Galų gale, koks skirtumas... Svarbu, kad iš visos šitos istorijos didžiausią naudą gautų demiurgai." – Kiek luktelėjęs ir apmąstęs galimus įvykių Harato planetoje variantus, mėlynasis valdovas grįžo prie savo mėgstamo laisvalaikio leidimo. Tiesą sakant, demiurgo pomėgis užėmė ne mažiau laiko nei bet kokia darbinė veikla. Tad sunku pasakyti, ar tai buvo vien tik laisvalaikio užsiėmimas. Kiekvienas valdovas turėjo panašų pomėgį. Štai geltonasis demiurgas labai mėgo visus loginius žaidimus ir paskutiniu metu tiesiog buvo galvą pametęs dėl žmonių sukurto žaidimo šachmatais, raudonasis valdovas buvo puikus dailininkas, žaliasis – neprilygstamas istorikas, Baltojo rato valdovas žavėjosi matematika, o mėlynasis buvo skulptorius. Atvirai kalbant, žodis „skulptorius" toli gražu negali perteikti to, kuo užsiiminėjo Mėlynojo rato valdovas. Jis buvo pats tikriausias ir vienas iš geriausių kada nors gyvenusių meistrų, sugebančių tobulai perkelti konstruojamo objekto esybę į paprasčiausią molį ar akmenį. Štai ir dabar mėlynasis demiurgas kūrė medį. Turbūt sakyti „kūrė" būtų teisingausia. Pats medis stovėjo sodo viduryje ir niekuo neišsiskyrė iš dešimčių tokių pat netoliese augančiųjų. Tačiau šis puikus meistras žvelgė kur kas giliau, nei galėtų pamatyti koks nors pragmatikas, pasižymintis realiu požiūriu į pasaulį. Demiurgas regėjo augalo lapus, gaudančius šiltus saulės spindulius, jautė jo šaknis, ieškančias drėgmės. Mėlynasis valdovas sugebėjo įžvelgti šio medžio gyvenimą ir visa tai norėjo atspindėti savo kūrinyje. Kiekvieno lapelio sutvėrimas užimdavo ištisas valandas, jei ne dienas. Tačiau demiurgas nesuko dėl to sau galvos. Jis galėjo sau leisti tokią prabangą, kurios negalėdavo net įsivaizduoti Žemėje gyvenę didieji menininkai. Gyvendamas tūkstantmečius, mėlynasis valdovas galėjo vieną savo kūrinį konstruoti ilgus dešimtmečius. Šitą darbą jis pradėjo palyginti dar neseniai. Viso labo prieš porą metų. Tad kūrinys mėlynajam dar nebuvo nusibodęs ir jis aistringai kibdavo į kūrimo procesą, kai tik ištaikydavo laisvesnę minutę. Liepęs sekretoriui sutikti žmones, Mėlynojo rato valdovas buvo absoliučiai įsitikinęs, kad be kitos dienos jis atvykėlių nepamatys ir todėl ramiai galės užsiimti širdžiai miela veikla. Deja, šioms jo viltims nebuvo lemta išsipildyti. Nepraėjus nė valandai, su valdovu susisiekė sekretorius ir perspėjo, kad žmonės netrukus atvyks pas jį audiencijos.

„Ką gi, – slopindamas lengvą susierzinimą dėl neišsipildžiusių planų, pagalvojo mėlynasis demiurgas. – Pakalbėsiu su jais šiandien, nereikės rytoj. Be to, toks jų siekis kuo greičiau išsiaiškinti padėtį rodo norą imtis aktyvių ir skubių veiksmų. Mums tai tik į naudą.“

Dar po pusės valandos Mėlynojo rato valdovas savo puošnioje menėje, pasitelkęs dėl vaizdingumo holografinius žemėlapius, aiškino patogiai įsitaisiusiems svečiams apie krizę, užklupusią demiurgus Harato planetoje. Dar prieš kelerius metus net savo košmaruose Mėlynojo rato demiurgas negalėjo įsivaizduoti savęs, priimančio dešimt maištingų ir arogantiškų žmonių ir prašančio jų pagalbos kovoje su vienu iš visos demiurgų rasės kūrėjų. Tačiau, kaip mėgdavo sakyti demiurgų išminčiai, gyvenimas – nenuspėjamas dalykas. Štai dabar, maža to, kad darė tokius, atrodo, šventvagiškus veiksmus, Mėlynojo rato demiurgas dėl to nejautė jokio sąžinės graužimo. Lanksti šio tipiško savos rasės atstovo moralės filosofija jam leido pateisinti bet kokius, net anksčiau atrodžiusius neįmanomus poelgius. Jis puikiai sugebėjo suderinti taip demiurgų visuomenėje aukštinamą garbingumą, pagarbą protėviams, ypač kūrėjams, su ganėtinai niekingomis intrigomis užsiundant ant Kūrėjo žmones. Nesvarbu, kad buvęs Skruzdžių planetos protas, apakintas keršto troškimo, pats prašėsi kovos su žmonėmis, Mėlynojo rato demiurgų valdovas nebuvo kvailas ir suprato, jog šioje kovoje Kūrėjas neturi jokių šansų, tačiau ramiai tylėjo ir netgi patenkintas trynė rankas, džiaugdamasis, kad ir vėl kažkas už demiurgus nudirbs pavojingiausius darbus, o vaisiai teks išblyškėliams.

– Gerai, jau gerai, – demonstruodamas tam tikrą nekantrumą ir sykiu ne itin didelę pagarbą šeimininkui, Saulius, vadovavęs į Haratą atvykusiems žmonėms, nutraukė mėlynojo demiurgo pasakojimą ir pabandė pereiti prie konkretesnio pokalbio. – Mes jau supratome, ką tas Kūrėjas čia pridirbo, kokias teritorijas užėmė ir koks jis pavojingas demiurgams. Dabar kiek konkrečiau – ar norėsite skirti stebėtojus, kurie keliautų kartu su mumis?

– Nežinau, – kiek nustebintas klausimo atsiliepė Mėlynojo rato valdovas. – Jūs sutiktumėte, kad misijoje žmones lydėtų vienas ar keli mano meistrai?

– Šį klausimą aiškinomės Žemėje, – linktelėjo Saulius, parodydamas, kad jie neprieštarautų, jog dalyvautų demiurgai. – Ardas mums rekomendavo įtraukti kelis jūsiškius meistrus į grupę, bet tik tuos, kurie sugebės apsiginti nuo galimo mentalinio Kūrėjo puolimo. Haratų neimsime, nors norėčiau susitikti su jūsų žvalgais, apie kuriuos minėjote, ir nuskaityti jų atmintį.

– Norite pažinti vietoves taip, kaip jie? – pasidomėjo demiurgas, jau pradėdamas žavėtis žmonių demonstruojamu profesionalumu.

– Būtent, – pasigirdo atsakymas. – Dabar trumpai papasakosiu apie mūsų sudarytus misijos planus. Žmonės įsibraus į sektos valdomą teritoriją apie penkis šimtus kilometrų. Jei nebūsime užpulti anksčiau, įeisim į štai tą didelį miestą, – aiškindamas Saulius ranka parodė miestą holografiniame žemėlapyje. – Jeigu ir jame nebūsime užpulti, pabandysime nustatyti Kūrėjo buvimo vietą. Bet kokiu atveju ši misija tik žvalgybinė. Jei mus užpuls, išsiaiškinsime dabartines šio buvusio Skruzdžių planetos proto galias. Jei ne – jo fizinio buvimo vietą. Tada sugrįšime atgal ir pateiksime ataskaitą prabudusiųjų bendruomenei. Jei žmonės nuspręs, kad Kūrėjo keliamas pavojus rimtas, jie, remdamiesi mūsų ataskaita, pasiųs į Haratą reikiamo dydžio pajėgas ir jį sunaikins arba perkels į kokią negyvenamą planetą. Jei pavojus nebus toks rimtas, apie kokį pasakojo demiurgai, Kūrėjas bus izoliuotas šioje planetoje, o jo įtakos sfera apribota ne didesniu nei vieno kvadratinio kilometro plotu. Ar mane supratote?

– Puikiausiai, – linktelėjo demiurgas, kartu galvodamas apie pasipūtusias, arogantiškas ir kupinas beribių galių suvokimo būtybes, save vadinančias žmonėmis. Žinoma, taip galvodamas jis nepamiršo susikurti labai stipraus minčių bloko. Šiaip, dėl viso pikto, kad tie, apie kuriuos buvo šios mintys, netyčia nenugirstų. – Aš šiandien pat surasiu du pačius geriausius mano rato meistrus, kurie lydės jus misijos metu. Kada planuojate išvykti?

– Ryt, – pasigirdo atsakymas. – Planuojame grįžti po septynių dienų. Manau, kad tiek užteks. O dabar mums atleiskite, norėtumėme grįžti į laivą ir pasiruošti rytdienos žygiui.

Tiesą sakant, ne visas pokalbis Mėlynojo rato demiurgui paliko tik slogų įspūdį. Kai kas kiek pakeitė jo mintis apie žmones kaip apie šaltus ir arogantiškus padarus. Gal ne kai kas, o tiksliau, viena konkreti moteris, kuri, jau išeinant iš menės žmonėms, priėjo prie mėlynojo demiurgo ir ranka parodžiusi į kampe stovėjusią nebaigtą skulptūrą, tarė:

– Bus puikus medis. Gyvas... Jūs tikrai labai talentingas, jei sugebate taip perteikti gyvenimą paprastoje skulptūroje. Žmonėms taip nepavyktų. Mes neturime užtektinai kantrybės.

Diratų kapitonas stengėsi maksimaliai susikaupti ir prisiminti pralaimėtą mūšį besikeičiančiųjų erdvėje, tačiau tai sekėsi nelengvai. Pirmiausia trukdė baimė. Ne, ne baimė paslaptingiems priešininkams. Jų kapitonas tikrai nebijojo. Gal supanikavo susidūręs su neįtikėtina kovos technika, gal prarado laivo kontrolę, bet net mūšio metu neišsigando. Tiesą sakant, jei ne patyręs artileristas, kapitonas ir toliau tęstų beviltiškas kautynes. Diratas bijojo ne priešų, o sąjungininkų. Jei Aukščiausiąsias būtybes, kaip save vadino ši paslaptinga rasė, būtų galima pavadinti sąjungininkais. Gal greičiau prievaizdais, ar dar tiksliau – piemenimis, prižiūrinčiais naminių gyvulių bandas. „Kaip nepasisekė, kad būtent dabar vienas iš jų atsirado Diratų planetų konfederacijoje ir nugirdo apie keistus priešininkus ir pralaimėtą mūšį. Kur nenugirs, jei visa konfederacija ūžia ir rengia pajėgas pakartotiniam puolimui“, – vis lindo pašalinės mintys, trukdančios kapitonui prisiminti mūšį.

– Nesistenkite taip, – nuskambėjo galvoje malonus Aukščiausiosios būtybės balsas. – Ir nustokite manęs bijoti. Aš jums nieko blogo nesirengiu daryti, – pažadas nieko blogo nedaryti tik dar labiau įpylė alyvos į baimės ugnį. Kapitonas puikiai atsiminė po galaktiką sklandančius pasakojimus apie susprogusias saules, sunaikintas mąstančių būtybių rases ar šimtus tūkstančių marionečių, priverstų aklai vykdyti Aukščiausiųjų būtybių valią. Dar tas balsas, skambantis tiesiai galvoje... „Juk nenormalu brautis į kito protingo sutvėrimo mintis,“ – vis svarstė kapitonas, niekaip nesugebėdamas prisiminti to, ko iš jo reikalavo. O reikalaujama prisiminti tai, kaip atrodė paslaptingi eskadros priešininkai. Kapitonas pirmas juos pamatė apžvalgos ekranuose ir vienintelis, kuris spėjo iki mūšio priartinti laivo kompiuterio demonstruojamą vaizdą savo asmeniniame monitoriuje. Paskiau prasidėjo sprogimai, aplinkui siautėjo nežabota energija, ir teko sprukti. Gal ir nereikėtų kapitono prisiminimų, kurie savo ruožtu buvo fragmentiški ir paveikti vėliau patirto šoko, jei, veikiama nežinomos energijos, sunaikinusios kitus eskadros laivus, nebūtų ištrinta dalis flagmano įrašų. Būtent tų įrašų, kuriuose užfiksuoti paslaptingi priešininkai, dar neapgaubti apsauginio energijos skydo, neleidusio įžvelgti nieko, kas buvo po juo.

– Nustokit jaudintis, – šį kartą nuskambėjęs balsas buvo gerokai šaltesnis. – Jei nesugebėsite atsipalaiduoti pats, aš imsiuos priemonių.

– Kokių priemonių? – išlemeno net spalvą iš baimės pakeitęs kapitonas. Tapo aišku, kad jis tikrai nieko nebesugebės atsiminti.

– Gerai, užteks žaisti, – trečią kartą nuskambėjęs balsas nebežadėjo diratui nieko gero. Vieną ranką uždėjusi ant suglebusio kapitono galvos, kitos rankos judesiu Aukščiausioji būtybė tiesiog ore suformavo ekraną, kuriame demonstravo vargšo kapitono atsiminimus. Kaip kaleidoskope vaizdai keitė vaizdus. Štai panikuojantys flagmano įgulos nariai, o štai pats mūšis, kol pagaliau ekrane atsirado reikiamas prisiminimas. Atsirado ir sustingo. Tiesą sakant, sustingo ne tik vaizdas, bet ir visi Diratų konfederacijos valdančiosios tarybos nariai, būtinai užsimanę dalyvauti kapitono apklausoje. Iš netikėtumo sustingo ir pati Aukščiausioji būtybė. Maža pasakyti, kad tai, kas žiūrėjo iš ekrano į visus buvusius kambaryje, juos nustebino. Ne, dauguma tiesiog buvo šokiruoti ir kupini kilusių klausimų, į kuriuos būtinai reikėjo rasti atsakymus.

– Kas nutiko? – pagaliau atsikvošėjo kapitonas ir, žvilgtelėjęs į ekraną, išplėtė savo ir taip nemažas akis. – O Dieve, – suvapėjo jis ir vėl apalpo. Iš ekrano į vargšą apalpusį kapitoną ir visą Diratų konfederacijos valdančiąją tarybą žvelgė dvi Aukščiausiosios būtybės, lygiai tokios pat, kaip ir ta, kuri, vieną ranką laikydama ant dirato galvos, tiesiog spiginosi į ekrane sustingusį vaizdą. Priešingai nei ją apspitę svetimi, ji matė akių formos ar odos atspalvių skirtumus, bet jie buvo tokie menki, kad negalėjo kilti net abejonės – padarai ekrane priešais ją priklauso tai pačiai ar bent labai panašiai rūšiai, kaip ir ji pati.

– Aš pamačiau, ką norėjau, – nuskambėjo šaltas, prieštaravimų nepripažįstantis balsas visų kambaryje buvusių diratų galvose. – Dabar vyksiu į žvalgybą. Kovinius veiksmus sistemoje leidžiu pradėti ne anksčiau nei po trijų mėnesių. Man daug ką reikia išsiaiškinti. Perspėju, kad Jūsų mūšį stebės kelios Aukščiausiosios būtybės, bet į kovą nesikiš.

Po šių žodžių Aukščiausioji būtybė apsisuko ir dingo. Neišėjo, neišskirdo, o tiesiog dingo.

– Ji labai susinervino. Anksčiau jie nesiteleportuodavo matant žemesnėms rasėms. Aiškino, kad taip rodoma nepagarba kitiems ir puikuojamasi savo galiomis, – nejaukią tylą nutraukė seniausias tarybos narys, apžvelgdamas savo sutrikusius kolegas.

– Atrodo, jai dabar nebuvo svarbus mandagumas ar puikavimasis, – jam pritarė šalia buvęs kolega. – Reikėtų nuspręsti, ką darysim toliau. Manau, tie vaizdai daug ką keičia.

– Nieko jie nekeičia. Dabar jau negalime apsigalvoti. Girdėjote, ką pasakė Aukščiausioji? Turėsime pulti, o mus stebės ir vertins priešininko pajėgumus.

– Taigi, mes būsime bandomaisiais gyvūnėliais, kurie turės mirti tam, jog Aukščiausiosios būtybės tinkamai įvertintų priešininką.

– Taip, – linktelėjo seniausias narys.

– Gal galim ką nors pakeisti? – vienu metu iš kelių pusių nuskambėjo klausimas.

– Vargu. Negalime neklausyti Aukščiausiųjų. Prisimenate, kas būna tiems, kurie nepaklauso. Nenoriu ir mūsų rasei tokio likimo. Turėsime pulti ir kovoti iki paskutinio laivo, kaip darydavome visuomet, bet tai nereiškia...

– Tai nereiškia, kad turime siųsti geriausius laivus ir ekipažus, – pratęsė jo mintį šalia buvęs kolega. – Kaip ir rengėmės, pasiųskime šimtą laivų, bet ne rinktinių, o paprastesnių – su visuomenės atskalūnų įgulomis.

– Būtent, – pritarė seniausiasis. – Pasiūlykim visiems atskalūnams atleidimą, jeigu jie dalyvaus mūšyje ir taps mūsų gvardijos nariais.

• • • • •

Gal ir galėtumėme sakyti, kad šios diratų mintys pakeitė tolesnę istoriją, bet tai būtų netiesa. Nieko jos nepakeitė. Koks skirtumas, ką ir kiek jie būtų pasiuntę kovoti, vis tiek galutinis rezultatas būtų vienodas. Šios mintys tik parodė, jog diratai, nepaisant savo vaizduotės stokos, vis dėlto buvo ganėtinai protingi, kad nesiveltų į ne savo lygio karus. Ir tai vėliau juos išgelbėjo. Tai viena iš priežasčių, kodėl diratai išsisuko nuo jiems Aukščiausiųjų būtybių numatyto vaidmens ir sėkmingai gyvuoja iki šiol.

• • • • •

Harato planeta

– Justinai, Peteri, laikykit skydą! Laikykit skydą, sakau, nes priešingu atveju mus iškeps gyvus.

– Elena, kaip vartai?

– Blokuota, negaliu atidaryt!

– Padėk Justinui ir Peteriui, o aš dar kartą bandysiu pasiekti energetinę giją po miestu, – tai tik keli šūksniai iš tos baisios kakofonijos, kuri vyravo tuo metu vieno iš didesnių Harato planetos miestų centrinėje aikštėje. Sprogimai, šūviai, be perstojo plieskiantys žaibų išlydžiai, puolančių haratų riaumojimas – visa tai sudarė vientisą piktą lemiančios audros griausmą. Audros, turėjusios nušluoti nuo planetos paviršiaus tuos menkus padarėlius, išdrįsusius mesti iššūkį pačiam Kūrėjui. Žinoma, žmonės nesijautė esą menki padarėliai ir net netikėtai užpulti priešinosi stulbinamai organizuotai ir efektyviai.

Viskas prasidėjo penktą žmonių grupelės ekspedicijos į Kūrėjo užimtą planetos dalį dieną. Iki to laiko niekas nepranašavo artėjančios audros. Vietiniai, nors ir nebuvo labai draugiški, bet agresijos nerodė. Kaip, tiesą sakant, nerodė ir jokios baimės, jų gyvenvietėse pasirodžius žmonėms ir demiurgams. Kūrėjas ne tik kad nesiėmė agresyvių veiksmų, bet taip gerai pasislėpė, kad ši prabudusiųjų grupelė niekaip negalėjo pajusti jo fizinio buvimo vietos. Atrodė, kad viskas ramu ir demiurgų nuogąstavimai yra perdėti, kol... Kol neprasidėjo penktoji diena. Tą dieną žmonės ir demiurgai įžengė į Sarhos miesto (kaip jį vadino haratai) centrinę aikštę ir tiesiu taikymu pakliuvo į pasalą. Dabar pasiskirstę vaidmenimis žmonės gynėsi tiek nuo juos puolančių haratų kareivių ir civilių, tiek nuo Kūrėjo sukurtų žaibų ir stipraus mentalinio spaudimo. Jau tris kartus prabudusieji bandė prasiveržti, tiesiog į atomus suskaidydami priešakines puolančiųjų eiles, ir tris kartus turėjo atsitraukti, sustiprėjus Kūrėjo puolimui, o kritusiųjų vietas užėmus naujiems raguotiems padarams. Net demiurgai nesistebėjo haratų bebaimiškumu. Visi suprato, kad puolančiųjų mintis visiškai užvaldė Kūrėjas, ir jie veršis link įsiveržėlių tol, kol bus gyvi. Jau po pirmų penkiolikos mūšio minučių žmonės pajuto, kad pralaimi. Kiekvieną sekundę menko jų taip gausiai naudojamos energijos atsargos, silpo ir traukėsi grupę juosiantis energijos skydas ir vis sunkiau sekėsi atremti buvusio Skruzdžių planetos proto mentalinius puolimus. Saulius stengėsi kaip galėjo, tačiau jis niekuomet nebuvo geras strategas, o ir stipriausių prabudusiųjų ratui taip pat nepriklausė. Galbūt, jeigu jo vietoje būtų Ardas su savo galia ar Teromijus su milžiniška patirtimi, jie galėtų pralaužti Kūrėjo sukurtas užtvaras ir prasiveržti link planetos gelmėse esančių energetinių gijų. Tačiau Saulius nesugebėjo. Vis dėlto jam pavyko rasti išeitį iš beviltiškos padėties. „Jei negalime priešintis, reikia skubiai trauktis, – mąstė Saulius karštligiškai ieškodamas sprendimo. – Jei negalime atidaryti vartų ir prasiveržti planetos paviršiumi, reikia bandyti veržtis oro erdve. Kūrėjas Skruzdžių planetoje nematė sklandančių ar skraidančių žmonių. Jis gali ir nebūti pasirengęs tokiai įvykių sekai.“

– Justinas, Peteris ir Elena visas savo jėgas skiriate skydui palaikyti. Abu demiurgai privalote vieni kelias minutes sulaikyti mentalinį spaudimą! – tvirtai nuskambėjo Sauliaus įsakymas. – Likę nutraukiam kovą su haratais, kiekvienas paimam į glėbį ką nors iš gavusiųjų kitas užduotis ir skrendam. Aš paimsiu vieną iš demiurgų meistrų. Visi suprato?

Niekas iš žmonių būrelio net galvos nepajudino atsakydamas. Tik lengvas minčių dvelktelėjimas patvirtino, kad komanda suprasta ir vykdoma. Pasirodė, kad šį kartą Saulius buvo teisus. Kūrėjas nieko nežinojo apie žmonių gebėjimą skraidyti ir nespėjo jiems sutrukdyti palikti miesto, kuris galėjo tapti kapu visai grupei. Tik bejėgiški žaibo smūgiai ir tolygiai silpstantis mentalinis puolimas dar kurį laiką lydėjo bėglius, bet rimčiau jiems pakenkti nebegalėjo. Tą patį vakarą grupė pavargusių, kai kur apsvilusių žmonių ir porelė net pajuodusių nuo patirtos įtampos demiurgų vėl peržengė Mėlynojo rato valdovo menės slenkstį. Tačiau ir šį kartą čia ilgai neužsibuvo. Atsigavę ir trumpai papasakoję, kas nutiko, žmonės atidarė tolimojo šuolio vartus ir iškeliavo į Edurą. Jau jiems išvykus, Mėlynojo rato valdovas neskubėdamas triūsė prie lipdomo medžio silueto ir ramiai sau šypsojosi. Viskas ėjosi pagal planą. „Kvailys Kūrėjas. Įsiutino žmones, o įveikti nesugebėjo. Dabar čia atvyks kelios šimtinės pačių stipriausių prabudusiųjų ir užkurs jam tokią pirtį, kad kitą kartą cypdamas slėpsis tik pamatęs žmogaus figūrą. Jei, žinoma, liks gyvas. Kuo aš labai abejoju... Dabar svarbiausia suderinti laiką. Kai stipriausi iš prabudusiųjų bus čia, turim, padedami mūsų agento Žemėje, įkurti tenai savo bazę. Gal ir be reikalo iš pradžių buvau skeptiškas dėl šio plano. Viskas gali ir pavykti. Bet kuriuo atveju, net jei Žemėje nieko nepasiseks, mes daug išlošime Harate.“

Mažas vienvietis laivelis tiesiog iš niekur pasirodė netoliese blyškaus baltojo nykštuko tipo žvaigždės kelių planetų sistemos. Normaliomis sąlygomis šis galaktikos užkampis nesukeltų jokio tokios galingos ir įstabios rasės, kuriai priklausė šio neįprasto žvaigždėlaivio pilotas, susidomėjimo. Tačiau dabar... Dabar šioje sistemoje dar skraidė keturių neseniai žuvusių diratų kreiserių likučiai. Būtent tai ir sudomino paslaptingąjį keliautoją. Tik pasiekęs pirmąją nuolaužų grupę, dar veikiamą inercijos jėgų ir ramiai besisukančią aplinkui gerokai aplamdytą pagrindinį vieno iš buvusių kreiserių pabūklą, laivelis tiesiog sustingo. Šalta žvaigždės šviesa, lyg siekdama padėti skvarbiam piloto akių žvilgsniui, apšvietė daug apie ką galinčius papasakoti kreiserių likučius. Žinoma, pasakojo jie ne kiekvienam, o tik tam, kuris juos galėjo suprasti. Tačiau pilotui jų istorija buvo nereikalinga. Jis ieškojo giliau ir žiūrėjo ne akimis. Seniai apžvelgęs mūšio vietą, vidinį regėjimą jis plėtė vis tolyn ir tolyn į skriejančias aplinkui baltąjį nykštuką planetas ir jų palydovus. Staiga kažkas pasikeitė... Rimtą piloto veidą nušvietė patenkinta šypsena. Jis pamatė tai, ko ir tikėjosi dar būdamas diratų pasauliuose. Viename iš antros sistemos planetos palydovų virė statybos darbai. Lyg skruzdėlės knibždėjo robotai ir gyvi padarai, montuojantys gynybinius pabūklus ir rengiantys gyvenamąsias patalpas. Pilotas nekreipė dėmesio, kaip tie padarai atrodė ar į ką buvo panašūs. Svarbiau jam buvo jų auros, aiškiai rodančios, kad nė vienas iš jų nesugebės pasipriešinti jo valiai ir jėgai. Patenkintas tokia sėkme, pilotas susirengė judėti įrenginėjamos bazės link, bet, pasidavęs kažkokiai neaiškiai pavojaus nuojautai, nusprendė dar kartą atidžiau panagrinėti būsimus priešininkus. Minutė ar dvi praėjo ramiai, paskui šypsena, taip ilgai žaidusi piloto veide, užleido vietą susirūpinimui. Jis pamatė dar vieną grupę atėjūnų. Nedidelę grupę, viso labo dešimt asmenų. Tačiau šis dešimtukas buvo visiškai kitoks nei aplinkui juos zujantys pagalbininkai. Visų pirma jie maskavosi ir maskavosi taip išmintingai, kad net tokiam patyrusiam žvalgui, koks buvo pilotas, tik atsitiktinai pavyko aptikti spragą tame nuaustame iliuzijų tinkle, supusiame šios grupės narius. Antra, prieš klajūno akis atsivėręs tikrasis vaizdas buvo toli gražu neguodžiantis. Sprendžiant iš jų aurų ir energetinės aplinkos, pilotas nesunkiai nugalėtų vieną, gerokai sunkiau du ar po ilgos, labai sekinančios kovos tris grupės narius, bet tikrai ne visus dešimt. Stojus į kovą su visu dešimtuku, tolesnis piloto gyvenimo kelias galėtų užsibaigti šioje, niekuo neypatingoje planetų sistemoje. Tačiau labiausiai žvalgui kėlė nerimą tai, kad, tik prasibrovęs pro dešimtuko maskuotę, jis ir pats iš karto buvo aptiktas. Maža to, jis suvokė, kad keisti padarai skubiai kaupia energiją ir, užtrukęs dabartinėje vietoje dar minutę, jis nori nenori bus priverstas stoti į kovą. Dar niekada per visą savo ilgą gyvenimą ir begalines klajones, palaikant tvarką galaktikoje, pilotas nebuvo sutikęs tų, kurie galėtų kaip lygiaverčiai priešininkai mesti iššūkį jo rasei. Ir štai dabar... Dabar tai nutiko.

– Pamačiau labai daug, laikas nešdintis, – pats sau pasakė pilotas mąstydamas apie galimą atsitraukimo maršrutą. – Kur nešdintis? Visų pirma reikia vietos ramiai susijungti su Bendrąja rasės sąmone ir pranešti apie atėjūnus ir jų darbus. Paskui reikia dar informacijos. Negalime stoti į kovą, kol apie priešininkus nežinome visko. Akivaizdu, kad jie valdo savos galaktikos rases taip, kaip mes valdome savosios gyventojus. Tačiau kiek tokių valdovų yra? Ar jie turi priešų gimtojoje galaktikoje? Ar jie visi vienodai stiprūs? Kokie jų energijos limitai ir jos valdymo gebėjimai? Tiek klausimų, į kuriuos turiu rasti atsakymus. O kur juos rasti? Žinoma, ten, kur šie sutvėrimai gyvena...

Jau bedingstanti šypsena vėl pradėjo žaisti piloto veide. Apsisprendęs jis vienu minties dvelktelėjimu apsuko savo laivelį ir nukreipė jį naujo tikslo link. Dar po kelių sekundžių tik blankūs tolimos saulės spinduliai prisiminė melsvą žvalgo odą ir rombo formos akis.

2031 metų kovo 3 diena. Žemės planeta

„Atvirai pasakius, man jau nusibodo... Nusibodo tas begalinis minčių chaosas ir nesugebėjimas apsispręsti. Paklausite, dėl ko apsispręsti? Labai paprasta, aš negaliu nuspręsti, kas toks esu. Vienas faktas, kurį aš tikrai žinau... Nesakyčiau, kad labai jau būčiau šiuo žinojimu patenkintas. Nėra malonu savo nuosavu kailiu patirti, kad Geltonasis ratas klydo vertindamas žmogaus prigimties stiprumą. Jiems atrodė, kad užteks į žmogaus kūną patalpinti jauną bei mylintį savo esybę demiurgą ir jie turės savo rasei ir ratui ištikimą demiurgą žmogaus kūne. Kitaip sakant, demiurgo siela vyraus sąjungoje su jai svetimu fiziniu apvalkalu. Pasirodo, viskas ne taip paprasta. Tiesą sakant, viskas net labai sudėtinga. Paskutinis mano raportas sukėlė didžiulį šurmulį tarp geltonųjų meistrų. Visas perkūnijimo projektas atsidūrė ties žlugimo riba. Kiek supratau iš jų isteriško burbuliavimo, mano duomenys paneigia teorijas apie smegenų ir asmenybės sąveiką. Gali būti, kad žmogaus asmenybė slypi ne tik smegenyse, bet kiekvienoje kūno ląstelėje. Gali būti... O gal ir ne. Tiesą sakant, man nesvarbūs teoriniai moksliniai išvedžiojimai. Svarbiausia, kad aš pradėjau jaustis žmogumi. O tai nėra gerai ir kelia man didžiulį diskomfortą. Kol kas aš dar sugebu įteigti sau, kad esu demiurgas. Kol kas dar esu ištikimas savajam ratui ir tai rasei, kuriai tariuosi priklausąs. Kol kas... Tačiau kaip bus toliau, nežinau. Pažiūrėsim... Prašau man atleisti už tokį padriką rašymą, bet kitaip negaliu. Mintys sukasi lyg pašėlusios. Vieną dieną iš to paties fakto juokiuosi, kitą dieną dėl jo liūdžiu. Tai nenormalu... Žinau, bet nieko negaliu padaryti. Viena nekinta – aš vis dar niekinu pilką žemiečių masę. Argumentų tam turiu – nors vežimu vežk. Kvailiai... Linkę negalvoti ir paklusti bet kokiam diktatoriui. Kvailiai. Gal ne visi, bet kol kas iškilesnių asmenybių nesutikau. Na, kad ir šios bazės įgula. Tiesa, aš dar nepapasakojau, kas atsitiko po to, kai paskutinį kartą rašiau dienoraštį. Mes užėmėm bazę. Gerai, jau gerai, papasakosiu plačiau.

Kokie dvasios ubagai bebūtų mano rekrutai, bet jie tikri savo srities profesionalai, turiu omenyje žudymus ir karinius žaidimus. Prie bazės prisėlinome naktį. Pirmus du sargybinius maniškiai „suvystė" greičiau nei per minutę. Dar po dviejų minučių, trumpai pabuvę akis į akį su manimi, šie sargybiniai tapo ištikimais mano sekėjais. Tokiu pat principu dirbome ir toliau. Jau po valandos visa išorinė apsauga buvo su mumis tiek savo širdimi, tiek protais. Ir be jokio pasipriešinimo. Turiu galvoje – be mentalinio pasipriešinimo. Nė vienas, pabrėžiu, nė vienas net nebandė man priešintis. Tai pasakykite man, ką gero apie tokius silpnavalius aš galiu galvoti? Nesvarbu... Tęsiu toliau.

Visa košė užvirė tik įpusėjus trečiai puolimo valandai, kai daugiau nei pusė bazės personalo buvo užgrobti. Netikėtai vietinis generolas pasirodė budresnis nei jo pavaldiniai ir nepatikėjo jau man ištikimo kapitono kvietimu ateiti iki penktojo sargybos posto. Ne tik kad nepatikėjo, bet puolė tikrinti visas vidines filmavimo kameras. Turiu pasakyti, kad tas generolas buvo retas paranojikas ir bent jau į bazės saugumą žvelgė gerokai rimčiau nei jo kolegos. Vienu žodžiu, jam pasisekė... O gal priešingai, nepasisekė. Žiūrint kaip vertinsime padarinius. Tikrindamas vaizdą kamerose, jis visiškai atsitiktinai aptiko tą trumpą epizodą, kai maniškiai surietė ir nutempė širdingam pokalbiui su manimi tą patį kapitoną, kuris ką tik kvietė atvykti. Maža to, priešingai nei darytų dauguma kitų, jis nesupanikavo, nepuolė iš karto šūkauti ir tuščiai šaudyti, o turėjo užtektinai kantrybės, kad pamatytų, kaip tas pats kapitonas ramiai sugrįžo atgal į postą draugiškai šnekučiuodamasis su savo buvusiais pagrobėjais. Ir čia tas šmikis su generolo antpečiais elgėsi labai jau protingai ir profesionaliai. Maža to, kad jis beveik teisingai įtarė, jog kapitonas perėjo į priešų pusę, jis dar padarė logiškas išvadas, kad tokių gali būti ir daugiau. Taigi, po pusvalandžio mes turėjome labai šaunią situaciją. Generolas su trečdaliu bazės įgulos, tarp kurių taip pat buvo keli jau mano „užverbuoti" asmenys, užsibarikadavo komandinėse patalpose ir bandė visais metodais prisišaukti pagalbą. Jei ne mano šaunuoliai, laikinai atkirtę visus bazės ryšius su išoriniu pasauliu, gal jam ir būtų pavykę. Protingas buvo generolas, – rašydamas vyriškis šyptelėjo, tada atsilošė kėdėje, žvilgtelėjo į prie durų stovinčius sargybinius ir, pagautas naujų minčių, griebė plunksną ir rašė toliau. – Bet nepakankamai protingas. Štai todėl ir stovi dabar sargyboje prie mano durų. Paklausite, kaip aš sugebėjau įveikti tokį netikėtą pasipriešinimą. Ganėtinai paprastai... Kai pagalvoju, kad viską sutvarkiau greičiau nei per penkiolika minučių ir be jokio kraujo praliejimo, pradedu savimi didžiuotis. Nusprendėme derėtis radijo ryšiu. Pasisiūliau ateiti pas juos vienas ir be ginklų kaip įkaitas ir garantas, kad maniškiai vykdys susitarimą pasitraukti iš bazės ir nepakenkti jos įrangai. Mes taip pat vaidinome, kad turime kelis įkaitus, tarp jų ir visus generolo padėjėjus. Vaidinome, nes tie padėjėjai jau seniai tebuvo mano marionetės. Generolas sutiko. Turiu pasakyti, kad labai nenoromis ir buvo iki galo įtarus. Jei ne mano „užverbuoti" asmenys jo aplinkoje ir jų įkalbinėjimai, šitas planas galėjo nepavykti. Galų gale aš juk buvau vienas, beginklis ir ne kariškis. Generolo manymu, negalėjau jiems pakenkti. Štai čia jis ir apsiriko. Užėjau, šnektelėjau su jais, o po penkių minučių išėjau jau apsuptas iki grabo lentos man ištikimų šalininkų, tarp kurių pats pirmas ėjo generolas. Gaila, kad protingas jis daugiau nebebus, teko išdeginti dalį smegenų. Šaunuolis bandė priešintis, bet, be abejo, bergždžiai. Na, nebus protingas, bet užtat be galo ištikimas.

Štai ir viskas... Jau savaitę sėdžiu šioje bazėje, apsuptas man ištikimos įgulos, vaidinančios, kad atlieka savo įprastas pareigas, ir laukiu ženklo. O gal ne ženklo, gal labiau nurodymo? Nurodymo pradėti antrą plano stadiją. O gal vis dėlto ženklo? Ženklo, ar man verta toliau vykdyti planą. Kaip jau sakiau, mąstau aš dabar per daug ir labai padrikai. Maniau, dienoraščio rašymas padės, bet, atrodo, nepadėjo. Nepaisant nieko, rašyti privalau. Vien todėl, kad jums išliktų mano jausmai ir mintys, kad matytumėte klaidas, kurias dariau, ir nekartotumėte jų patys. Gali būti, kad apsispręsiu... Apsispręsiu pasirinkti trečią kelią. Kelią į nebūtį, ten, kur jau nebereikės rinktis ir kankintis. Tada tik šis dienoraštis galės jums padėti. Paklausite, kaip įsivaizduoju savo skaitytojus? Argi ne tas pats, kas jie tokie ir kokie jie yra? Svarbu, kad tarp jų būtų tų, kuriuos Geltonasis ratas atsiųs vietoj manęs toliau vykdyti panašių beprotiškų misijų. Demiurgai nepasiduos ir neatsisakys jokio kelio, galinčio nuvesti į Didįjį tikslą. Nebent tas kelias ves ne į tikslą, o į niekur. Gal man pasiseks? O gal pasiseks visai rasei ir šis dienoraštis pateks ten, kur reikia, ir nutrauks tokius nevaisingus bandymus? Tikiuosi", – sunkiai atsidusęs vyras padėjo plunksną ir pavargusiomis akimis žvilgtelėjo į įsitempusius sargybinius. Vieną akimirką jose blykstelėjo žmogiška ir demiurgams visiškai nebūdinga užuojauta savo aukoms. Blykstelėjo ir pasislėpė. Ne dingo, ne užgeso, o pasislėpė... Pasislėpė tam, kad vėl pasirodytų, kai vyras taps labiau žmogumi nei demiurgu.

Harato planeta

„Ne taip... Čia turėtų būti dar vienas išlinkimas", – atsiduso Mėlynojo rato valdovas, priekabiai apžiūrėdamas savo kūrinį. Šiandien jam akivaizdžiai nesisekė. Nesisekė susikaupti ir visa esybe atsiduoti darbui, net per šimtmečius išlavėję pirštai šiandien jį pavesdavo ir retkarčiais virptelėdami padarydavo nereikalingą įlinkį ar tarpą, kurių tikrasis medis neturėjo. Mėlynasis demiurgas net nesitikėjo, kad viskas šią dieną eis kaip iš pypkės. Pradėdamas kurti, jis galvojo nusiraminsiąs ir atsikratysiąs nuolat galvoje besisukančių minčių. Minčių apie atvykstančius žmones, apie planetoje tūnantį Kūrėją, apie vaikų pareigas savo tėvams ir aiškią būsimos kovos baigtį, apie Didįjį tikslą, naujas demiurgų rasės galimybes ir žmonių vietininkų statusą. Kaip vėjo gūsiai šiaušia bangas neramiame vandenyne, taip šios mintys drumstė rato valdovo ramybę. Ramybę, kurią jis šimtmečius mokėsi pasiekti ir kurią sujaukė prabudusieji vien savo pasirodymu. „Nieko nebus, – papurtė galvą demiurgas, matydamas savo kūrybinių pastangų beprasmiškumą. – Laikas baigti, vis tiek šiandien nieko doro neišeis. Įdomu, kada tie žmonės teiksis atvykti."

Lyg girdėdamas šias valdovo mintis, į menę įžengęs asmeninis padėjėjas pranešė tai, ko mėlynasis demiurgas taip ilgai laukė. Pranešė, kad prabudusieji rengiasi atverti šuolio vartus į Harato planetą ir greitai atvykti.

– O jie – šaunuoliai, – šyptelėjo rato valdovas. – Laiko veltui neleidžia. Spėjo pasižymėti planetą, nepaisant skubos, su kuria iš čia išsinešdino. Gerai... Praneškit, kad mes laukiame. Kada jie atvyks?

– Manau, per valandą, valdove, – nusilenkė padėjėjas.

– Puiku. Eik ir pasiruošk sutikimui. Aš lauksiu savo apartamentuose. Praneškit, kai jie atvyks, ir atveskit visus į šią menę, – nurodė valdovas ir nelaukdamas atsakymo vėl atsisuko į savo nebaigtą kūrinį. Kažkur išsivedėjo visos neramios mintys, sugrįžo taip laukta ramybė ir susikaupimas. Mėlynojo rato valdovas pasijuto kaip tas studentas, drebantis prieš egzaminą, bet staiga tapęs visiškai ramus egzaminui prasidėjus. „Turiu visą valandą, – pagalvojo demiurgas. – Gal geriau neisiu į apartamentus, o pabandysiu užbaigti šitą lapelį."

• • • • •

„Kokie jie vis dėlto skirtingi? – mąstė Mėlynojo rato valdovas, nužvelgdamas prieš jį įsitaisiusius žmones. – Šioje menėje susirinko patys stipriausi prabudusieji, kurie suvieniję jėgas galėtų sunaikinti ne tik šią planetą, bet ir žvaigždę, aplink kurią sukasi Harato pasaulis. Tai galios, prilygstančios mitiniams Žemės dievams. Jie puikiai tai supranta, tačiau, kitaip nei anoji grupė, juose nėra nei arogancijos, nei pasipūtimo, kuriuos taip spinduliavo prieš juos buvusieji. Gal viskas priklauso nuo galios? Kuo stipresnis žmogus, tuo paprasčiau ir natūraliau jis vertina savo galimybes? Galbūt. Reikės apie tai pamąstyti. Šimtas žmonių... Tai mažiau, nei aš galvojau, bet įvertinus jų asmenybes – kur kas daugiau, nei reikės kovojant su Kūrėju. Ardas, Teromijus ir Hansas... Visa Didžioji trijulė. Vien jie galėtų išpurtyti bet kokias mintis apie pasipriešinimą iš to pamišusio Kūrėjo smegenų. Manau, turime tris dienas savo mažai diversijai pačioje Žemėje pradėti. Ne daugiau, o gal net ir mažiau. Jei nepasiseks per tris dienas, vėliau galėsime nebebandyti. Pranešiu Geltonajam ratui, kai tik pasibaigs audiencija ir tiksliau žinosime žmonių planus.“

• • • • •

– Atleisk man, Elena, kad pertraukiu, – nedrąsiai įsiterpė sekretorius. – Gal gali man paaiškinti, kodėl tiek mažai?

– Kas tiek mažai? – perklausė Elena, nesupratusi sekretoriaus minties. Moteris jau buvo aprimusi ir kiek graužėsi dėl savo grubumo su vienu iš ką tik prabudusiųjų, kuris dar nespėjo surasti visiškos savo kūno ir asmenybės harmonijos.

– Kodėl tiek mažai prabudusiųjų dalyvaudavo misijose? Šimtas Harato planetoje, trisdešimt Dvarvų galaktikos bazėje. Pagalvok, prabudusiųjų tada buvo beveik septyniasdešimt penki tūkstančiai. Ką veikė kiti?

– O tu dar nežinai? Nebuvai prisijungęs prie Bendrosios sąmonės?

– Buvau, bet dar nesugebu tenai labai laisvai jaustis, – kaltai nudelbė akis sekretorius. Jam gėda buvo pripažinti, kad galios ateina lėčiau nei kitiems.

– Niekis, – nusišypsojo Elena, supratusi sekretoriaus savijautą. – Neimk į galvą. Viskas bus gerai. Vieni tai pajunta anksčiau, kiti – vėliau, tačiau galios ateina visiems. Pabandysiu tau paaiškinti. Žinoma, be tikslių skaičių, nes jų reikėtų paieškoti informacinėje sistemoje ar Bendrojoje sąmonėje. Dalis užsiėmė tik Žemės administravimu. Valdytojai, teisėjai, ambasadoriai, atstovai ir panašiai. Kita dalis – tai apsaugos pajėgos...

– Čia tie, kurie gesina bet kokius karinius konfliktus Žemėje. Vadinamoji prabudusiųjų tarptautinė policija?

– Taip, – linktelėjo Elena. – Trečia dalis – tai mūsų atstovai, ambasadoriai tarp Mąstančiųjų sąjungai priklausančių tautų ir jų apsauga. Ketvirti – tai Eduro ir Skruzdžių planetose dislokuotos nuolatinės įgulos. Maždaug dvidešimt tūkstančių yra žvalgai, žymintys mūsų galaktikos planetas ir dvarvų visatos pasienį.

– Visada norėjau paklausti, o kam tie žvalgai? – įsiterpė sekretorius. – Daug apie juos girdėjau.

– Jie turi aplankyti ir Bendrojoje sąmonėje užfiksuoti kuo daugiau koordinačių, kuriose galėtumėme atidaryti šuolio vartus. To gali prireikti kokio nors konflikto ar krizės metu, – aiškino Elena. – O paskutiniai – tai kovinis rezervas, galima sakyti, mūsų kariuomenė. Nuolat treniruojami kovai tiek erdvėje, tiek planetose. Jais bus pasinaudota tada, kai nuspręs Ardas.

– Čia tie, kurie vėliau aktyviai dalyvavo naikinant žvaigždžių sistemas?

– Taip, – linktelėjo Elena. – Iki tol vykusios krizės buvo per daug menkos, kad reikėtų pritraukti rimtesnių jėgų. Matau, dar kažko nori paklausti?

– O kodėl Ardas, Teromijus ir Hansas į Harato planetą pasiėmė palydovų? – dėkingai nusišypsojo sekretorius. – Manau, būtų visiškai užtekę ir šios trijulės pastangų.

– Be abejo, bet Hansas užsispyrė. Jo nuomone, taip buvo saugiau. Pagal Hansą, palydovai turėjo padėti išvengti bet kokių netikėtumų ir palengvinti užduotį. Tiesa, Žemėje tuo metu liko tik keli prabudusieji, galintys skubiai reaguoti į kokį nors netikėtą iššūkį.

– Aišku, – atsiliepė sekretorius. – Ačiū, Elena. Dirbame toliau.

• • • • •

– Man labai malonu matyti iškiliausius žmonių lyderius, – meilikaudamas pradėjo pokalbį Mėlynojo rato valdovas. – Nesitikėjau, kad šią nedidelę problemą spręs jau legendomis tarp mąstančiųjų tapę Ardas, Hansas ir ypač man artimas Teromijus, buvęs mano tautietis.

– Mums taip pat didžiulė garbė, – laikydamasis to paties mandagaus, šeimininko pasiūlyto, tono, atsiliepė Ardas. – Mėlynasis ratas garsėja savo meistrais ir išmintimi, todėl mums ypač malonu bendrauti su tokia iškilia asmenybe kaip Mėlynojo rato valdovas. O dėl problemos... Patys ją sukūrėme, patys turime ir išspręsti. Demiurgams savo pagalbos sąlygas jau perdavėme Baltojo rato valdovui. Tikiuosi, jas žinote?

– Žinoma, žinoma, – energingai sulinksėjo mėlynasis demiurgas.

– Jų laikymąsi prižiūrės Teromijus. Jis, be visa ko, atstovaus žmonėms bet kokiose tolesnėse derybose dėl galimų demiurgų buvimo Harato planetoje sąlygų pakeitimų.

– Kad nekiltų kokių nors nereikalingų iliuzijų, – sklandžiai į pokalbį įsiterpė Teromijus. – Labai abejotina, ar žmonės sutiks ką nors keisti mūsų susitarime dėl Harato planetos ir demiurgų statuso joje.

– Suprantu, – dar kartą linktelėjo demiurgas. – Mus visiškai tenkina susitarimas, ir tiek mano ratas, tiek kiti mano kolegos besąlygiškai jo laikysis. Ką planuojate daryti su Kūrėju?

– Žiūrėsim, – toliau dėstė Ardas. – Dar nenusprendėme. Bet kokiu atveju jo neliks nei šioje planetoje, nei bet kurioje kitoje, kur egzistuoja labiau pažengusios gyvybės formos.

– Gal parengti Jums kambarius? Gal norėsite kiek pailsėti? – toliau tęsė pokalbį mėlynasis valdovas.

– Ne, – šį kartą atsiliepė Hansas. – Pradėsime nedelsdami. Tiesą sakant, mes jau pradėjome, ir visą tą laiką, kol esame čia, bandome nustatyti Kūrėjo buvimo vietą.

– Bet jis gudrauja ir nuslopino bet kokį savo energetinį aktyvumą, – pratęsė draugo mintį Ardas. – Todėl turėsime keliauti į paskutinio mūšio vietą ir sekti dar neišnykusiais energetiniais pėdsakais.

– Tai įmanoma? – nusistebėjo Mėlynojo rato valdovas. – Praėjo ganėtinai daug laiko...

– Menkniekis, – numojo ranka Teromijus. – Nustebtum, kokių pas mus yra įgudusių pėdsekių. Jie ir po metų nustatytų, iš kur buvo daromas poveikis aplinkos energetikai. Kūrėjas ten padoriai pasiautėjo. Galės slėptis kiek nori. Pėdsakais atseksime iki jo buvusios buveinės, o iš ten nuseksim ir iki dabartinės buvimo vietos. Bet kokiu atveju tai – tik laiko klausimas.

– Turėsite ilgai keliauti iki mūšio vietos. Gal reikės palydovų? – pasiūlė demiurgas.

– Nereikia, – vėl pokalbio gijas perėmė Ardas. – Turime koordinates, būtinas šuolio vartams atidaryti. Saulius prieš pasitraukdamas viską spėjo užfiksuoti ir perduoti į Bendrąją sąmonę. Baigsim pokalbį ir iškeliausim. Manau, per dieną ar dvi susitvarkysime.

Tolesnis apsikeitimas mandagiomis frazėmis tetruko penkiolika minučių. Paskui žmonės atsisveikino ir, čia pat atsidarę šuolio vartus, nukeliavo tiesiai į haratų miestą, iš kurio taip karštligiškai spruko Saulius ir jo komanda. Mėlynojo rato demiurgas, tik sulaukęs paskutinių prabudusiųjų išvykimo, nedelsdamas pasinėrė į Bendrąją savo rasės sąmonę. Jis skubėjo... Skubėjo pranešti geltonajam kolegai, kad planui įgyvendinti tėra viena ar dvi dienos.

Žemės planeta

Mergina liūdnu žvilgsniu stebėjo žinias, rodomas per televiziją. Šiaip ji niekada nežiūrėdavo televizijos programų. Prabudusieji visą jiems būtiną informaciją paprastai gaudavo Bendrojoje sąmonėje, o mergina ir buvo prabudusioji, žinoma, nepriklausanti stipriausiųjų ratui, bet tikrai ne naujokė. Be to, dar prieš prabudimą Loreta, toks buvo merginos vardas, buvo griežtai nusiteikusi prieš televiziją. Jos nuomone, informacinių laidų žiūrėjimas buvo greičiausias būdas įsivaryti galvos skausmą. Tačiau dabar, nepaisant išankstinio neigiamo požiūrio, jai teko pakeisti šį nusistatymą. Pirmiausia išvykus visiems stipriausiesiems, jai teko budėti centrinėje prabudusiųjų būstinėje ir pirmai reaguoti į visas nenumatytas aplinkybes. O ši informacinė laida ir buvo ta nenumatyta aplinkybė, į kurią ji privalėjo sureaguoti. Dar prieš valandą su Loreta susisiekė prabudusiųjų ambasadorius Rusijoje ir pranešė apie nežinomų teroristų užimtą karinę bazę su branduoliniais ginklais. Ambasadoriaus nuomone, tai kėlė grėsmę prabudusiesiems. Tačiau tiksliai paaiškinti, kokia tai grėsmė, jis negalėjo. Kažkokiu būdu teroristai sugebėjo atremti visus bandymus ištirti juos mentaliniu lygmeniu. Vien šis faktas Loretai sukėlė nerimą, ką bekalbėti apie žinią, kad savo reikalavimus teroristai praneš tik tiesioginiame televizijos eteryje, ir nuojautą, kad tie reikalavimai kažkaip bus susiję su prabudusiaisiais. Žiūrėdama laidą ir klausydamasi karinės bazės užgrobėjų, mergina nusiminė. Visi jos blogi nuogąstavimai pasitvirtino. Užvirė nemenka košė, kurią srėbti teks būtent jai. Loreta neišsigando gąsdinimų branduolinėmis raketomis. Net tie keli, dabar Žemėje esantys ir galintys imtis atsakomųjų priemonių, prabudusieji lengvai sugaudytų ir sunaikintų visas raketas dar joms nepalikus Rusijos teritorijos. Labiausiai ją sujaudino teroristų keliami reikalavimai, aiškiai rodantys įtaką jėgų, esančių už Žemės planetos ribų. Kam galėtų šauti į galvą mintis reikalauti pripažinti vieno nedidelio miesto dydžio teritoriją nepriklausoma ir laisva nuo prabudusiųjų įtakos? Tik tam, kuris prisimena Ardo išsiderėto sklypo Eduro planetoje istoriją. O tokių nėra daug, ir realiausi kandidatai kenkėjų vaidmeniui yra demiurgai.

– Tai paaiškintų ir mentalinio skydo atsiradimą, – netikėtai pačiai sau balsu ištarė Loreta, galvodama apie išeitis iš susidariusios padėties. – Tai ką gi man dabar daryti? Geriausiai šioje situacijoje tiktų Teromijus ar kas nors iš buvusių demiurgų. Tačiau Teromijus yra su Ardu, o jo sekėjai išlėkė į žvalgybą. Gal kas Bendrojoje sąmonėje galės patarti, ką dabar daryti? Visiškai nesinorėtų po valandos pradėti gaudyti Lietuvos link skriejančias raketas, o nuojauta man sako, kad duoto apsispręsti valandos termino teroristai nepailgins.

Mergina ilgai nemąstė. Kaip ir prieš keliolika metų, kai vykdydama Ardo užduotį, surado ir pargabeno hakerių bendrijos, pasivadinusios „Brolija" narius, vieną kartą apsisprendusi ji veikė greitai ir ryžtingai. Truputį atsipalaidavusi ji užmerkė akis, sukaupė savo mintis ir pasinėrė į Bendrąją prabudusiųjų sąmonę.

Retas kuris, naujai prabudęs ir pirmą kartą patekęs į Bendrąją sąmonę, sugebėdavo garsiai nereikšti savo susižavėjimo jį apsupusiu grožiu. Ryškios spalvos, šviesa, ramybė ir jaukumas kūrė neprilygstamą namų ir tikros šeimos atmosferą. Kiekvienas prabudusysis ten jautėsi savas ir lygus tarp kitų tokių kaip jis. Ten jis galėdavo bendrauti su bet kuriuo galias atgavusiu žmogumi, tuo metu besilankančiu Bendrojoje sąmonėje. Po gyvenimo Žemėje, kur labai retai pasitaikydavo tikro nuoširdumo, draugystės ir meilės, pirmas apsilankymas Bendrojoje sąmonėje prilygdavo seniai prarasto Rojaus atradimui. Kai kuriems, kol įprasdavo, šis jausmas išlikdavo ilgiems metams. Loreta buvo viena iš tokių. Ji labai mėgo „nardyti" po jausmų ir informacijos srautus, sudarančius Bendrąją prabudusiųjų sąmonę. Gal net per daug mėgo ir per ilgai ten užsibūdavo... Tačiau kol kas tai neveikė jos gyvenimo realiame pasaulyje. Šį kartą, priešingai nei visuomet, merginai neberūpėjo aplinkinis grožis. Ji buvo visiškai susikoncentravusi į savo tikslą ir ieškojo tik asmenų, kurie galėtų jai padėti. Gal jai padėjo ryžtas, o gal didelė koncentracija, tarsi akmuo mestas į ramų ežerą, sukėlusi virpesius Bendrojoje sąmonėje, tačiau jai neprireikė ilgai ieškoti. Po keleto akimirkų jau keturi prabudusieji aptarinėjo susidariusią padėtį. Vienas iš jų buvo prabudusiųjų ambasadorius Rusijoje, kitas vadovavo tos pačios ambasados saugumo tarnybai, trečia buvo pati Loreta, o ketvirta... Ketvirtos pašnekovės prisijungimas visų likusiųjų buvo įvertintas kaip didžiulė sėkmė. Tai buvo Regina, kuri Eduro planetoje, pasibaigus jos žvalgybinei misijai, laukė iš Harato grįžtančio Ardo. Kitų akyse ji buvo viena iš pirmųjų prabudusiųjų, mentalinės įtakos srityje pranokstanti net kiekvieną iš Didžiosios trijulės, tačiau ji pati save vertino gerokai kukliau ir tikrai nemanė esanti kuo nors pranašesnė už savo pašnekovus.

– Ką gi, problema akivaizdi, bet nėra labai pavojinga, – tęsė pokalbį Regina, išklausiusi Loretos samprotavimus apie demiurgišką nemalonumų kilmę.

– Manai, jie nedrįs įgyvendinti savo grasinimų? – pasitikslino ambasadorius.

– Kodėl gi? Manau, kad tikrai išdrįs. Tik kad tie grasinimai nėra jau tokie baisūs. Kiek toje bazėje yra raketų? Keturios ar penkios? Išgaudysit dar nenuskridus ir šimto kilometrų.

– Tai, kiek supratau, su reikalavimais mes sutikti negalime? – į pokalbį įsiterpė ambasados apsaugos viršininkas.

– Žinoma, ne, bet ir palikti visko savieigai taip pat negalime, – toliau svarstė Regina. – Demiurgai, o aš linkusi pritarti Loretos spėjimams, vėl neįvertino žmogiškosios prigimties. Manau, su tuo, kuris valdo bazės personalą, reikia tiesiog pasišnekėti.

– Be abejo, pasikalbėti su juo turėsiu aš, – pratęsė mintį Loreta, puikiai suprasdama kolegės žodžių prasmę.

– Žinoma, – visi pajuto pritariamas Reginos emocijas. – Tu dabar budi, tu ir išspręsi šią smulkią problemėlę.

– O kaip man tenai nusigauti per valandą?

– Aš galiu padėti, – vėl įsiterpė ambasados apsaugos viršininkas. – Apsimetęs žurnalistu buvau tenai su spaudos atstovais ir pažymėjau patogią vietą šuolio vartams atidaryti pačios bazės viduje. Žiūrėk...

Po šių žodžių Loreta pamatė vietą, kurią jai rodė pašnekovas. Pokalbis nutrūko. Regina atsijungė nuo Bendrosios sąmonės ir nuėjo pabendrauti su Tomu ir jo ligijiečiais, o Loreta pasinėrė į savas mintis, svarstydama, ką tokio pasakyti tam demiurgui, kad jo žmogiškasis pradas taptų vyraujantis.

• • • • •

„Nežinau, kaip Jums geriau paaiškinti, kas su manimi vyksta“, – vyras atsiduso rikiuodamas savo mintis ir lėtai nužvelgė paveikslais apkabinėtas sienas. – Prieš savaitę paskelbiau ultimatumą prabudusiesiems... Suprantu, mano žodžiai skamba labai banaliai, bet kitaip turbūt neišeis. Ilgai mąsčiau, kaip geriau užrašyti, kas tada įvyko, bet vis tiek nieko doro nesugalvojau. Taigi, rašau taip, kaip ir ką galvoju. Kaip sakė mano buvusios smogikų komandos nariai: „Ką matau, apie tai dainuoju.“ Pradedam iš naujo. Paskelbiau ultimatumą prabudusiesiems. Pareikalavau leisti paskelbti nepriklausomą nuo jų įtakos respubliką ir panašiai. Na, žodžiu, surašiau visas nesąmones, kurias man atsiuntė Geltonasis ratas. Turiu pasakyti, kad demiurgai vis dar nepataisomi naivuoliai. Užteko man geriau susipažinti su prabudusiųjų galimybėmis ir iš karto tapo aišku, kad planas nevertas popieriaus, ant kurio surašytas. Penkios raketos... Juokas, ir tiek. Vienas vidutinių pajėgumų galias atgavęs žmogus visiškai susitvarkytų su tokia grėsme. Nuklydau... Grįžtu prie pasakojimo. Taigi, apsispręsti daviau vieną valandą, o pats, kaip ir dera, parengiau raketukes paleisti. Buvau nusiteikęs ryžtingai. Na, beveik ryžtingai. Abejojau iki paskutinės sekundės, bet, manau, vis tiek būčiau paspaudęs paleidimo mygtuką. Praėjo beveik valanda, ir jokio atsakymo. Galvojau, viskas, teks pradėti karą. Staiga bazėje pasirodė ji. Tiesiog ėmė ir pasirodė. Maža to, kai tik ji pasirodė, visi mano šaunuoliai kareivėliai iš karto sugulė miegoti. Visi iki vieno ir aš buvau bejėgis ką nors pakeisti. Kokia nauda iš mano mentalinio skydo, jei ji veikė tiesiogiai mano smogikų nervų sistemą. Vienu žodžiu, kur ten man prieš ją. Žmogaus kūnas, kuriame aš tūnau, tik pradėjo įgauti savo galias, kai jį permetė į Žemę. O čia prasidėjo atvirkštinis, slopinamasis, poveikis. Ne pėsčia pasirodė mergaitė. Savo mentaliniais gebėjimais gal ir silpnesnė už mane, bet skydą turėjo tiesiog nuostabų. Niekaip nesugebėjau pralaužti. Na, tiek to... Atėjo ji ramiai iki pat vadavietės ir atsisėdo priešais mane. Va, taip, tiesiog ėmė ir atsisėdo. Kad nemanytumėte, jog aš, mulkis, tik tą ir tedariau, kad ramiai jos laukiau, pasakysiu... Bandžiau paleisti raketas... Kur ten... Nė viena nesuveikė. Matyt, mergiotė kažką padarė energijos tiekimui. Bandžiau ją užblokuoti ar bent užsibarikaduoti vadavietėje. Tik fejerverkų prisižiūrėjau. Kai kurias duris ji tiesiog išvertė, o va, pro paskutines praėjo kiaurai. Tiesiog ėmė ir praėjo. Kaip koks vaiduoklis. Tik kad vaiduoklių tokių gyvų nebūna. Taigi, nepaisant mano titaniškų pastangų, ji atėjo prie manęs ir atsisėdo priešais. Tada įvyko tai, ko mažiausiai tikėjausi. O tikėjausi aš beveik visko – nuo greito mano fizinio apvalkalo sunaikinimo iki galimos nelaisvės kančių ir siekio išgauti informaciją. Tačiau ramaus ir paprasto pokalbio... Ne, apie tokią galimybę aš tikrai beveik nesvajojau.

– Labas, – galų gale iki valiai mane apžiūrėjusi pratarė atėjūnė. – Susipažinkim. Mano vardas Loreta, o tu kuo vardu?

– Demetrijus, – kiek šokiruotas įvykių išlemenau.

– Puiku, susipažinome, – nusišypsojo man mergina. Turiu pasakyti, kad labai žaviai nusišypsojo. Apskritai tai buvo labai miela mergina. Joje kažkas buvo tokio, kas traukė ir žavėjo visus. Na, dėl visų nežinau, bet mane tikrai. – Dabar galime ramiai pasikalbėti. Ką čia skaitai? – linktelėjo ji parodydama į neseniai mano vartytą knygą. Būdamas Žemėje kažkaip įjunkau į skaitymą. Nežinau kodėl, bet toks primityvus informacijos gavimo procesas mane pakerėjo.

– Čia vietinė klasika. Levas Tolstojus, – paaiškinau aš menkai tikėdamasis, kad pagaliau sutikau žmogų, kuriam kaip ir man patinka skaityti.

– O „Karas ir taika“... – nusišypsojo Loreta, apžiūrinėdama knygą. Vėlgi, pasikartosiu, labai žaviai nusišypsojo. – Skaičiau. Tik kad labai ištęsta. Be to, jausmai kiek dirbtinai aprašyti. Tačiau, ko norėti, rašytojas nebuvo prabudusysis ir negalėjo jausti iš tiesų.

– Kaip tai? – suklusau aš. – Man atrodė, kad jausmai aprašyti puikiai.

Na, ir prasidėjo. Mes ilgiau nei valandą kalbėjomės apie rašymo subtilybes, jausmų raišką, perėjom prie jausmų tikrumo, ryškumo ir įvairovės, santykių tarp vyro ir moters. Vienu žodžiu, kaip koks kvailys išpasakojau demiurgų jausmų gamą ir palyginau ją su prabudusiųjų pojūčiais. Turiu pasakyti, išėjo ne demiurgų naudai. Žinoma, negalvokit, kad aš jai viską išpasakojau. Pavyzdžiui, kad pats esu, o gal buvau demiurgas. Sakiau, kad mano gimtajame mieste žmonės kalba ir jaučia... Na, ir panašiai. Sukausi, vienu žodžiu. Kažkaip aš ją supratau. Kai kada supratau net tai, ko ji neišreikšdavo žodžiais, ir ji suprato mane. Negaliu pasakyti, koks tarp mūsų susidarė ryšys, bet jis tikrai atsirado. Galų gale ji tiesiog paprastai manęs paklausė:

– Ką ruošiesi daryti toliau? Grįši pas saviškius ar pasiliksi Žemėje? – štai ir po visos mano konspiracijos. Gudruolė, iš pat pradžių žinojo, kas aš per paukštis. O aš... Mano gimtajame mieste, mano gatvės kaimynai... Didysis konspiratorius.

– Galiu rinktis? – taip pat tiesiai paklausiau. – Tu nugalėjai, negi leisi sugrįžti atgal?

– Nugalėjau? – nuoširdžiai nustebo mergina. – Bet mes net nekovojome, – šį kartą aš buvau šokiruotas. Ji, pasirodo, net nepastebėjo mano pastangų priešintis. Na, niekis, kaip nors ištversiu smūgį vyriškam išdidumui. – Žinoma, gali grįžti, jei tiktai nori. Tu esi laisvas kaip ir kiekvienas žmogus. Demiurgo tavyje liko mažiau, nei yra žmogaus. Nori vėl būti demiurgu – tavo valia. Keliauk. Galiu atidaryti vartus tiesiog iš čia į kiekvieno jūsų rato sostinę, – o tai naujiena, kurią sužinoję mano buvę gentainiai paklaiktų. – Jei nori įsilieti į prabudusiųjų Bendrąją sąmonę, prašau. Esi mielai laukiamas. Tapsi vienu iš mūsų. Jei dar nenusprendei, gali pakeliauti, pasižmonėti. Nuvyk į Eduro planetą, atgauk visas galias. Sykiu viską apsvarstyk. Kur norėsi, ten vyksi, kuo norėsi, tuo ir tapsi. Kaip jau sakiau, tu laisvas.

– O demiurgai?

– Demiurgai? – nustebo Loreta. – Negi imsime pykti už kažkokias jų smulkias kiaulystes. Tegu žaidžia, jeigu jiems patinka.

Tada paklausiau aš. Paklausiau to, nuo ko, kaip jaučiau, labai priklausys mano apsisprendimas.

– O kaip norėtum tu pati? – žiūrėjau į didžiules merginos akis ir laukiau. Ji galėjo apsimesti nesupratusi, galėjo, atvirkščiai, išdrožti, kad jai aš nerūpiu, bet taip nepasielgė. Mano klausimą suprato iš pusės žodžio. Suprato, nesvarbu, kad sandariai buvau užvėręs savo mintis ir sąmonę. Suprato ir sąžiningai atsakė.

– Aš asmeniškai labai nenorėčiau, kad tu grįžtum pas demiurgus. Nenorėčiau to ne kaip prabudusioji, o kaip moteris.

Štai aš ir pasirinkau. Palaukit, Jūs tik nemanykit, kad mes puolėm skubinti įvykius. Dar kelias valandžiukes pasikalbėjom apie šį bei tą, ir viskas. Tada aš iškeliavau. Iškeliavau į Edurą, kuriame gyvenu savaitę. Demiurgams pranešiau apie situaciją. Nebuvo jie labai patenkinti, bet ir nerodė didelio liūdesio. Mano buvusioji rasė labai greitai mokėjo susitaikyti su pralaimėjimais ir mieliau žvelgė į ateitį, nei dairėsi atgal. Dėl to jie tikri šaunuoliai. Tiesą sakant, ne viską jiems papasakojau. Apie žmonių galimybes nekliudomiems pakliūti į kiekvieno demiurgų rato sostinę nutylėjau. Nėra reikalo kelti nereikalingos panikos. Dabar aš kažkoks hibridas. Nesu dar prabudusysis ir nenusprendžiau, ar noriu juo būti, nors kompanija Eduro planetoje – tiesiog nuostabi. Nesu ir demiurgas, juo niekuomet nebebūsiu, nors buvusios asmenybės likučiai vis dar manyje. Netraukia manęs ir ligijiečiai. Šaunūs vyrukai, bet tapti vienu iš jų nenoriu. Manau, pabūsiu čia mėnesiuką ar kiek ilgiau, atgausiu jėgas ir keliausiu pasidairyti. Susirikiuosiu savo mintis ir jausmus, tada apsispręsiu.“ – Pabaigęs šiuos žodžius, vyras padėjo savo dienoraštį ir išėjo į kiemą. Ką tik į planetą atvyko Teromijus, o su juo Demetrijus labai norėjo pasišnekėti.

Harato planeta

Savo klaidą Kūrėjas suprato tik pabandęs užpulti Ardą ir jo palydovus. Tiek laiko svajojęs apie kerštą, tiek kūręs minčių apie būsimus tų niekingų Žemės padarų kankinimus, jis staiga suvokė esąs prieš juos praktiškai bejėgis. Haratai, jo visiškai užvaldyti ir pajungti haratai, kurių protų kontrolės niekas nebūtų galėjęs perimti ar panaikinti, niekuo negalėjo jam padėti kovoje su atvykėliais. Žmonės net nebandė rungtyniauti su Kūrėju mentalinės įtakos srityje, apsiribodami tik asmenine gynyba nuo bet kokių priešininko mentalinių puolimų. Haratų problemą atvykėliai išsprendė visiškai kitaip, bet labai efektingai. Jie paprasčiausiai paralyžiuodavo bet kurį, jų regėjimo lauke atsidūrusį čiabuvį. Niekas, visiškai niekas negalėjo pakenkti prabudusiesiems. Nevažiavo haratų tankai, neskraidė jų lėktuvai, nešaudė pabūklai ir viskas tik todėl, kad tie niekingi žmonės šimto kilometrų spinduliu pakeitė aplinkos energetinį lauką ir sugadino visus elektronikos prietaisus. O pats... Pats Kūrėjas taip pat buvo bejėgis. Jo svaidomi žaibai išsisklaidydavo nepasiekę taikinio, jo energija seko, o prie energetinių išteklių planetos viduje žmonės jo nebeprileido. Taigi scena, kurią, nepraėjus net trims valandoms po Ardo ir jo palydovų atsisveikinimo su Mėlynojo demiurgų rato valdovu, galėtų pamatyti bet kuris pašalinis stebėtojas, buvo logiškas visiškai neapgalvotos Kūrėjo avantiūros rezultatas. Tiesą sakant, tiek Ardas, tiek pats buvęs Skruzdžių planetos protas galėjo pajusti tam tikro pasikartojimo jausmą. Kaip ir praeitą jų susitikimą, visiškai išsekęs Kūrėjas tūnojo gilaus urvo, iš kurio jis bandė užvaldyti Harato planetą, kampe, o priešais jį stovėjo Ardas, tik šį kartą ne vienas. Kartu abejingais žvilgsniais didžiulę beformę masę, bandančią giliau įsisprausti į urvo kampą, stebėjo Teromijus ir Hansas.

– Ką gi mums su tavimi daryti, Kūrėjau? – ramiai pokalbį pradėjo Ardas, apžiūrinėdamas nugalėtą priešininką. – Gaišini mus savo smulkiomis kiaulystėmis, dirbti trukdai. Atboginom tave į Haratą ne tam, kad pavergtum visus šios planetos gyventojus ir tikrai ne tam, kad vėl reikėtų su tavimi kovoti. Kvailas esi, Kūrėjau.

– Nepasimokai, – pritarė bičiuliui Teromijus.

– Ir vargu ar pasimokysi, – įsiterpė Hansas.

– Va, va, – linktelėjo Ardas. – Jei vėl kelsi mums problemų, geriau jų iš karto išvengti. Gal mums tave tiesiog sunaikinti? Ką manai, Kūrėjau?

Stingdantis siaubas apėmė kiekvieną buvusio Skruzdžių planetos proto ląstelę. Šie trys grėsmingi padarai ramiai samprotavo apie tai, apie ką jau milijonus metų net nepagalvodavo joks Kūrėjo gentainis. Niekas niekada jiems negrasindavo. Niekas net negalėdavo įsivaizduoti pajėgsiąs sunaikinti bent vieną iš Kūrėjų. Tuo tarpu šie žmonės spjovė ant bet kokių autoritetų ir kaip kasdienį, nevertą ypatingo dėmesio darbą, svarstė likimą būtybės, kuri netiesiogiai prisidėjo prie jų pačių sukūrimo. Blogiausia, kad Kūrėjas jais besąlygiškai tikėjo. Jis suprato, kad žmonės ne tik svarstė, jie iš tiesų galėjo jį lengvai sunaikinti. Vienintelė mintis, kuri kaip plaštakė blaškėsi jo viduje, buvo didžiulis troškimas išlikti gyvam.

– Aš noriu gyventi, – gailiai atsiliepė Kūrėjas, atsakydamas savo teisėjams.

– Nori gyventi, – kiek prunkštelėjo Hansas. – Na, ir kas iš to? Visi nori gyventi. Tie haratai, kuriems tu išdeginai smegenines, taip pat norėjo. Mąstei apie tai, pasmerkdamas juos mirčiai? Nedrįsk man net užsiminti, kad haratai menkesni padarai už tave, – piktai mestelėjo Hansas, nujausdamas besprūstantį Kūrėjo pasiteisinimą. – Žmonėms jūs visiškai vienodi.

– Jei nori gyventi, – pratęsė Ardas, – pats ir pasiūlyk išeitį.

– Taip pat nurodyk priežastį, kodėl turėtumėme tave palikti gyvą, – įsiterpė Teromijus.

Staiga žmonės nutilo lyg išgirdę tik jiems vieniems girdimus balsus. Susižvalgę jie vėl atsisuko į Kūrėją ir pasakė:

– Turi dvi minutes, Kūrėjau. Arba pasiūlai, ką mums daryti, kad nebekeltum daugiau jokių rūpesčių žmonėms, arba teks tave išskaidyti į molekules. Pasistenk suspėti, jei pavėluosi bent sekundę, mes tiesiog imsimės veiksmų. Nebegalime laukti. Ką tik ištisas laivynas užpuolė mūsų postą Dvarvų galaktikoje. Turime keliauti tenai.

Šviesos greičiu blaškėsi Kūrėjo mintys. Vienas po kito iškilo ir buvo atmesti išgyvenimo variantai. „Neturiu jiems kelti rūpesčių... – mąstė būtybė. – Ne grėsmės, o rūpesčių. Grėsmės, pasirodo, aš jokios nekeliu. Ką gi... Jie teisūs. Šitie padarai lengvai nugalėtų visą mano tautą, tiksliau, tuos jos likučius, kurie vis dar gyvi, net jei mes susivienytume į kovą su jais. Tačiau to niekada nebus. Net maniškiai nepritarė siekiui atkeršyti žmonėms. Neparems ir dabar, tik pasakys, kad pats kaltas, įmaknojęs į tokią košę. Ką aš čia dabar... Svarbiausia – išgyventi. Turiu ką nors sumąstyti, ir kaip galima greičiau. Paprašyti palikti šioje planetoje ir pažadėti? Ne, netinka. Nesutiks. Paprašyti apgyvendinti kitoje planetoje, kur nėra gyvybės? Nešvaistys savo laiko ieškodami tinkamos vietos. Man reikia atsidurti kuo toliau nuo jų. Po kelių tūkstančių metų atkursiu visas savo turėtas jėgas. Va, tuomet ir vėl galėsiu būti kiek arčiau žmonių. Be to, per tą laiką su jais gali daug kas nutikti. Jų rasei tai nemažas laiko tarpas. Taigi, kaip man atsidurti toliau nuo jų lankomos galaktikos dalies. Aklai atidaryti šuolio vartus? Netinka. Nesaugu. Esu per silpnas tokiai rizikai. Kaip dar ten nukeliauti? Asteroidas... Idėja tinkama... Reikia jiems pasiūlyti mane perkelti ant kokio nors tolimų galaktikos kampelių link lekiančio asteroido. Po kelių dešimčių metų ant jo atkursiu savo energiją tiek, kad galėčiau valdyti tokio nedidelio dangaus kūno skrydžio trajektoriją. Gal ilgainiui pavyks į kokią nors simpatiškesnę planetą nusigauti. Taip ir padarysiu.“

– Sugalvojau, – nuskambėjo nedrąsus Kūrėjo balsas, besibaigiant nustatytam laikui. – Gal galėtumėte mane tiesiog ištremti – apgyvendinti ant kokio nors tolyn skriejančio asteroido. Pažadu, kad kol būsiu gyvas, stengsiuosi nuo jūsų laikytis kuo toliau. Net jei norėčiau, negalėčiau daugiau grįžti į žmonių lankomas galaktikos sritis. Esu per silpnas valdyti asteroido judėjimą. Tiesiog klajosiu tarp žvaigždžių, ir tiek.

– Gudruolis, – šyptelėjo Ardas. – Pakeisk savo pažadą. Turi laikytis kuo toliau ne nuo mūsų, bet nuo žmonių ir bet kokių aiškiai išreikštą protą turinčių būtybių. Sutinki?

– Pažadu laikytis kuo toliau nuo žmonių ir bet kokių aiškiai išreikštą protą turinčių būtybių, – nuolankiai pakartojo Kūrėjas.

– Vis tiek aš jį sunaikinčiau, – numykė praktiškasis Hansas, gudriai stebėdamas persigandusį Kūrėją. – Teromijau, ką manai? Ardas, kiek suprantu, vėl veikiamas gerumo priepuolio nori šitą padarą palikti gyvą.

– Gal tegu gyvena, – gūžtelėjo pečiais Teromijus. – Vis dėlto Kūrėjas. Negražu žudyti savo kūrėjų, tegul ir netiesioginių. Be to, kaip sureaguos dvarvai? Jie ir taip nėra labai sužavėti mūsų konfliktu su vienu iš jų garbinamų būtybių, o Kūrėjo nužudymas tikrai mūsų santykių nesušildytų. Tektų imtis agresyvios mentalinės prievartos prieš dvarvus, o tai pakenktų mūsų reputacijai tarp kitų mąstančių rasių.

– Gal tu ir teisus, – sutikdamas su bičiulio žodžiais linktelėjo Hansas ir atsisuko į plačiai besišypsantį Ardą. – O tu ko džiaugiesi?

– Svarstau, kodėl pradėjai šį pokalbį. Puikiai žinojai, kaip viskas baigsis ir kieno pusę palaikys Teromijus. Jam su krauju įskiepyta pagarba protėviams ir tapus žmogumi ši pagarba niekur nedingo. Nemaniau, kad turi tokį subtilų humoro jausmą.

– Perkandai, – šyptelėjo Hansas. – Maniau, dar kiek pagąsdinti mūsų beformį draugą. O tu ėmei ir viską supratai.

Ganėtinai linksmai nusiteikę, žmonės greitai sutarė, kad Hansas ir dvidešimt prabudusiųjų, buvusių Harato planetoje, užsiims Kūrėjo perkėlimu į tinkamą asteroidą, o Ardas, Teromijus ir likę prabudusiųjų grupės nariai skubės į mūšio vietą Dvarvų galaktikoje.

Andromedos ūkas. Dvarvų kontroliuojama erdvė

Trys Aukščiausiosios būtybės stebėjo verdantį mūšį. Iš pirmo žvilgsnio kautynės atrodė labai nelygios ir net absurdiškos. Pleištu išsirikiavusi šimtinė diratų laivų spjaudėsi ugnimi ir švaistėsi saulės spinduliais, bandydami pašalinti, palyginti su jais, visiškai niekingą kliūtį – tris dešimtis į vieną liniją išsirikiavusių gyvų padarų, nežinia kokio stebuklo dėka sugebančių skraidyti ir kautis kosminėje erdvėje. Aukščiausiosios būtybės taip pat manė, kad kautynės tikrai nelygios. Atvirkščiai, nei pasakytų atsitiktinis stebėtojas, jos buvo įsitikinusios, kad diratų laivai neturi jokių galimybių bent kiek rimčiau pakenkti savo priešininkams. Nei vienas laivo plazminio pabūklo sviedinys, nei viena torpeda, nei vienas saulės ginklo spindulys, paleistas iš kosminių diratų kreiserių ir toks pavojingas kitoms rasėms, nepasiekė savo tikslo. Priešingai, mažų padarų kartkartėmis pasiųsti žali žaibai kiaurai skrodė net didžiausių laivų šarvus ir po savęs palikdavo tik rūkstančius likučius.

– Efektingai kovoja, – tylą nutraukė viena iš Aukščiausiųjų būtybių, komentuodama vykstančią kovą.

– Nelabai, – nesutiko kitas stebėtojas. – Labai švaisto energiją. Be reikalo išsirikiavo į vieną liniją. Per daug išplėtė frontą ir apsauginio skydo veikimo lauką. Aplinkui nėra jokio energijos šaltinio – naudoja tik savo. Įdomu, kuriam laikui jiems užtenka rezervų.

– Kol kas neatrodo, kad jiems baigtųsi energija, – atsiliepė trečia Aukščiausioji būtybė. – Aš vadovaudamas taip pat išrikiuočiau visus kompaktišku keturkampiu.

– Nebent jie supranta, kad diratai nėra pavojingi priešininkai ir nori pasipuikuoti, – pratęsė mintį antrasis stebėtojas. – Arba laukia pastiprinimo.

– Kokia prasmė puikuotis? Gal tiesiog prastas vadas? – pasidalijo savo mintimis trečias kalbėtojas. – O kas gi čia?

– Šuolio vartai. Atvyko pastiprinimas.

Kuriam laikui pokalbis nutrūko. Santykinai netoliese vis dar virė kautynės, nors jau akivaizdžiai išryškėjo žmonių persvara. Diratai prarado beveik pusę savo laivų, bet ne kovos įkarštį. Išleidę šimtus mažų naikintuvų, jie visomis įmanomomis priemonėmis bandė kaip nors sunaikinti kelią pastojusius priešininkus. Puolantieji leido tokią daugybę raketų ir sviedinių, kad jos sudarė didžiulį tirštą mirtinų užtaisų debesį. Tačiau ir šios priemonės akivaizdžios naudos neatnešė. Priešingai, nei reikalautų logika, diratai nepasiuntė nė vieno iš savo kreiserių apskristi žmones ir sunaikinti netoliese įkurtą sidargų bazę. Tokio keisto elgesio priežastis buvo Aukščiausiųjų būtybių įsakymas pulti tik žmones, bet ne bazę. Menkučiai sidargų įtvirtinimai joms nebuvo svarbūs. Šiuo metu Aukščiausiąsias būtybes tedomino žmonių galimybės.

– Jų aštuonios dešimtys. Labai stiprūs energetiniai laukai.

– Ko jie laukia? Gal įvertino padėtį ir nemato reikalo kištis į mūšį, kurį jų gentainiai ir taip laimės?

– Mus pastebėjo... Skydą... Greičiau!

– Stiprūs. Pralauš po penkių minučių.

– Turime trauktis. Matėme užtektinai. Atidarykite šuolio vartus, kol laikau skydą.

– Bando sutrukdyti. Viskas... Atidariau... Traukiamės.

Šie šūksniai geriausiai atspindi tą karštligišką porą minučių trukusią kovą, per kurią žmonės bandė sučiupti mūšį stebėjusias Aukščiausiąsias būtybes.

• • • • •

Čia moteris nutilo ir ilgam susimąstė. Galų gale neiškentęs sekretorius pirmas nutraukė tylą.

– O kas buvo toliau? Jie sučiupo Aukščiausiąsias būtybes? Netylėk, Elena.

– O tu kur nors girdėjai apie paimtas į nelaisvę būtybes, savo galia lygias žmogui? – klausimu į klausimą atsakė Elena.

– Ne, – noriai sutiko sekretorius. – Gal aš tiesiog ne viską žinau?

– Akivaizdu, kad tu iki šiol ne viską žinai apie prabudusiuosius, – pyktelėjo moteris, suerzinta tokio pagalbininko nenuovokumo. – Ką žino vienas, gali sužinoti visi. Tereikia paieškoti Bendrojoje sąmonėje. Gerai, atsakysiu. Ne, tą kartą žmonėms nepavyko sučiupti mūšį stebėjusių būtybių. Tačiau galvoju aš ne apie tai. Tik dabar supratau, kodėl Ardas, Teromijus ir jų palydovai mums tada nepadėjo kovoti su diratais.

– Užpuolikai nekėlė realios grėsmės? – spėjo sekretorius.

– Galbūt, nors tai nebūtų tikslu. Grėsmė buvo... Kai kurie mūsiškiai buvo ant išsekimo ribos, ir tai aiškiai matė kiekvienas, sugebėjęs žiūrėti. Manau, jie supyko ant Sauliaus. Objektyviai vertinant, mūšio planas buvo prastas, ir tik laimingai susiklosčius aplinkybėms niekas iš mūsiškių smarkiau nenukentėjo. Jei diratų laivynas būtų didesnis ir jie nebūtų pasitraukę, o puolę iki paskutinio laivo, nežinia, kaip viskas būtų pasibaigę. Ardas su Teromijum tiesiog leido Sauliui pačiam srėbti tą košę, kurią savo neapgalvotais veiksmais ir užvirė. Jeigu jie matytų, kad mes galime pralaimėti, tikrai įsikištų.

– Tai diratų laivynas atsitraukė?

– Taip, iš karto, kai tik pasitraukė Aukščiausiosios būtybės. Manau, iš pradžių jiems buvo įsakyta pulti, o paskui pasišalinti.

– Tas mūšis tebuvo žmonių galimybių patikrinimas? – pasitikslino sekretorius.

– Žinoma, negi tu manei kitaip, – gūžtelėjo pečiais moteris, atsakydama tai, kas jai atrodė savaime suprantama. – Gerai, tęsiam toliau. Rašyk...

• • • • •

Sidargų valdoma erdvė

Kai kada įvykius nulemia tiesiog neįtikėtini sutapimai. Žinoma, yra žmonių, kurie sutapimais netiki ir teigia, kad viskas iš esmės nulemta ir viskas, kas įvyko, tiesiog turėjo įvykti. Kitaip negalėjo būti. Dar yra teigiančių, kad viskas vyksta ir egzistuoja vienu metu, tiktai skirtinguose laiko tėkmės momentuose, todėl iš tiesų neįmanoma nei pakeisti praeities, nei paveikti ateities. Nesinori tuo tikėti. Negali būti, kad kažkas viską lemia už mus ir kad jo Didenybė ponas Atsitiktinumas iš tiesų neegzistuoja. Kokia tada prasmė džiaugtis, kad tau sekasi ir esi laimingas, nes atsidūrei reikiamu laiku reikiamoje vietoje, jei tai jokia sėkmė ir tai buvo nulemta iš anksto? Kaip ten bebūtų, tikimybė, kad galaktikos platybėse du kosminiai laivai, jų įguloms nesitarus ir nieko nežinant vienai apie kitą, vienu metu atsidurs prie vienišos, beveik nelankomos planetos, buvo neįtikėtinai menka. Tačiau taip įvyko. Tiesa, sėkme tai buvo galima pavadinti tik vieno iš laivų pilotui, o būtent jau skaitytojams pažįstamai Aukščiausiajai būtybei, išsirengusiai ieškoti informacijos apie žmones. Kito laivo įgulai, trims sidargų patinams, vykusiems į vieną iš stambesnių kosminių tvirtovių ieškoti samdinių darbo, šis susitikimas tikrai neatnešė nei džiaugsmo, nei laimės. Štai ir dabar, tepraėjus penkiolikai minučių nuo laivų susitikimo, Aukščiausioji būtybė, jau persikėlusi į sidargų laivą, ramiai stovėjo priešais tris paralyžiuotus samdinius ir stebėjo jų beviltiškus bandymus išsivaduoti. Tiesą sakant, vieno iš sidargų bandymai išsivaduoti nebūtų tokie beviltiški, jei jį būtų paralyžiavęs kas nors kitas, pavyzdžiui, žmogus. Iš tiesų tai net nebuvo sidargas, o jau pažįstamas dvarvas Bsbis, anksčiau vykdęs misiją Skruzdžių planetoje ir turėjęs iš ten nešti kudašių. Dabar jis turėjo kitą misiją – įsilieti į samdinių, renkamų rengiamai sidargų ekspansijai, pajėgas. Dar prieš dešimtmetį Labiausiai patyrusių patelių taryba nusprendė pradėti ekspansiją į žmonių nekontroliuojamas Paukščių tako galaktikos sritis. Štai dabar šis planas ir buvo įgyvendinamas. Negalima sakyti, kad žmonės apie tai nežinojo. Jie žinojo, tačiau šitie sidargų džiaugsmai jiems nelabai rūpėjo. Ardas paprašė dvarvų šiek tiek pašnipinėti ir nusiųsti informacijos rinkti keliolika saviškių, apsimetusių sidargais ir įsiliejusių į rengiamos ekspedicijos pajėgas. Štai taip Bsbis ir gavo naują užduotį ir atsidūrė laive tokiomis nepalankiomis aplinkybėmis. Jei tik prieš jį būtų ne Aukščiausioji būtybė... Čia vėl galėtumėme grįžti prie temos, kas būtų, jeigu būtų, bet tikrai to nedarysime. Kitaip nei žmonės, Aukščiausiosios būtybės per ilgus bendravimo su dvarvais šimtmečius puikiai išnagrinėjo jų struktūrą ir mokėjo užkirsti kelią bet kokiam pavidalo pakeitimui ir užblokuoti net tą sudėtingą nervų sistemą, kuria pasižymėjo besikeičiantieji. Tik sutrukdyti dvarvams numirti Aukščiausiosios būtybės negalėjo. Tad ir stovėjo pilotas priešais savo suparalyžiuotus belaisvius, niekaip nenuspręsdamas, ko imtis toliau. Abu sidargai jo nebedomino ir todėl jau kuris laikas buvo tiesiog užmigdyti. Aukščiausioji būtybė, išnaršiusi visas šių nelaimėlių smegenis ir atsiminimus, suvokė, kad reikiamos informacijos jie neturi. Toliau sekusi jos mąstymo išvada buvo ta, kad žiniomis apie paslaptingus padarus akivaizdžiai disponuoja dvarvas. Kitaip tiesiog negalėjo būti. „Jei tie padarai įkūrė bazę dvarvų teritorijoje, vadinasi, jie tarpusavyje susitarę, o bet kuris besikeičiančiųjų žvalgas tiesiog privalo apie tai žinoti. Tik kaip man tą informaciją išgauti, – mąstė pilotas, tyrinėdamas Bsbį. – Jei bandysiu pralaužti mentalinį skydą, jis tiesiog nusižudys. Reikia tartis, bet ką gi man jam pasiūlyti...“ Tuo tarpu Bsbis, apimtas nevilties, bandė rasti išeitį. Patyręs žvalgas puikiai suprato, kas stovi priešais jį. Per daug istorijų jis girdėjo apie pražuvusius be pėdsakų žvalgus, nusiųstus šnipinėti šimtmečiais su dvarvais kariavusių rasių ir aptiktų nežinomų priešininkų. Tik vieną kartą, pakliuvęs į tokias mirtinas žabangas, žvalgas sugebėjo mirdamas nusiųsti namo paskutinę savo surinktą informaciją. Tiksliau, informacijos nuotrupas. Tačiau ir tų fragmentų pakako, kad nustėrtų visa žvalgų kasta. Ką ten žvalgų kasta, visa dvarvų rasė pasijuto bejėgė. Tad atsiradus žmonėms dvarvai iš karto sutiko bendradarbiauti, tikėdamiesi, kad prabudusieji sugebės pasipriešinti nežinomiems ir be galo žiauriems priešams. Viena, kas trikdė Bsbį, tai išorinis priešo panašumas į žmogų, nors siela buvo kitokia. Nežinia kodėl, bet dvarvas tai jautė. Jis matė Ardą ir dabar stebėjo priešais jį stovinčią Aukščiausiąją būtybę ir visa savo esybe jautė šių dviejų taip išoriškai panašių sutvėrimų skirtumus. „Jei mano priešas būtų žmogus, manyčiau, kad turiu neblogas galimybes išgyventi ir susitarti. Tačiau šitas... Šitas nepasigailės ir nesitars. Sunaikins kaip vargšą Dziką. Žiauriai... Plėšydamas po gabaliuką", – Bsbis net krūptelėjo, prisiminęs priešų nukamuoto žvalgo kančias, kurios sugrįžo namo informacijos pavidalu.

– Pasišnekam, žvalge, – pradėjo pilotas, nutraukdamas dvarvo mintis ir gerokai jį nustebindamas.

– Kaip tai pasišnekam? Tu manęs nekankinsi, neplėšysi kūno į gabalus?

– Kokia man iš to dabar nauda? – gūžtelėjo pečiais pilotas. – Jei tik tai padėtų gauti reikiamos informacijos, būtinai taip ir padaryčiau. Tačiau dabar... Geriau man pasakyk, ką žinai apie padarus, įkūrusius bazę jūsų valdomos teritorijos pakraštyje ir sunaikinusius kelis diratų laivus.

– Net jei ir žinau, – tokiu pat šaltu tonu atsiliepė žvalgas, – kodėl tau turėčiau atskleisti?

– Kad liktum gyvas, – konstatavo pilotas.

– Na, ir kiek mūsų žvalgų, kad liktų gyvi, sutiko atskleisti kokias nors svarbias žinias? – net prajuko Bsbis, išgirdęs pasiūlymą.

– Nė vieno, – sutiko pilotas. – Tikėjausi, kad tu būsi pirmasis.

– Be reikalo. Galvok ką nors kita. Kiekviena informacija gali būti parduota, jei už ją pasiūloma gera kaina. Tik pasiūlymas turi būti naudingas ne man asmeniškai, o visai besikeičiančiųjų, kaip mus vadinate, rasei, – iš tiesų žvalgas net nemanė atskleisti kokių nors žinių apie žmones, tiesiog tikėjosi kalbėdamas išlošti kelias papildomas gyvenimo minutes.

– Ką aš jums galiu pasiūlyti?

– Nežinau. Mąstyk. Tave taip dominantys padarai kažkada sugalvojo, ką mums pasiūlyti, todėl dabar mes esame ištikimi jų sąjungininkai.

– Ir ką gi tie jūsų sąjungininkai galėjo tokio vertingo pasiūlyti? Tiesa, kaip jūs juos vadinate?

– Haratais, – leptelėjo dvarvas ir čia pat nutilo lyg būtų netyčia išplepėjęs didžiausią paslaptį. – Na, nesvarbu. Pasakiau, tai pasakiau. Haratai mums pasiūlė saugumą.

– Manai, sugebės tesėti tai, ką pažadėjo? – džiūgaudamas toliau klausinėjo pilotas. Jis sužinojo paslaptingos rasės pavadinimą. Toliau beliko vieni niekai, sėsti prie užgrobto laivo informacinės sistemos ir perskaityti viską, kas yra apie haratus.

– Tikrai sugebės, – nedvejodamas atsiliepė Bsbis. – Aš asmeniškai bendravau su vienu iš jų ir žinau, kokie jie galingi.

– Galbūt... – kiek susimąstė Aukščiausioji būtybė. – O gal ir ne. Pasakyk man, besikeičiantysis... Kaip pažinai, kad aš nesu haratas. Išoriškai mes esame panašūs.

– Sunku pasakyti, – bandė paaiškinti dvarvas. – Išoriškai jūs labai panašūs, bet vidiniu pasauliu iš esmės skirtingi. Kiekviena būtybė, gebanti justi mentaliniu lygmeniu, tave iš karto atskirtų nuo jo. Tu labai pavojingas ir žiaurus, gal net racionaliai žiaurus, tiesiog spinduliuojantis savo pranašumą. Jis... Jis – kitoks. Toks pat stiprus ir galingas, bet kažkoks patikimas. Sunku tai paaiškinti žodžiais. Jame gyveno gėris, jei taip galima pasakyti, ir beveik nebuvo grėsmės. Kai kurie šios galaktikos gyventojai tai pajutę suklydo ir gėrį palaikė silpnumo išraiška, todėl buvo nubausti.

– Haratai nužudė tuos, kurie jais abejojo? – kaip savaime suprantamo dalyko pasiklausė pilotas.

– Kad lyg ir ne, – bandė prisiminti žvalgas. – Priešingai, visos labiausiai jais abejojusios rasės dabar yra karščiausi jų sąjungininkai. Turiu pasakyti, kad tai nutiko be jokios kiek ryškesnės mentalinės ar fizinės prievartos. Vargu ar jūs taip sugebėtumėte veikti aplinkinius.

– Be jokios prievartos, sakai, – mintijo Aukščiausioji būtybė. – Gal buvo kokia nors įtaka emociniu lygmeniu? Na, sutiksiu ir išsiaiškinsiu.

– Ir kaip gi tu išsiaiškinsi?

– Pagausiu ir išnagrinėsiu, – gūžtelėjo pečiais pilotas, – nesuprasdamas, kaip galima uždavinėti tokius kvailus klausimus. Tūkstančius kartų jam teko taip analizuoti kitos rasės atstovus. Nesvarbu, kad po tokios analizės visi tyrinėjami objektai numirdavo. Tačiau norimą informaciją Aukščiausioji būtybė gaudavo visais atvejais. Gal tik išskyrus besikeičiančiuosius, spėdavusius numirti anksčiau, nei būdavo pralaužiamas jų mentalinis skydas.

– Na, na, – šyptelėjo dvarvas, nors dabartinis jo pavidalas nebuvo pritaikytas šypsniui. – Koks mielas pasikartojimas. Kažkur jau tokią istoriją girdėjau ir net žinau jos pabaigą. Gaila, kad tau negaliu papasakoti.

– O man iš tavęs nieko daugiau nebereikia, kvailas padare. Pasakei rasės vardą, kitas nuorodas man duos šio laivo informacinė sistema. Tik į gabalus aš tave vis tiek suplėšysiu. Man labai nepatinka įžūlios žemesniosios būtybės. Įžūlumas paprastai baudžiamas mirtimi. Nemanyk, kad spėsi mirdamas perduoti paskutinę informaciją. Mes jau seniausiai išmokome blokuoti jūsų siunčiamas mintis.

Nepraėjus nė valandai Aukščiausioji būtybė pasitraukė iš užgrobto laivo, po savęs palikdama tris sidargų lavonus. Tiksliau, dviejų sidargų ir vieno ypač žiauriai nužudyto dvarvo, kurio kūno likučiai mėtėsi po visą kosminį laivą. Žinoma, didelio skausmo žvalgas nepajuto. Jis numarino save anksčiau, nei Aukščiausioji būtybė atskyrė pirmą jo kūno dalį. Tolesnis dvarvo maitojimas vyko tik todėl, kad pilotas nenorėjo keisti savo ankstesnio apsisprendimo, nors, žinodamas, kad žemesnioji forma jau nebegyva, jokio malonumo iš to proceso nepatyrė. Tik vienas dalykas gerokai jaudino Aukščiausiąją būtybę. Prieš besikeičiančiajam numirštant, jis pajuto džiaugsmą ir triumfą, net, galima sakyti, pergalės suvokimą. „Įdomu, kodėl jis taip jautėsi? – jau kuris laikas svarstė pilotas. – Jau nebesužinosiu... Tegu... Turiu rasės pavadinimą. Haratai. Dabar beliko juos surasti. Gaila, kad informacinėje sistemoje buvo labai nedaug duomenų apie juos. Neseniai atrasti. Puikūs kariai ir kovotojai. Štai ir viskas... Daugiau jokių žinių. Duomenų apie išvaizdą nebuvo. Gimtosios planetos koordinačių nebuvo. Tik tai, kad juos atrado demiurgai ir kad haratai nepriklauso Mąstančiųjų sąjungai. Patys demiurgai, pasirodo, yra mentalinės įtakos meistrai. Taigi, planas toks. Nusigaunu iki demiurgų gyvenamosios erdvės, kurią man taip paslaugiai nurodė laivo informacinė sistema. Užgrobiu kokį nors laivą. Išžudau įgulą, kad nespėtų mintimis perduoti pavojaus signalo savo gentainiams. Tada įsilaužiu į jų laivo informacinę sistemą ir randu išsamesnės informacijos apie haratus. Paprasta..." Patenkintas savimi pilotas atsilošė savo laivelio krėsle ir pradėjo kelionę demiurgų pasaulių link.

2031 metų kovo 10 diena. Eduro planeta

Jei kas skaitydamas šią istoriją pagalvojo, kad prabudusieji tiktai kovojo ar buvo užsiėmę tik Žmonijos gelbėjimu, tas tikrai suklydo. Negalima neigti, jog šie žmonės tikrai nudirbo didžius darbus, tačiau patys to nelaikė darbais. Jie tiesiog taip gyveno: su savais rūpesčiais, savomis užduotimis ir savais džiaugsmais, savomis linksmybėmis, kurių prisigalvodavo tikrai nemažai. Ypač šauni atmosfera vyravo Eduro planetoje, kur vietiniai gyventojai isai pasirodė besą labai komunikabilūs ir ištroškę naujovių. Kai vienas iš prabudusiųjų, buvęs Anglijos regbio rinktinės žaidėjas, parodė jiems šitą žaidimą, visus Eduro planetos gyventojus tiesiog apėmė regbio manija. Isai pasirodė tiesiog sutverti regbiui, kuriame slypėjo ir jėga, ir agresyvumas, ir pagarba priešininkui – kitais žodžiais, viskas, ką taip vertino šios karių rasės atstovai. Nebūdavo nė dienos, kai nevyktų kokios nors regbio rungtynės. Kiekvienas kiek didesnis kaimas turėjo savo komandą, ką jau bekalbėti apie miestus, kuriuose kiekvienas kvartalas ar net didesnė gatvė galėjo pasigirti sava regbio komanda. Štai ir dabar dešimt Eduro planetoje susirinkusių pirmųjų prabudusiųjų gyvai aptarinėjo Antrojo isų klano planetos sostinės ir jai iššūkį metusios provincijos komandų rungtynes. Nevarginsiu skaitytojų šio pokalbio smulkmenomis... Galų gale jis mūsų istorijai svarbus tik dėl savo pabaigos, kurioje buvo aptarinėjami tikrai reikšmingi dalykai.

– Ką gi, prisijuokėm iki valiai, – dar vis šypsodamasis pradėjo Ardas. – Dabar turime nuspręsti, ką darysime su tais įdomiais sutvėrimais, kuriuos aptikome ir nesėkmingai bandėme sučiupti Dvarvų galaktikoje.

– Aš truputį pasisukiojau ir pasižvalgiau toje vietoje, iš kurios jie pasišalino, – pratęsė mintį Teromijus. – Tai va, informacija tokia. Kaip teisingai manėme, jie buvo tik trise, tačiau jų disponuojamos energijos kiekis gali būti prilyginamas tam nelaimėliui Kūrėjui, kurį ką tik išvarėme iš Harato planetos.

– Čia tai bent, – nusistebėjo Elena. Kiti pokalbyje dalyvavę prabudusieji taip pat buvo ganėtinai nustebę. – Gal yra kokių nors konkrečių duomenų apie jų gebėjimus?

– Nieko, išskyrus tai, kad jie sugeba susikurti puikų energetinį ir mentalinį skydus, – papurtė galvą Teromijus.

– Taigi, – vėl prabilo Ardas. – Pirma, galime konstatuoti, kad pagaliau sutikome priešingos spalvos karalienę, jei kalbėtume šachmatų terminais. Antra, apie šiuos padarus nieko nežinome. Trečia, akivaizdu, kad apie žmones jie žino gerokai daugiau, ir visi pastarieji mūsų bazės Dvarvų galaktikoje puolimai buvo skirti surinkti kuo daugiau informacijos apie prabudusiuosius. Ketvirta, mūsų laukia labai rimtos kovos, kurias privalėsime laimėti ir priversti priešininką priimti mūsų idėjas.

– Apie maištą? – pasitikslino Hansas, taip pat dalyvavęs pokalbyje.

– Taip, – patvirtino Ardas. – Turime susikurti bent apytikslį veiksmų planą.

– Man atrodo, – vėl pokalbio gijas perėmė Teromijus, papildydamas bičiulio žodžius, – visų pirma turime palikti stipresnę įgulą bazėje. Manau, reikėtų šimtinės žmonių nuolatinei įgulai ir poros tūkstančių, kurie būtų pasirengę bet kada atvykti kaip pastiprinimas.

– Sutinku, – linktelėjo Hansas, pamatęs, kad visi dalyviai taip pat pritaria. – Tegu bazės įgulai pradeda vadovauti Boranas. Tai vienas iš saugotojų. Atsimenate, Teromijus juos kažkada su savimi atsigabeno. Tas vyrukas pasirodė esąs labai gabus karinis lyderis.

– Gerai, – linktelėjo Ardas. – Sauliau, pranešk jam ir perduok vadovavimą. Sutinki?

– Žinoma, – linktelėjo Saulius. – Aš niekuomet nebuvau tinkamas vadas. Manau, atrasiu savo gabumus kitoje srityje.

– Baik, drauguži. Tavęs niekas nekaltina, – pradėjo Ardas, kuris, kaip ir visi likusieji, pasijuto labai nejaukiai. Niekas Sauliui nepasakė nė vieno smerkiamo žodžio, bet tas ir pats viską suprato. Kai kada net sunku buvo žiūrėti, kaip šis vyras graužiasi dėl savo klaidų. Jis iš tiesų nebuvo lyderis iš prigimties ir nesugebėjo tinkamai vadovauti. Pradėjęs jį raminti, Ardas suprato, kad tik pils alyvos į ugnį, todėl greitai pakeitė temą.

– Dabar turime nuspręsti dėl žvalgybos, – pratęsė Ardas.

– Jei aš tave teisingai suprantu, – pasitikslino Hansas, vėl pademonstruodamas savo stulbinantį įžvalgumą, – tu užsimanei patraukti į žvalgybą Dvarvų galaktikoje ir sužinoti, su kuo tiksliai mes susitikome?

– Taip, – linktelėjo Ardas, laukdamas audringos reakcijos.

– Ne! – vienu metu nuskambėjo Hanso, Teromijaus ir kelių kitų dalyvavusiųjų pokalbyje šūksnis.

– Mes privalome ką nors nusiųsti į žvalgybą, – pradėjo Ardas. Jis žinojo galįs argumentuotai pakeisti Hanso ar Teromijaus nuomonę, todėl nesiliovė diskutuoti. – Tas kas nors turi būti ganėtinai stiprus ir sugebėti suktis iš bet kokių padėčių. Hansas turi likti čia ir prižiūrėti Žemę. Teromijus reikalingas organizuoti pasiruošimą kariniams veiksmams. Galėtų Tomas, bet jis ligijietis ir neprisijungęs prie mūsų Bendrosios sąmonės. Lieku tik aš.

– Tegu vyksta dešimties ar dvidešimties žmonių grupė. Jie kartu bus stipresni už tave, – pasigirdo Elenos siūlymas.

– Tačiau jie bus labai pastebimi ir lengviau paklius į pasalą, – atrėmė argumentą Ardas. – Vienam man vykti bus gerokai saugiau nei grupei.

Ilgai dar vyko ginčai, kol pagaliau nusileido Teromijus. Tačiau Hansas, nors ir suprasdamas Ardo argumentus, nenorėjo pasiduoti.

– Tu pagalvok, jei su tavimi kas nors atsitiks... – šnekėjo Hansas. – Tu pirmasis iš prabudusiųjų. Kai kuriems tu esi negincytinas autoritetas, vos ne tėvas sergėtojas. O kas, jei tu žūsi ir prasidės karas? Žmonių nuotaikos bus nykios.

– Teromijus mane pakeis, – atsiliepė Ardas.

– Gal? – gūžtelėjo pečiais Hansas. – O jei tave sučiups ir pradės prabudusiuosius šantažuoti? Labai gali būti, kad prabudusieji nuspręs paaukoti bet ką, kad tik būtų išgelbėta tavo gyvybė.

– Tačiau mes turime pažinti savo priešą, – nenusileido Ardas. – Sutinku, kad yra didžiulis pavojus, bet man tai ne pirmas kartas. Kaip nors...

Dar po dešimties minučių ginčų pagaliau nusileido ir Hansas, sutikęs tik su sąlyga, kad pirmiausia, atvykęs į kokią nors planetą, Ardas pažymės ir perduos į Bendrąją sąmonę galimų šuolio vartų koordinates.

– Aš pats ir keliasdešimt prabudusiųjų iš mūsų kovinio rezervo nuolat būsime pasirengę atvykti į pagalbą.

– Jei prireiks, – pertraukė jį Teromijus, – visi septyniasdešimt penki tūkstančiai aštuoni šimtai keturiasdešimt trys prabudusieji, kurie yra šiuo metu, nedvejodami patrauks į Dvarvų galaktiką. Mes ten akmens ant akmens nepaliksim...

Tačiau šitie ginčai buvo niekis, palyginti su tomis aistromis, kurios kilo, kai pirmųjų prabudusiųjų sprendimas buvo pateiktas visiems Bendrosios sąmonės nariams. Rizikuoti prabudusiųjų rasės kūrėju nenorėjo niekas. Tik beribė pagarba pirmiesiems prabudusiesiems ir jų sprendimams bei karingi Teromijaus pareiškimai nuramino kilusias aistras. Tačiau ryžtas... Ryžtas kovoti, jei kas nutiks Ardui, buvo tiesiog begalinis. Visi ir toliau vykdė savo pareigas, bet buvo pasirengę... Pasirengę bet kada kilti ir traukti į kovą. Ir vargas tiems svetimiesiems, kurie tuo metu pasipainiotų žmonėms po kojomis.

Pokalbis buvo baigtas ir Eduro planetoje. Prabudusieji skirstėsi, tik Ardas sustabdė beišeinančią Eleną.

– Palauk truputį, turiu tau pavedimą, – šypsodamasis ištarė Ardas žodžius, nuo kurių prasidėjo šios istorijos rašymas. – Noriu, kad tu pasiliktum Eduro planetoje arba Žemėje ir parašytum knygą...

• • • • •

– Elena, o kodėl mes rašome tik dabar? Kaip matau, apie tai su Ardu buvo kalbėta jau senokai, – vėl įsiterpė sekretorius.

– Žinoma, štai imu iš karto ir rašau, – pasišaipė iš pagalbininko klausimo moteris. – Parašyti lengviausia. Sunkiau surinkti medžiagą. Teko perrausti visas informacines sistemas, prie kurių galėjau prieiti. Apsiklausinėjau visus įmanomus svarbiausių mūsų istorijos įvykių liudytojus. Toks pasirengimas užtrunka.

– Aišku, Elena. Nepyk, man tik pasidarė įdomu, – kiek nejaukiai pasijutęs, pradėjo teisintis sekretorius. – Diktuok toliau.

* * * * *

2031 metų kovo 12 diena. Demiurgų gyvenamoji erdvė

Jei tik pilotas būtų galėjęs girdėti prabudusiųjų pokalbį... Tikriausiai pirmas jausmas, kurį jis išgyventų, būtų pavydas. Tokio vieningo visų pasiryžimo kilti į kovą dėl vieno vienintelio asmens... Šitai Aukščiausiosios būtybės išgyveno labai seniai, jei iš viso išgyveno. Piloto gentainių buvo daugiau negu prabudusiųjų, gal maždaug šimtas tūkstančių. Tačiau tik nedidelė jų dalis ir toliau vykdė jiems patikėtą galaktikos sergėtojų misiją. Likusieji tyrinėjo beribius visatos tolius ar gilinosi į svarbiausias egzistencijos paslaptis. Nors Aukščiausiosios būtybės ir buvo beveik nemirtingos, tačiau jų skaičius kiekvieną šimtmetį mažėjo. Kas iškeliaudavo ir visam laikui apleisdavo gimtąją galaktiką, o kas mieliau pasirinkdavo nefizinį būties pavidalą. Tad pilotas tik pasvajoti galėjo apie tokią rasės vienybę, sprendžiant atskirą ir kol kas labai nedidelę problemą. Geriausiu atveju jis galėjo tikėtis penkiasdešimties ar gal šimto tautiečių pagalbos. Tačiau pilotas buvo visiškai ramus. Pirmiausia jis nesitikėjo, kad jam apskritai reikės kieno nors pagalbos. Kas gali grėsti Aukščiausiajai būtybei, kuri neturi sau lygių visose žinomose žvaigždžių sistemose? O jausti sau už nugaros penkiasdešimties tokių pat galingų būtybių paramą... Šios jėgos pakaktų kelioms saulėms susprogdinti, ne tik kad nuraminti kokius nors įžūlius išsišokėlius. Tuo labiau kad pilotas jautėsi sparčiai artėjąs prie savo tikslo. Ir niekas, absoliučiai niekas, nebylojo atvirkščiai. Štai ir dabar du negyvi demiurgai ir apeita jų laivo informacinė sistema tik stiprino piloto optimizmą. Tiesą sakant, demiurgų jis nenorėjo žudyti. Tačiau kas kaltas, kad tie padarai pasirodė ne tik puikiai gebantys gintis nuo bet kokios mentalinės prievartos, bet taip pat esantys ne iš bailiųjų. Jie bandė priešintis net tada, kai tai atrodė absoliučiai beviltiška ir net nesirengė kaip nors bendradarbiauti su nepažįstama būtybe. Žinoma, iš pradžių demiurgai sutriko, pamatę agresorių savo laive, visiškai pagrįstai laikydami jį žmogumi. Tačiau tik įžvelgę atėjūno minčių foną, jie suprato susidūrę su iki šiol nesutikta, mirtinai pavojinga būtybe ir stojo į beviltišką, bet labai drąsią kovą. Jei tik kas nors būtų matęs jų pasiryžimą priešintis... Tačiau niekas to nematė ir net apie tai neįtarė. Aukščiausioji būtybė sugebėjo blokuoti bet kokius demiurgų bandymus išsikviesti pagalbą. Iš pradžių pilotą pralinksmino šių žemesnių gyvybės formų pastangos pasipriešinti, tačiau vėliau jis supyko. Ir štai dabar... Dabar priešais pilotą gulėjo dviejų demiurgų lavonai. „Na, ir tegul, – mąstė pilotas. – Vis tiek visą informaciją apie haratus susirasiu laivo informacinėje sistemoje.“ Štai dabar Aukščiausioji būtybė, apėjusi demiurgų informacinės sistemos apsaugą, skaitė viską, ką tik galėjo surasti apie haratus. Gaila, kad sistemoje nebuvo informacijos apie šių padarų išvaizdą. Tačiau tai pilotui nebuvo labai svarbu. Jis puikiai žinojo, kokia yra potencialių priešų išvaizda, o dabar tiesiog ieškojo jų gyvenamosios erdvės koordinačių. Aukščiausioji būtybė niekuomet nebuvo labai kantri ar kruopšti, todėl ir dabar nesivargino skaityti visos su haratais susijusios informacijos. Svarbiausia pilotui buvo surasti planetą, kurioje dažnai lankydavosi jo paieškos objektai ir kurioje jis galėtų sučiupti vieną iš jų. Tada teliktų atverti šuolio vartus į gimtąją galaktiką ir parsigabenti tenai belaisvį. Štai ten ir būtų atskleista visa reikalinga informacija. Praėjus kiek daugiau nei pusvalandžiui, pilotas nusišypsojo ir išsitiesė krėsle. Pagaliau jis surado reikiamą planetą. Pagal aprašymą, tai buvo jaukus pasaulėlis Mėlynojo demiurgų rato kontroliuojamoje erdvėje. Toje nedidelėje planetoje šios žemesnės gyvybės formos rengė haratų pilotus. Tad būtent tenai pilotas nukreipė savo laivelį, pagrįstai tikėdamasis netrukus užbaigti jau kiek pabodusią misiją.

Linksmai nusiteikęs vyras įbėgo į savo trobelę pasikeisti drabužių. Žinoma, pavadinti trobele būstą, kuriame jis apsistojo, buvo galima tik vertinant statinio išorės dizainą. Viduje tai buvo labai moderni gyvenamoji patalpa, aprūpinta visais komfortabiliai viešnagei būtinais patogumais. Vyriškis turėjo laisvą valandą, todėl buvo sumąstęs apsivilkti sportinius drabužius ir išbėgti pabėgioti po bazės apylinkes. Taip jis galvojo tol, kol jo žvilgsnis neužkliuvo už vienos knygos. Gal net ne knygos, o surištų lapų krūvos, ant kurios buvo didelėmis raidėmis užrašyta NEBAIGTAS DIENORAŠTIS.

– O, Kūrėjau, – sumurmėjo vyras, pamatęs savo dienoraštį. – Visai pamiršau... Ryt išvykstame. Nežinia kada artimiausiu metu turėsiu progos sėsti ir užrašyti tai, kas vyksta su manimi. Teks bėgiojimo atsisakyti ir daryti tai, ką buvau seniau užsibrėžęs.

„Taigi, nuo ko man dabar pradėti? Atrodo, praėjo tiek mažai laiko, bet tiek daug visko nutiko. Tiesą sakant, nieko išskirtinio ar panašaus į ankstesnius mano nuotykius, bet ir ta smulkių ir nedidelių įvykių seka man buvo labai svarbi. Pirmiausia turiu pasakyti, kad po ilgo laiko tarpo pasijutau tarp savų. Ne, žmogumi aš vis dar netapau. Stebiu savo emocijas ir jausmus. Manyje vis dar slypi demiurgas, kuris slapčia ilgisi savo namų. Tačiau kita dalis... Netgi didesnioji mano asmenybės dalis neabejotinai yra žmogus. Jei šios dvi rasės pradėtų kariauti ir man tektų rinktis kurią nors vieną – nesugebėčiau. Džiaugiuosi, kad to niekuomet neprireiks. Demiurgai per daug protingi, o žmonės ne tokie smulkmeniški, kad tuščiai demonstruotų pranašumą. Aš tapau ištikimas abiem rasėms. Ypač vienai Žmonijos atstovei, kuriai, atrodo, aš taip pat labai rūpiu. Pažadėjome neskaityti vienas kito minčių... Loreta supažindino mane su kitais. Žinoma, ne su visais, o tik su tais, kurie buvo Eduro planetoje. Mačiau Ardą. Net tarp demiurgų jis tapo gyva legenda. Aš tiek daug buvau prisiklausęs apie jo prabudimo istoriją, kad tikėjausi pamatyti tikrą dievybę. Vietoj to pamačiau paprastą, bet stiprų ir kupiną jėgų žmogų. Žmogų, kuris kažkodėl kelia didžiulį pasitikėjimą ir kuriame nėra nė lašo pykčio. Mačiau ir kitus, apie kuriuos tiek girdėjau, ruošdamasis misijai į Žemę. Paklausite manęs, kuris man patiko labiausiai. Neišsisukinėsiu... Prabudusieji taip pat labai skirtingi. Vieni draugiškesni, kiti šiek tiek uždaresni, nelinkę iš karto bičiuliautis. Yra tarp jų ir „nosį užrietusių", įtikėjusių savo visagalybe ir išskirtinumu. Tačiau, kaip sakė ligijietis Tomas, ši liga praeina ir gali būti vadinama paauglystės negalavimais. Net Ardas, kaip girdėjau, kažkada buvo užsikrėtęs šia liga, bet po gautos pamokos Centro planetoje, kur vos nebuvo įveiktas poros keturrankių ir kelių atlantų, greitai pasveiko. Vėl nuklydau... Niekaip neatsikratau polinkio tuščiažodžiauti. Žadėjau pasakyti, kuris man patiko labiausiai. Neslėpsiu... Susibičiuliavau su Tomu. Ne vien todėl, kad jis apsiėmė būti mano mokytoju ir padėti įsisavinti naujai įgytus gebėjimus. Tiesiog jis labai šaunus vaikinas. Draugiškas ir nuoširdus. Ne vienas aš tai pastebėjau... Loreta sakė tą patį patyrusi, kai pirmą kartą atsidūrė Eduro planetoje. Tiesa, dėl Loretos. Jūs turbūt jau supratote, kad mes kartu. Visomis prasmėmis. Taip, taip, prisimenu, sakiau, kad labai neskubėsiu. Klydau... Tačiau tai tik į gera. Kažkodėl žmogus manyje tuo įsitikinęs, o ir manasis demiurgas neprieštarauja. Negaliu pasakyti, kad šios dvi mano asmenybės pusės visuomet sutaria, tačiau šiuo klausimu jos vieningos. Loreta sutiko pabūti su manimi ir kartu keliauti, kol galutinai atrasiu save ir pasirinksiu tolesnį gyvenimo kelią. Dabar mes kartu Edure, tačiau artimiausiomis dienomis išvyksime. Keliausim į vieną nuošalią Mėlynajam demiurgų ratui priklausančią planetą. Noriu pasikalbėti su savo buvusio gyvenimo draugu. Žinoma, draugu aš jį galiu vadinti santykinai. Demiurgai paprastai taip gražiai tarpusavyje nebendrauja kaip žmonės. Tačiau jie ne mažiau vieningi. Bet kokiu atveju noriu pasikalbėti su demiurgu, kurį kažkada vadinau savo draugu, su kuriuo patyrėme daugelį nuotykių, dalijomės mintimis ir spėlionėmis. Man reikia jo žodžių, jo reakcijos išgirdus mano istoriją ar pasakojimą apie potyrius ir naujus jausmus. Nežinau kodėl, bet manau, kad nuo jo supratimo ar priešiško požiūrio priklausys tolesnis mano kelias. Jis gerai susipažinęs su žmonių istorija. Bent jau todėl, kad dirba bazėje, kurioje rengiami haratų pilotai, ir buvo vienas iš nenusisekusios haratų ekspedicijos į Žemę rengėjų." Staiga mintyse vyras pajuto Loretos kvietimą, raginantį jį prisijungti prie rengiamos išvykos prie santykinai netoliese esančių nuostabaus grožio krioklių. Kurį laiką vyras dar svyravo, bet galiausiai nusprendė, kad šį kartą parašė užtektinai ir padėjęs plunksną nuskubėjo pas laukiančią draugę.

2031 metų kovo 22 diena.
Andromedos ūkas. Diratų konfederacija

Diratų kapitonas iš visų jėgų stengėsi atsigauti po sukrėtimo, patirto susitikus su Aukščiausiąja būtybe. Trumpam palikęs tarnybą, jis grįžo į gimtąjį pasaulį, kur jau beveik visi žinojo apie žiaurius jam kliuvusius išbandymus. Aukščiausiosios būtybės nebuvo labai populiarios tarp diratų ir todėl kapitonas, kaip nekalta šių padarų auka, nuolat jautė gentainių paramą. Kiekvienas sutiktasis tiesiog spinduliuodavo užuojautą ir buvo pasiryžęs kalbėtis ar tiesiog būti šalia ištisas valandas. Kai kada tai labai padėdavo, bet šiandien kapitonas tiesiog norėjo pabūti vienas. Vienas paplaukioti nuo vaikystės pažįstamuose vandenyse, pasišildyti ant per amžius stūksančių uolų, pažiūrėti į dvi planetos saules ir nuostabų debesų vainiką, kurio nesurasi jokiame kitame Diratų konfederacijos pasaulyje. Dabar, sėdėdamas ant pačios uolos viršūnės, kapitonas po ilgo laiko pasijuto ramus. Ramus, saugus ir beveik laimingas. Taip jis jautėsi tol, kol pajuto kvietimą. Kažkas viduje ragino jį nusileisti prie žemesnės uolos. Kapitonas nesuprato, iš kur tas keistas jausmas ir kodėl jis turėtų pasitraukti iš dabartinės vietos, bet, nepaisydamas šių abejonių, pakluso užplūdusiam impulsui ir, dar kartą žvilgtelėjęs į dangų, nusileido keliolika metrų žemyn, ten, kur stūksojo smailios apatinės uolos viršūnės ir akis į akį susidūrė su Aukščiausiąja būtybe. Neįmanoma nusakyti tos panikos, kuri užplūdo kapitoną. Tiksliau kalbant, įvertinus ankstesnius jo išgyvenimus, kapitoną turėjo apimti nenusakoma panika. Tačiau nieko to nebuvo. Nuoširdžiai stebėdamasis savo ramybe ir drąsa, diratas žvelgė į prieš jį sėdinčią Aukščiausiąją būtybę, nejausdamas nei baimės, nei sutrikimo. „Kodėl aš nebijau, juk prieš mane pavojingiausias ir žiauriausias galaktikos sutvėrimas. Viena iš Aukščiausiųjų būtybių... – svarstė kapitonas ir staiga jam dingtelėjo abejonė. – Ar tikrai? Ar tikrai čia Aukščiausioji būtybė. Lyg ir ji, bet sykiu kažkokia kitokia." Jei tik diratas būtų žinojęs, kodėl jis toks drąsus ir ramus... Jei tik jis žinotų, kad priešais sėdintis žmogus Ardas, maksimaliai veikė jo emocijas, slopindamas bet kokias baimės ir panikos užuomazgas. Šioje vietoje reikia kiek nukrypti nuo istorijos ir papasakoti, kaip Ardas atsidūrė akis į akį su jau skaitytojams pažįstamu diratų kapitonu. Tikriausiai čia visi tikisi kokių nors žmogaus nuotykių, atvedusių iki aprašomo susitikimo. Jei taip, tai skaitytojams teks nusivilti. Viskas buvo kur kas paprasčiau ir banaliau. Ardas tiesiog nusekė atsitraukusių diratų laivų pėdsakais, o atsidūręs šių padarų gyvenamosiose sistemose visai atsitiktinai pasirinko pirmą pasitaikiusią planetą. Taip pat Ardas visiškai atsitiktinai nusižiūrėjo kiek atsitraukusį nuo kitų individą ir nusprendė su juo pasikalbėti. Taigi, faktas, kad žmogus susitiko būtent prieš jį kovojusio laivo kapitoną, nukentėjusį nuo Aukščiausiųjų būtybių ir jų visa širdimi nekenčiantį, buvo tiesiog paprastas atsitiktinumas. Žinoma, su sąlyga, jei manysime, kad atsitiktinumai iš viso egzistuoja...

– Kas tu? – pagaliau paklausė diratas, kažkodėl net nesuabejojęs, jog priešais įsitaisiusi būtybė tikrai jį supras. – Tu nesi Aukščiausioji būtybė?

– Ne... Tikrai ne, – pasigirdo atsakymas. Nepaisant to, kad ir šį kartą, taip pat kaip ir per tą nelemtą kapitono apklausą, balsas pasigirdo pačioje galvoje, tačiau dabar jis dirato nebegąsdino. Priešingai, kitaip nei tada, šis balsas ramino. Kapitonui atrodė, kad jis kalbasi su senu patikimu bičiuliu, pasirengusiu bet kam dėl draugystės. Vargšas diratas nežinojo, kokių pastangų iš Ardo reikalavo tokia subtili mentalinė įtaka. Žmogus, veikdamas daugiausia emocijas, stengėsi užsiverbuoti šnipą taip atsargiai, kad jokia Aukščiausioji būtybė neįžvelgtų buvusio poveikio ir neišsiaiškintų prabudusiųjų pagalbininko anksčiau laiko. Žinoma, dar prieš kelias minutes Ardas neplanavo ieškoti pagalbininkų tarp čiabuvių. Jam reikėjo tik informacijos apie galimus priešus, tačiau peržvelgęs kapitono prisiminimus ir pajutęs jo priešiškumą Aukščiausiosioms būtybėms, žmogus iš karto įžvelgė atsivėrusias perspektyvas ir pakeitė planus. – Aš toks pat kaip tu, paprastas šios visatos gyventojas. Nesu už nieką aukštesnis ar geresnis. Niekada prieš nieką nenaudoju prievartos, nebent reikia gintis pačiam ar ginti savo draugus. Mes buvome susitikę ir anksčiau.

– Kada? – nusistebėjo diratas ir staiga prisiminė. – Tai tu ir tavo tautiečiai kovojo prieš mus besikeičiančiųjų erdvėje.

– Taip, – vėl pasigirdo atsakymas. – Mes gynėme savo draugus.

– Besikeičiantieji yra Jūsų draugai?

– Taip.

– Tačiau jie mūsų priešai...

– Kodėl? – toks netikėtas klausimas išmušė iš vėžių diratą. „Iš tiesų, kodėl? – mąstė jisai. – Besikeičiantieji niekuomet mūsų nepuolė. Puolėme tik mes. Viskas prasidėjo nuo Aukščiausiųjų būtybių įsakymo, o paskui tapo tradicija kariauti su besikeičiančiaisiais. Kam mums tai?“ – Todėl, kad taip liepė Aukščiausiosios būtybės?

– Taip, – sutiko diratas.

– O kodėl Jūs vykdote jų įsakymus? Kodėl aukojate savo narsiausius karius tik todėl, kad kažkas Jums įsakė?

– Jie labai stiprūs ir jei neklausysim, mus sunaikins, – pradėjo teisintis kapitonas, kažkodėl pajutęs sąžinės graužimą.

– Jie nėra stipresni už mus, – nuskambėjo sakinys, net supurtęs diratą iš vidaus.

– Tu gali kovoti su Aukščiausiąja būtybe? – nedrąsiai pasitikslino kapitonas, kartu prisimindamas tą sumišimą, kurį parodė jo kankintojas, pamatęs dabartinio pašnekovo atvaizdą.

– Taip. Galiu ne tik kovoti, bet ir nugalėti. Tokių kaip aš yra daug ir mes galime atpratinti Aukščiausiąsias būtybes kišti nosį ten, kur niekas jų nelaukia.

– Jūs kovotumėt dėl diratų?

– Taip, jei diratai būtų mūsų draugai.

– O diratai turėtų kovoti kartu? – pasitikslino kapitonas.

– Tik ne taip, kaip tu galvoji, – nuskambėjo atsakymas. – Mums nereikėtų jokios atviros diratų kovos prieš savo išnaudotojus. Tik paprastos pagalbos – teikti informaciją ar vykdyti paprastus prašymus, ir viskas. Tačiau mes apie tai kalbame kiek per anksti. Pirmiausia diratai turi tapti mūsų draugais.

– O ko jūs reikalausite iš draugų?

– Tik taikiai gyventi su kitais mūsų draugais ir elgtis draugiškai.

Tuo, žinoma, pokalbis nesibaigė. Ilgai dar šnekučiavosi du tokie skirtingi sutvėrimai. Dirato pašnekovą domino viskas: kapitono vaikystė, jo gyvenimas, išgyvenimai, baimės ir svajonės. Savo ruožtu diratas taip pat nemažai sužinojo apie kitos galaktikos rases, besikeičiančiųjų kastas ir jų tikslą, apie garbingus ir drąsius isus, bebaimius sidargų karius iš Skruzdžių planetos. Niekas iki šiol su kapitonu nebuvo toks nuoširdžiai dėmesingas ir galintis vienu žodžiu nuraminti, išsklaidyti baimes ar padrąsinti. Net gentainiai, visada jį palaikantys, nesugebėjo suteikti tos ramybės, kurią diratas pajuto su dabartiniu pašnekovu. Tačiau apie ką bepasisuktų pokalbis, kapitono galvoje kaip pašėlusios blaškėsi mintys apie ilgai lauktą galimybę... Galimybę išsivaduoti iš Aukščiausiųjų būtybių priežiūros ir niekada nebejausti to milžiniško pažeminimo, kokį jis jautė per apklausą. Pokalbio pabaigoje kapitonas buvo tvirtai apsisprendęs iš visų jėgų stengtis paversti diratų rasę šių ateivių iš kitos galaktikos draugais. Jau kitą dieną jis pas savo pašnekovą atvedė Diratų konfederacijos valdančiosios tarybos narį, rezidavusį gimtojoje kapitono planetoje. Dar po kelių valandų šis tarybos narys susisiekė su savo kolegomis ir pakvietė kuo skubiau atvykti, žadėdamas atskleisti įspūdingą, bet labai slaptą informaciją. Nereikia ir sakyti, kad tuo metu jis buvo nuoširdus žmogaus draugas, visa širdimi norintis išlaisvinti savo tautą iš Aukščiausiųjų būtybių įtakos. Vėlgi Ardui ir šį kartą užteko emocinės ir nedidelės mentalinės įtakos, kurią priešai pastebėtų tik būdami labai dėmesingi. Tuo metu, kai tarybos narys erdviniu ryšiu bendravo su savo kolegomis, žmogus jau sėdėjo vietiniuose tarybos atstovų rūmuose ir nagrinėjo diratų informacinę sistemą, ieškodamas bet kokių duomenų apie Aukščiausiąsias būtybes. Žinoma, jis nerado jokių žinių apie gimtąją tų būtybių saulės sistemą. Atvirai kalbant, to Ardas ir nesitikėjo. „Ateis laikas, sužinosime ir tai..." – mąstė žmogus, skaitydamas apie Aukščiausiųjų būtybių įvykdytą prieš juos maištavusios kriptonogritų rasės sunaikinimą.

Mėlynojo demiurgų rato valdoma erdvė

Planeta stulbinamai priminė Žemę. Tos pačios spalvos, tas pats upelio čiurlenimo garsas, net paukščių čiulbėjimas atrodė toks pats kaip namie. Moteris, palinkusi prie upelio ir rieškučiomis semianti tekantį vandenį, jautėsi laiminga. Dar niekada gyvenime ji nepatyrė jausmo, kad jos laimei absoliučiai nieko netrūksta. Nežinia, kas labiausiai veikė tokius moters jausmus, tačiau ji įtarė... Įtarė, kad viskas susiję su vienu vyriškiu, sėdinčiu po netoliese esančiu medžiu ir užsirašinėjančiu savo potyrius. Loreta, o būtent ji ir buvo mūsų aprašoma moteris, iš pradžių stebėjosi dėl tokio Demetrijaus įpročio, tačiau vėliau priprato ir net pradėjo tai vertinti. Ypač didelį įspūdį jai padarė audringa Elenos reakcija, sužinojus apie dienoraštį. Dažnai jausmų nedemonstruojanti viena iš anksčiau už Loretą prabudusiųjų staiga labai apsidžiaugė ir ilgai prašė Demetrijaus leisti pasidaryti dienoraščio kopiją. Maža to, ji išsiderėjo, kad autorius Loretos tarpininkavimu kas dvi savaites jai per Bendrąją žmonių sąmonę siųstų viską, ką bus naujai parašęs. Demetrijus kaip tikras demiurgas iš pradžių nenorėjo sutikti. Dienoraštis jam atrodė labai asmeniškas dalykas ir jo nenorėjo niekam rodyti, tačiau ilgainiui žmogaus dalis jame pasirodė stipresnė ir mintys apie asmeniškumą ir potyrių slaptumą pasitraukė, užleisdamos vietą tam bendrumo jausmui, kurį patiria visi prabudusieji. Štai ir dabar jis sėdėjo prie medžio ir rašė, širdyje net džiaugdamasis, kad tai pasirodė svarbu kitiems prabudusiesiems ir labai vertinama aplinkinių.

„Aš niekada net nesusimąsčiau, kokį milžinišką autoritetą turi žmonės tarp kitų mąstančiųjų rasių. Jūs tik pagalvokit... Visiškai slapta Mėlynojo rato demiurgų bazė... Kas būtų, jei čia staiga atsirastų koks isas, sidargas ar galų gale bet kuris kitas iš Mąstančiųjų sąjungos narių? Jei toks užklydėlis nebūtų sunaikintas vietoje, tai geriausiu atveju išvyktų „praplautomis" smegenimis. Tačiau žmonės... Su žmonėmis viskas kitaip. Pasirodo, Bendrojoje prabudusiųjų sąmonėje jau buvo žinių apie šią planetą ir jos koordinates. Mums su Loreta teliko atsidaryti tolimojo šuolio vartus ir ramiai žengti į jau laukiantį pasaulį. Atsidūrėme tiesiog šalia demiurgų bazės. Ir ką? Ogi, nieko... Jokios agresijos. Priešingai, svetingumas, mandagumas ar net paslaugumas, bet jokių minčių apie prieštaravimus. Netrukus po mūsų pasirodymo „prisistatė" vienas iš bazę aptarnaujančių demiurgų ir paslaugiai pasidomėjo, ar galėtų kaip nors pasitarnauti. Gal aš, dar veikiamas savosios demiurgo asmenybės dalies, buvau šiek tiek kuklesnis, bet Loreta elgėsi kaip tikra karalienė. Ji ramiai paaiškino, kad norime apsilankyti bazėje ir ją apžiūrėti, o aš norėčiau pasikalbėti su savo draugu. Nors žodelis nuskambėtų prieš... Ne, atrodė, kad visiems suprantama, jog žmonės turi teisę atsirasti kada nori ir eiti ten, kur tik nori. Lygiai taip pat galėtumėme atsidurti priešais bet kurio demiurgų rato valdovo rūmus ir pareikalauti skubios audiencijos. Be jokios abejonės, būtumėm nedelsiant priimti. Kita vertus, tai būtų kitų rasių žeminimas ir didžiulės arogancijos demonstravimas. To niekada be reikalo nedarydavo pirmieji prabudusieji, bet kai kada sau leisdavo silpnesni ir vėliau prabudę, dar neatsikratę savo buvusių silpnybių. Atrodo, Loreta suprato mano mintis ir iš karto ištaisė savo klaidą. Ji labai mandagiai atsiprašė demiurgų už mūsų nelauktą vizitą ir užtikrino juos, kad jei bazėje vyksta kokie nors slapti darbai, mes jokiu nesiprašysime į vidų ir lauksime mano draugo už bazės ribų. Šie žodžiai akivaizdžiai patiko mus pasitikusiam demiurgui, kuris, jau gerokai pralinksmėjęs, susisiekė su savo vadovybe ir netrukus pažėrė krūvą mandagių frazių, kurių esmė buvo tokia: „Ką jūs... Nuo savo draugų Mėlynasis demiurgų ratas neturi jokių paslapčių. Be to, Demetrijus visuomet laukiamas savo buvusių gentainių, o jo palydovai visuomet bus garbingi demiurgų svečiai.“ Manau, kad įsakymas nebandyti nieko nuo mūsų slėpti atėjo tiesiai iš Mėlynojo rato valdovo. Visas jo projektas Harato planetoje tiesiogiai priklausė nuo žmonių malonės. Kvaila būtų dabar bandyti kaip nors išsidirbinėti ar erzinti prabudusiuosius. Taigi, mes kaip laukiamiausi svečiai užėjome į Mėlynojo demiurgų rato labai slaptą bazę. O kas toliau, paklausite Jūs? Toliau įvyko pokalbis. Pokalbis, sukėlęs man labai dviprasmiškus jausmus. Atrodo, draugas mane suprato. Jis labai susidomėjęs klausėsi mano pasakojimo apie potyrius Žemėje. Kai kada man atrodydavo, kad dar šiek tiek, ir mano bičiulis viską mes ir nuspręs tapti toks kaip aš. Tačiau toks įspūdis tebuvo trumpalaikis. Iš tiesų tarp mūsų atsirado siena. Ne, ne ta tikra siena iš plytų ar akmenų, bet supratimo siena. Aš akivaizdžiai pasidariau kitoks... Per daug energingas, per daug impulsyvus, trumpai tariant, per daug gyvas. Mano draugas taip ir liko toks pat šaltas ir racionalus, toks pats be galo kantrus ir randantis pasitenkinimą net gūdžiausioje monotonijoje. Vienu žodžiu, nors ir stengėmės, nebesupratome vienas kito. O gal, atvirkščiai, supratome. Bent jau aš supratau, kad demiurgo manyje beliko labai nedaug ir aš gerokai artimesnis tiems vyrams ir moterims Eduro planetoje, nei savo buvusiai rasei. Ką gi, turbūt to ir reikėjo tikėtis... Nors, tiesą sakant, net ir po šio pokalbio nesu dar tvirtai apsisprendęs prisijungti prie Bendrosios prabudusiųjų sąmonės. Kaip sako žmonės: „Pagyvensim – pamatysim." O dabar dar šiek tiek pakeliausim kartu su Loreta ir pasižvalgysim po galaktikos platybes", – tik parašęs šiuos žodžius, vyras pajuto puolimą. Ne paprastą, fizine jėga pagrįstą, bet stiprų mentalinį puolimą. Kažkas labai grubiai stengėsi pralaužti jo ir Loretos apsauginius skydus ir palenkti juos savo valiai. Užpuolikas akivaizdžiai disponavo labai didele energija, bet tikrai nebuvo mentalinės prievartos meistras, bent iš dalies prilygstantis demiurgų meistrams. Joks demiurgų meistras ar jiems prilygstantis žmogus, pajutęs pasipriešinimą, nepasikliautų vien be perstojo daromu spaudimu, o bandytų surasti kokių nors silpnesnių apsaugos vietų. Tačiau šis užpuolikas net nebandė ieškoti kokių nors kitų kelių. Jis tiesiog spaudė. Ir kuo toliau, tuo stipriau. Tačiau ką reiškė paprastas spaudimas buvusiam demiurgų meistrui ir vienai iš tikrai ne silpniausių prabudusiųjų? Visiškai nieko... Jau po poros sekundžių nuo puolimo pradžios Demetrijus ir Loreta, visiškai atsigavę nuo netikėto puolimo sukelto sumišimo ir atsisukę į už kokių penkių metrų nuo jų atsiradusį užpuoliką, stovėjo susikabinę rankomis. Keistą tokį užpuoliką... Atrodantį beveik kaip žmogus, bet tik beveik. Ne tokios buvo užpuoliko akys ir, svarbiausia, ne tokia buvo jo aura. Tačiau žmonės tuo metu nesvarstė, kas juos užpuolė. Demetrijus pats vienas labai veiksmingai gynė abu nuo nesilpstančio spaudimo, o Loreta prisijungė prie Bendrosios prabudusiųjų sąmonės ir pasiuntė ten pagalbos šauksmą, sykiu nurodydama tikslias kovos vietos koordinates. Pamatęs savo naudojamos strategijos neveiksmingumą, užpuolikas pakeitė puolimo kryptį ir pabandė suparalyžiuoti abu žmones. Tačiau ir tai jam nesisekė. Prabudusieji ir toliau veiksmingai gynėsi nuo bet kokių bandymų paveikti jų fizinį kūną. Galiausiai prarasdamas kantrybę dėl nesėkmių, pilotas nusprendė nebešvaistyti laiko ir nebebandyti sučiupti savo numatytų aukų joms akivaizdžiai nepakenkus. Toliau Aukščiausioji būtybė norėjo išsiurbti šių neklusnių padarų energiją, o to padaryti nepavykus – savo labai stipriais energetiniais smūgiais sunaikinti jų apsaugą ir juos sužaloti. Tačiau ši galbūt veiksmingiausia iš numatytų strategijų žlugo net nepradėjus jos įgyvendinti. Nepraėjus ir porai minučių nuo tada, kai Loreta pasiuntė pagalbos šauksmą, kovos lauke atsivėrė keli šuolio vartai ir pro juos atskubėjo Teromijus, lydimas dešimties pirmųjų prabudusiųjų. Tik pasirodę šie patyrę kovotojai iš karto puolė priešininką. Atkirstas nuo visų energijos šaltinių, išskyrus vidinius išteklius, iš visų pusių apsuptas neleidžiančių pasitraukti jėgos laukų, pilotas net nespėjo nusistebėti, kaip lengvai naujai atvykę priešai atmušė jo stiprius energetinius smūgius, ir tegalėjo užsiimti aklina gynyba. Šį kartą jam gerokai pasisekė... Pasisekė, kad tarp jį puolančių žmonių nebuvo Ardo ar kokio kito prabudusiojo, susipažinusio su artimos fizinės kovos technika. Priešingu atveju, daliai žmonių švaistant tikslius energijos užtaisus, pilotas ne tik turėtų gintis nuo jų, bet ir turėtų progos suvokti, kad kai kada smūgiai rankomis ir kojomis gali būti puikus būdas išbalansuoti priešininko energetinę sistemą. Taigi, šį kartą jam pasisekė. Pasisekė ir todėl, kad, būdamas ganėtinai stiprus atsilaikyti nuo užgriuvusio puolimo bent penkias minutes, jis sugebėjo susisiekti su savo rasės Bendrąja sąmone ir paprašyti pagalbos. Nežinia kodėl, bet Teromijus nesugalvojo dar labiau išskaidyti puolimo jėgų ir pamėginti atimti iš piloto galimybę kviestis pagalbos. Demetrijus, priešingai nei ką tik atvykę prabudusieji, bandė sukliudyti Aukščiausiajai būtybei susisiekti su savo rasės Bendrąja sąmone, bet buvo dar per mažai patyręs tokio pobūdžio kovose. Daug netuščiažodžiaujant galima sakyti, kad jam nepavyko ir, kaip jau minėjau, pilotui pasisekė. Aukščiausiųjų būtybių pagalba atvyko ne taip greitai, kaip prieš tai prabudusiųjų, bet, nepaisant to, laiku. Pilotas vis dar kovojo, naudodamas paskutines savo energijos atsargas ir prabudusieji vis dar nebuvo jo įveikę. Tačiau pagalba iš esmės jėgų persvaros nepakeitė. Žinoma, jei būtų atvykusios bent penkios Aukščiausiosios būtybės... Tada viskas galėjo pasisukti kitaip. Tačiau šie arogantiški padarai niekaip negalėjo suvokti, kad kažkur galaktikoje yra jiems prilygstanti jėga ir manė, jog prieš dešimt bet kokių užpuolikų gali stoti ir laimėti dvi Aukščiausiosios būtybės. Būtent tiek jų ir atvyko ir, reikia pasakyti, atvykusios labai nustebo, kai suprato, kad jos tegali sukaupti visą energiją ir didžiulėmis pastangomis atidaryti šuolio vartus ir skubiai išnešti kudašių. Pasirodė, kad toks nedidelis skaičius užpuolikų galėjo įveikti ir dvi, ir tris, ir net keturias Aukščiausiąsias būtybes. Ši informacija sukėlė tikrą audrą Bendrojoje šių padarų rasės sąmonėje, kur iki tol nedaug kas teikėsi bent kiek rimčiau žvelgti į naujai pasirodžiusius priešininkus.

• • • • •

– Žinai, sekretoriau, – nustojusi diktuoti, pradėjo kalbą Elena. – Aš paskutiniu metu labai dažnai galvoju apie sutapimus ir atsitiktinumus.

– Ta pati „Lemties ir atsitiktinumų" filosofija, apie kurią jau kelis kartus buvome užsiminę? – pasitikslino sekretorius.

– Galbūt, – linktelėjo sutikdama moteris. – Tačiau šį kartą mąstau apie kitką. Tu tik pagalvok... Vienu metu dvi priešiškos, bet labai panašios rasės, tiesa, skirtingose galaktikose aptarinėjo tą patį įvykį ir tą pačią problemą. Ar galime vadinti tai paprastu atsitiktinumu?

– Nežinau, Elena, – vėl prabilo sekretorius. – Žinoma, lenkiu galvą prieš tavo išmintį, bet man tokie samprotavimai panašūs į eilinę „sąmokslo“ teoriją. Žemės istorijoje rasi šimtus, jei ne tūkstančius, pavyzdžių, kai prieš mūšį tuo pačiu metu priešingos pusės nagrinėdavo tą patį klausimą ir net vartodavo tas pačias sąvokas. Nieko ypatingo čia nėra.

– Gal tu ir teisus, – susimąsčiusi linktelėjo Elena. – Gal aš pasidariau kaip tie senovės Graikijos filosofai ir bandau sukurti ką nors labai sudėtingo ten, kur viskas labai paprasta? Gerai, rašome toliau... Pradėsime nuo žmonių...

• • • • •

2031 metų kovo 25 diena. Eduro planeta

Viskas atrodė taip pat kaip ir prieš penkiolika dienų. Ta pati vieta, tie patys žmonės... Gerai, beveik tie patys. Šiame pasitarime dalyvavo beveik dvigubai daugiau anksčiausiai prabudusiųjų nei prieš penkiolika dienų. Tačiau nuotaika skyrėsi iš esmės. Jokio linksmumo, jokių nerūpestingų žvilgsnių ar pašaipaus požiūrio į priešininkus. Nežinia, kas labiau paveikė prabudusiuosius, nesena kova, kurios dalyviais tapo Loreta su Demetrijumi, ar ką tik iš Ardo gauta informacija. Šį kartą Ardas neapsiribojo vien informacijos atsiuntimu. Turėdamas kelias laisvas valandas iki diratų tarybos narių susibūrimo, jis atsidarė šuolio vartus ir trumpam sugrįžo į Eduro planetą tam, kad tiesiogiai galėtų dalyvauti ką tik praėjusių įvykių aptarime. Vien šis jo laikinas sugrįžimas rodė, kokia rimta susiklostė padėtis. Bet kuris prabudusysis žinojo, kad atsidaryti vartus iš kitos, tegul ir gretimos, galaktikos – darbas, reikalaujantis ypatingo tikslumo ir begalės energijos. Tik patys stipriausieji galėjo ryžtis tokiam poelgiui, naudodami vien vidinius išteklius, o Ardas neturėjo laiko ieškoti ir užvaldyti išorinių energijos šaltinių. Tačiau prabudusieji, supratę tikrąjį pavojaus mastą, nebeleido laiko veltui. Demetrijui, pirmą kartą dalyvavusiam tokiame pasitarime, atrodė, kad tarpusavyje kalbasi pusdieviai. Niekada, būdamas demiurgu savo rasės gimtojoje erdvėje ar jau žmogumi Žemėje, jis nesutiko tokio konkretumo, tokio tarpusavio supratimo ir minčių skaidrumo. Atrodė, šie žmonės trimis žodžiais geba nusakyti tai, apie ką kitiems tektų šnekėti penkiolika minučių. Štai pasakodamas apie aptikto ir užvaldyto piloto, kuris pabėgo pro gentainių atidarytus vartus, laivo tyrimus, Saulius paprastai pasakė:

– Svetimas, skirtas panašiems į mus, – visiems iš karto tapo aišku, kad tai minimaliai apsaugota transporto priemonė, labiau tarnaujanti kaip pagalbinė energijos talpykla būtybei, kuri ir pati be jokių laivų gali judėti kosminėje erdvėje. Ir dar, kad ši transporto priemonė neturi nieko bendro su jau žinomomis technologijomis.

– Klaidą padariau antroje fazėje, neblokavęs pagalbos šauksmo, ir trečioje fazėje, nepaskirstęs puolimo jėgų, – ramiai konstatavo Teromijus, užuot ilgai pasakojęs apie mūšį ir priešininkų pasitraukimo priežastis.

– Reikia keisti taktiką... Visiems prabudusiesiems teks privalomai mokytis artimosios kovos elementų, – tai viena iš Ardo minčių, kurią puikiai suprato prabudusieji, bet visiškai nesuprato Demetrijus. Jau vėliau Loreta paaiškino, kad jam tiesiog trūksta žinių apie Ardo kovas su atlantais ir keturrankiais, apie kurias sužinodavo kiekvienas, tik prisijungęs prie Bendrosios prabudusiųjų sąmonės.

– Tu teisus, – linktelėjo Hansas, mintyse kažką skaičiuodamas. – Šis susirėmimas yra puiki patirtis. Tarp prabudusiųjų turime keliasdešimt tikrų artimos kovos meistrų. Nuo rytdienos tegu jie pradeda kovinių pajėgų mokymus. Pagreitintas procesas užtruks savaitę.

– Savaitę, – kiek nustebo Ardas. – Na, nebent pasitelks hipnozę ir visą savo patirtį perduos tiesiogiai į smegenis, o per tą savaitę suformuos fizinio kūno įpročius. Tada per savaitę įmanoma, bet toks metodas bus labai varginantis. Ypač instruktoriams.

– Ištvers, – mostelėjo ranka Teromijus. – Kaip supratau, mobilizuojame visus dvidešimt tūkstančių kovinių pajėgų.

– Ne, – papurtė galvą Ardas. – Mobilizuojame absoliučiai visus. Kovinės pajėgos tebus pirma gynybos linija ir turi būti visiškai paruoštos per dvi savaites. Reikia atšaukti visus žvalgus ir sumažinti administratorių ir ambasadorių skaičių. Taip pat reikia pagreitinti naujų prabudusiųjų verbavimo procesą. Gal, Tomai, galėtum pasikviesti iš Lidijos kelis šimtus saviškių, kurie galėtų būti naujokų mokytojais?

– Manai, po dviejų savaičių? – paklausė Elena, vėl į šiuos žodžius sudėdama ištisus sakinius apie artėjančią grėsmę.

– Manau, kiek vėliau, bet bus rimtas smūgis, – toliau dėstė Ardas.

– Pasinaudos kitomis rasėmis? – pasitikslino Hansas, ką tik Bendrojoje sąmonėje dar kartą peržiūrėjęs visą Ardo gautą informaciją apie Aukščiausiąsias būtybes.

– Būtent ir manau, kad bus toks smūgis, kurio nesugebėtų atlaikyti nei dvarvai, nei sidargai, nei Mąstančiųjų sąjunga.

– Reikėtų sukurti strategiją, – susimąstęs ištarė Teromijus.

– Būtent, – linktelėjo Ardas. – Teromijau, ar galėsi pradėti vadovauti mūsų kovinėms pajėgoms, kai tik jos bus pasirengusios. Su jomis teks atlaikyti būsimą puolimą.

– Žinoma, – atsakė Teromijus, o Demetrijus dar kartą nusistebėjo, kaip paprastai ir greitai prabudusieji sprendžia iškilusias problemas.

– O kaip galutinis tikslas? – vėl prabilo Hansas.

– Bus sunku, – palingavo galvą Regina, ką tik susipažinusi su visais gautais duomenimis apie piloto rasę.

– Bet įmanoma, – pratęsė Ardas.

– Nežinau, – įsiterpė Hansas. – Labai išpuikę, žiaurūs ir labai blogos auros. Jie nelinkę bendradarbiauti.

– Priversim, – šyptelėjo Teromijus.

– Būtent, – linktelėjo Ardas. – Padarysim taip, kad jie neturėtų kitos išeities.

– Bet tam mums reikės juos nugalėti, – šyptelėjusi konstatavo Regina, o aidu jos žodžiams pritarė draugiškas prabudusiųjų juokas. Niekas net nemanė, kad galima pralaimėti. Demetrijus ir šį kartą nieko nesuprato. Tik po susirinkimo, padedamas Loretos, sužinojo apie „maišto“ idėją, kurią prabudusieji pasirinko savo artimiausiu pagrindiniu tikslu.

„Nieko sau, – po kiek laiko rašė Demetrijus savo dienoraštyje. – Būdamas Žemėje skaičiau apie tai, kaip Titanai metė iššūkį Dievams. Niekuomet nemaniau, kad tai galėsiu pamatyti savo akimis. Tiesa, jei kam įdomu, ką dar kalbėjo žmonės, tą kartą susirinkę Eduro planetoje. Nieko ypatingo... Nusprendė, kad po pusmečio turės penkiasdešimties tūkstančių pasirengusių kovai prabudusiųjų armiją ir pradės puolimą. Kur? Dvarvų galaktikoje, žinoma. Tiksliai nesupratau, bet, atrodo, pradėto karo tikslas bus išvengti karo. Net nežinau, ar ko nors nepraleidau. Kaip galima pradėti karą, kad išvengtum karo? Na, galų gale aš niekuomet nebuvau toks karo istorijos žinovas kaip Hansas, ar toks neprilygstamas strategas kaip Teromijus. Diratams žmonės taip pat numatė vaidmenį. Informacijos rinkėjų, sabotuotojų ir panikos skleidėjų. „Jie bus mūsų informacinio fronto kariai“, – tada pasakė Ardas. Taip ir nesupratau, ką tai reiškia. Gal reikėtų pasimokyti žmonijos karų istorijos? Vis tiek mūsų kelionė su Loreta nebeįvyks. Tikėtina, kad ji pateks tarp tų penkiasdešimties tūkstančių, apie kuriuos jau rašiau. Gal tada suprasiu ir Hanso žodžius, kad mums svarbiausia ne būti nenugalimiems, bet priversti kitus patikėti, jog mes tokie esame. Ne, man tikrai reikia paskaitinėti karų Žemėje istoriją... Ir dar pasimokyti kovos menų. Gėdingai pasirodžiau Mėlynojo rato planetoje. Tuo labiau kad manęs taip pat paprašė šį tą nuveikti. Konkrečiau? Nuvykti ir pasikalbėti su Mėlynojo demiurgų rato valdovu. Negaliu pasakyti, kad buvau labai sužavėtas, taip meistriškai įtrauktas į patį artėjančių įvykių sūkurį... Nesvarbu... Vis tiek atsisakyti negalėjau. Žinoma, niekas man nedraudė atsisakyti, bet, kaip čia geriau pasakius, sąžinė neleido.“

Kaip žmonės įsivaizduoja tinkamą vietą susikaupimui? Turbūt įvairiai... Vieni įsivaizduotų gamtos kampelį, kiti bažnyčią ar šventyklą, treti tinkamai apstatytą kambarį. Manau, niekas net nepamanytų, kad geriausia susikaupimui ir rimtam pokalbiui tinka visaip besisukinėjanti ir besivartaliojanti patalpa, kurioje neįmanoma nustatyti, kur viršus, o kur apačia, kur kairė, o kur dešinė. Tačiau būtent tokioje vietoje ramiai levitavo dešimt Aukščiausiųjų būtybių ir aptarinėjo neseniai praėjusius įvykius.

– Ką gi, galime reziumuoti, kad šis atvejis yra ypatingas ir Rahamnavuras teisus siūlydamas taikyti neįprastus metodus, – kalbančiojo minties blyksnis, nukreiptas link Aukščiausiosios būtybės, mums žinomos kaip pilotas ir pavadintos Rahamnavuru, patvirtino, kad vieningai pritarta minčiai sunaikinti netikėtus įsibrovėlius. Skyrėsi tik dalyvaujančiųjų siūlymai, kaip tai reikėtų padaryti.

– Aš dar kartą sakau, kad neužteks nei dešimties, nei penkiasdešimties suvienytų jėgų, – kalbėjo pilotas. – Manau, kad pildosi prieš dešimtis tūkstančių metų „Didžiosios paslapties“ mums atskleista pranašystė apie viską apimančią Karo ugnį. Reikėtų pasiųsti į Bendrąją sąmonę pavojaus šauksmą ir mobilizuoti bent dešimt tūkstančių mūsiškių.

– Tačiau mes neturime informacijos, – pasigirdo prieštaravimas. – Suprantu tavo nuojautas ir gerbiu jas, tačiau sunku tikėtis, kad be tikros informacijos tūkstančiai mes savo svarbius darbus ir stos į kovą su galbūt saujele priešų.

– Taigi, reziumuojant, – pasklido mintis tarp visų dalyvių. – Skelbti didžiulį pavojų rasei dar per anksti. Mums reikia daugiau informacijos apie priešus. Kokios ir kaip galime ją gauti?

– Skaičius, – pasigirdo pirmas siūlymas. – Kol kas tvirtai težinome, kad jų kiek daugiau nei šimtas. Su tiek susidoros ir penkiasdešimt suvienytų jėgų. Gal jų yra daugiau? Kaip sužinoti? Pasiųsti dar kartą žvalgą?

– Bus sunku... Užpulti konkretaus egzemplioriaus nepavyks. Akivaizdu, kad jie vienas kitą stebi ir pavojaus metu ateis į pagalbą. Per didelė rizika. Galime sučiupti dar vieną demiurgų laivą ir sužinoti Harato planetos, kuri, pasak besikeičiančiojo, yra mūsų priešų gimtasis pasaulis, koordinates. Tada pasiųstume tūkstantį diratų laivų į žvalgybinę kovą.

– Na ir? Tūkstantį laivų nesunkiai atrems šimtas mūsų priešų. Vis tiek nesužinosime, ar jų yra daugiau ir kiek suvienytų jėgų mums gali prireikti.

– Taip, tačiau jei tuo pačiu metu dešimt tūkstančių laivų pasiųsime prieš besikeičiančiuosius, kurių sąjungininkai yra priešai...

– O be to, – pasigirdo pritariančioji mintis. – Dvidešimt mūsiškių pultume ir sunaikintume planetą, kurioje, kaip patyrė Rahamnavuras, yra jų bazė.

– Dešimt tūkstančių – tai visas trijų pasienio rasių karinis laivynas. Reikės bent penkių atskirų jėgų bendro veikimo perduoti reikiamus nurodymus. Dar vienas pas diratus.

– Užteks. Dabar bendro tikslo siekia penkiasdešimt jėgų. Užteks ir žvalgybai, ir perduoti nurodymus. Tik vėliau gali pritrūkti. Trisdešimt turi stebėti, kaip priešai atrems armados puolimą. Apskaičiavau, kad mažiau neužteks atsižvelgiant į tai, kokio dydžio mūšiai turės vykti. Dvidešimt puls bazę. Jei puolime dalyvautų daugiau, galėtų planetą sunaikinti vien naudodamiesi savo vidine energija. Dabar teks pasitenkinti išorinėmis priemonėmis. Gal kokie dešimt asteroidų? Reikės smulkiau apgalvoti...

– Nieko nelieka diratų puolimui paremti, – nuskambėjo santūri abejonė.

– Jie apsieis be paramos. Svarbu, kad iš karto perduotų visus mūšio vaizdus. Iš tokio tripusio puolimo pamatysime, kaip priešininkas paskirsto savo jėgas, kokiais energijos kiekiais disponuoja, kokias taktines gudrybes geba taikyti. Tuomet galėsime apskaičiuoti apytikslį priešų skaičių ir pavojaus dydį.

– Rahamnavurai, kiek tau užtruks užgrobti dar vieną demiurgų laivą ir aptikti Harato planetos koordinates?

– Nuo dienos iki penkių. Priklausys, kaip greitai aptiksiu tinkamą užgrobimui laivą.

– Reziumuojame, – trečią kartą pasklido mintis, kuria paprastai Aukščiausiosios būtybės baigdavo aptariamas temas. – Veikti pradedame po septynių dienų. Puolimus planuojame po mėnesio. Manau, mes spėsim pasirengti, o diratai ir kiti privalės suspėti.

2031 metų balandžio 5 diena. Harato planeta

Kadaise, labai labai seniai, kai dar buvo demiurgas, Demetrijus slapčia svajodavo apie tai, kaip vieną gražią ir įsimintiną dieną kuris nors rato valdovas bendraus su juo kaip lygus su lygiu ir klausys jo patarimų. Dabar, atrodo, svajonės išsipildė... Netgi su kaupu. Keturių ratų valdovai ir ne bet kokių, o pačių įtakingiausių – Mėlynojo, Baltojo, Geltonojo ir Raudonojo – vien išgirdę apie Demetrijaus norą susitikti ir perduoti žinią nuo prabudusiųjų, nedelsdami susirinko Harato planetoje. „Tik kažkodėl manęs tai visiškai nedžiugina, – mąstė Demetrijus, stebėdamas jo žodžio laukiančius valdovus. – Gerbia jie ne mane, o žmogų manyje. Lygiai taip pat atlėktų dėl bet kurio prabudusiojo, parodžiusio norą perduoti žinią. Kita vertus, mano žmoniškajai pusei jie visiškai neįdomūs. Valdovai jie ar ne valdovai... Koks man skirtumas, kam perduoti nurodymus. Įprastas diplomatinis mandagumas, ir tiek." Net sau Demetrijus bijojo pripažinti, kad kol jo žmoniškasis pradas išdidžiai nužiūrinėjo pašnekovus, demiurgas jame verkė. Tyliai, tyliai... Beveik nepastebimai. Verkė dėl to, kad tokia išdidi ir kūrybinga rasė pripažino savo šeimininkais netašytus padarus, kurie tegul labai energingi, karingi, išradingi, bet neturintys nė pusės tiek kūrybingumo ar kultūringumo kaip galvas nulenkę demiurgai. Tegul ratų valdovai galvas prieš žmones nulenkė ieškodami naudos visai savo rasei, bet nuo to demiurgiška Demetrijaus dalis tik dar labiau liūdėjo. „Žmonės niekuomet taip nesielgtų", – galvojo Demetrijus.

– Prieš atvykdamas pranešei, kad turi perduoti žinią nuo prabudusiųjų, – po kelių nieko nereiškiančių mandagių frazių Mėlynojo rato valdovas pradėjo kalbą apie rūpimus reikalus.

– Turiu, – linktelėjo Demetrijus. – Turiu ir žinią, ir veiksmų planą, skirtą demiurgams, bet prieš tai norėčiau šį tą papasakoti. Šį tą svarbaus, ką Jūs tikrai turėtumėte žinoti.

Tada Demetrijus pradėjo pasakoti apie naujus priešus, apie dingusius demiurgų laivus ir apie būsimą puolimą.

– Taigi, – baigė jis. – Pasak vakar gautos iš Ardo informacijos, puolimas bus pradėtas trimis kryptimis. Bus puolama Harato planeta, slapta Mėlynojo rato bazė, kurioje jūs apmokote haratų pilotus, o pagrindinis smūgis bus nukreiptas per dvarvų pasaulius į visą Mąstančiųjų sąjungą.

– Sakai, tos Aukščiausiosios būtybės užgrobė du mūsų laivus ir iš jų sužinojo Harato planetos koordinates? – pasitikslino Baltojo rato demiurgas.

– Taip, – linktelėjo Demetrijus. – Pilotus nužudė. Dar anksčiau jie užgrobė vieną sidargų laivą, tarp kurių buvo dvarvas. Kažkokiu būdu dvarvas sugebėjo nukreipti Aukščiausiąją būtybę netikrais pėdsakais, įtikinęs ją, kad žmonių rasė vadinasi haratai.

– O iš kur tai sužinojote? – pasitikslino Geltonojo rato demiurgas, galvodamas, kad šitos žinios gali daug ką pakeisti.

– Žmonės tai sužinojo užėmę Aukščiausiųjų būtybių žvalgybinį laivą, – liūdnai atsakė Demetrijus, galvodamas apie tai, kad net demiurgai jį laiko ne saviškiu, o žmogumi. „Būdamas tarp prabudusiųjų aš to nejaučiau. Ten buvau beveik vienas iš jų ir toks pats kaip jie."

– Tai žmonės jau buvo susikibę su Aukščiausiomis būtybėmis? – lyg netyčia uždavė klausimą Mėlynojo rato valdovas, pats įtemptai laukdamas atsakymo.

– Taip, – šyptelėjo Demetrijus. – Gal aš iš karto atsakysiu ir į kitus jums rūpimus klausimus. „Ach, Jūs seni intrigantai, žinau Jūsų mintis, kaip jas nuo manęs beslėptumėte. Nepamirškite, kad manyje vis dar liko dalis demiurgo..." – galvojo Demetrijus.

– Visuose ligšioliniuose susirėmimuose nugalėtojai buvo prabudusieji, – tęsė atvykėlis. – Ir dar. Aš, kaip iš dalies demiurgas, patarčiau Jums nedaryti kvailysčių ir negalvoti apie išdavystes. Pirma, įvertinus visą informaciją, žmonės yra stipresni ir labai tikėtina, kad nugalės ir privers Aukščiausiąsias būtybes priimti savo sąlygas. Antra, turėtumėte iš visų jėgų stengtis, kad laimėtų žmonės. Aukščiausiosios būtybės bus ne tokios liberalios kaip žmonės, ir Jūs tapsite tiesiog vergais.

– Gerai, – linktelėjo Baltojo rato demiurgas, net nebandydamas kaip nors teisintis ar neigti Demetrijaus žodžius. – Mes priimame tavo patarimą kaip asmens, kuris vis dar iš dalies mūsiškis. Ką turime daryti?

– Pirmiausia evakuokite Mėlynojo rato bazę. Ten vyks du šimtai puikiai apmokytų prabudusiųjų, kurie stos į kovą su Aukščiausiomis būtybėmis ir bandys neleisti sunaikinti planetos.

– O iš kur žinote apie numatomus smūgius? – pasitikslino Geltonojo rato valdovas.

– Iš Ardo gautos informacijos. Jei neminėjau, jis dabar žvalgosi Dvarvų galaktikoje ir, turiu pasakyti, jam puikiai sekasi. Kita vertus, loginiai prabudusiųjų apmąstymai ir Hanso įžvalgų nuotrupos leido nustatyti, kad bus puolama ir Mėlynojo rato demiurgų bazė. Pasirodo, Hansas šiek tiek geba įžvelgti ateitį. Labai fragmentiškai, nuotrupomis ir neryškiai, bet šį kartą to pakako.

– Tai gal jis žino, kaip baigsis mūšiai? – suintriguotas pasidomėjo baltasis valdovas.

– Deja, ne. Net nežino, kaip jie prasidės. Man sunku paaiškinti, bet, kiek supratau bendraudamas su prabudusiaisiais, tai net nėra regėjimai. Hansas nemato ateities tiesiogine to žodžio prasme. Tai labiau nuojautos, kurios pasitvirtina.

– O kaip su Harato planeta? – įsiterpė Mėlynojo rato valdovas, niūriai galvodamas apie tas kovas, į kurias žmonės ir jų priešai gali įsivelti tankiai gyvenamoje planetoje.

– Vakar paaiškėjo šiek tiek naujos informacijos, – pradėjo Demetrijus. – Jei bus įgyvendinamas Ardo ir Teromijaus planas, mūšių Harato planetoje visiškai nebus. Jums reikės kontroliuoti haratų pajėgas. Neturi būti jokių netikėtumų, panikos ar išpuolių. Visiška drausmė ir paklusnumas. Sutelkite pajėgų tiek, kiek reikės. Prabudusieji laikinai panaikina bet kokius demiurgų skaičiaus apribojimus Harato planetoje. Jei prireiks, turite kontroliuoti kiekvieną tenykštį gyventoją. Ar pavyks?

– Manome, kad taip, – susižvalgę patvirtino visi keturi ratų valdovai.

– Puiku, – linktelėjo Demetrijus. – Dabar man atleiskite, turiu grįžti į Eduro planetą.

Jau beveik žengdamas per atsidarytus šuolio vartus, jis paskutinį kartą apžvelgė pašnekovus ir ištarė:

– Žmogaus prigimtis glūdi ne vien smegenyse. Ji visur, ir ji stipresnė už demiurgiškąją. Tik laiko klausimas, kada aš tapsiu tikru žmogumi, ir man Jūs neberūpėsite. Kol kas demiurgas manyje Jūsų prašo nedaryti kvailysčių. Nenoriu, kad demiurgai išnyktų kaip rasė. Ir dar... Nebesiųskite šnipų į Žemę. Jie visi taps žmonėmis, – po šių žodžių Demetrijus apsisuko ir žengė pro vartus, palikdamas giliai susimąsčiusius demiurgus. O mąstė jie būtent apie tai, ką šnekėjo Demetrijus.

– O jei sunaikintume Žemę ir neprabudusius žmones? Taip padėję laimėti Aukščiausiosioms būtybėms galėtume tapti šios galaktikos šeimininkais, – prašneko Geltonojo rato valdovas.

– Per didelė rizika, – palingavo galvą baltasis demiurgas. – Tai nėra tinkamas šansas įgyvendinti Didįjį tikslą. Aš pritariu Demetrijui ir siūlau šį kartą būti prabudusiųjų pusėje.

– Gerai, jau gerai, – linktelėjo Geltonojo rato valdovas. – Aš tik truputį fantazavau. Pats viską puikiausiai suprantu. Be to, man kelia nerimą tos Hanso ateities įžvalgos. Papildomas rizikos veiksnys bet kuriems mūsų planams, nukreiptiems prieš žmones. Reikėtų daugiau informacijos.

– O iš kur tu gausi tos informacijos? – gūžtelėjo pečiais Baltojo rato valdovas. – Girdėjai Demetrijų – žvalgų siųsti į Žemę nebegalime. Šitas buvo pats stipriausiais iš jaunųjų meistrų, pats perspektyviausias ir per kelis mėnesius tapo žmogumi. Niekas ilgiau nepratemps.

– Nežinau, – sutiko geltonasis valdovas. – Pagalvosiu. Gal tu Teromijaus paklausk?

– Teromijui dabar ne aš galvoje, – suabejojo tokiu pasiūlymu baltasis. – Gal kiek vėliau... Kai baigsis šita košė. Nebent netyčia susitiktumėme. Geriau apskaičiuokime, kiek mums gali prireikti meistrų tam, kad laikinai užvaldytume visus haratus.

Taip palaipsniui kalba pakrypo į atskiras veiksmų plano įgyvendinimo detales, daugiau neliečiant strateginių klausimų. Tik vienas Geltonojo rato valdovas vis svarstė, ar nebūtų geriau, užuot padėjus žmonėms, pradėti su jais karą. Tačiau ilgainiui net jis suprato, kokios neperspektyvios šios mintys, ir visiškai pasinėrė į tolesnį pokalbį.

Andromedos ūkas. Diratų konfederacija

Pirmą kartą kapitonas pasijuto esąs tikrai svarbus asmuo. Negalima sakyti, kad anksčiau tautiečiai jo negerbė. Buvo ir pagarba, ir draugystė, ir palaikymas, bet tikrai ne tokie kaip paskutinėmis dienomis. Dabar kapitonas tapo tiesiog diratų didvyriu. Tai jis pirmas sutiko Draugą, jis pirmas apsisprendė ir atvedė Draugą pas tarybos narius. Gaila, kad ne visi tautiečiai gali žinoti apie naują Diratų konfederacijos politiką ir kapitono įtaką jai. Kol kas tai didelė paslaptis ir nepasklido už konfederacijos tarybos ribų. „O viskas galėjo pasisukti ir kitaip, – mąstė kapitonas, stebėdamas tarybos narius, šnekančius su Draugu. – Iš tiesų, tai Aukščiausiosios būtybės pačios viską sugadino. Iš pradžių šimtmečius elgiamasi kaip su vergais. Dabar viešas mano pažeminimas ir diratų siuntimas į tikrą mirtį... Netgi tada mes dar abejojome. Draugo kalbos tik suteikė viltį, bet ne tvirtą ir galutinį apsisprendimą. Toks sprendimas atsirado tik prieš tris dienas. Vėl pasirodė mane kankinusi Aukščiausioji būtybė ir be jokių kompromisų liepė per patį trumpiausią laiką parengti ne mažiau kaip tūkstantį konfederacijos karinių kreiserių kovai su priešais, kurie bus nurodyti vėliau. Atsimenu, kaip tarybos nariai bandė prieštarauti, aiškindami, kad tai daugiau nei pusė diratų kovinio laivyno ir jį praradusi konfederacija liks be galimybės apsiginti. „Jums nėra nuo ko gintis, – nekantriai atšovė Aukščiausioji būtybė, akivaizdžiai nenusiteikusi ginčytis su žemesnės rasės atstovais. – Galų gale prisiminkit kriptonogritų likimą ir tiesiog vykdykite kas jums įsakyta." Gal toks grasinimas būtų labai veiksmingas dar prieš kelis mėnesius, tačiau dabar... Dabar jis tiesiog pastūmėjo diratus „Naujos politikos" link. Tuo labiau kad Draugas nereikalavo už jo pergalę aukoti diratų karių. Jis teprašė rinkti ir perduoti informaciją apie Aukščiausiųjų būtybių planus. Taigi, taryba galutinai apsisprendė, o aš tapau vienu iš svarbiausių jos narių", – ši džiugi mintis, simbolizuojanti slaptos kapitono svajonės išsipildymą, nevalingai privertė sukrutėti visas jo kojas vienu metu, kas diratų buvo laikoma blogo išsiauklėjimo ženklu. Gerai, kad to niekas nepastebėjo. Visi likę tarybos nariai buvo užsiėmę – su Draugu derino būsimą kovos su Aukščiausiomis būtybėmis planą.

– Taigi, Jūsų vakar man perduota informacija apie Aukščiausiųjų būtybių instrukcijas diratams leido man sukurti planą, kuris padės išvengti diratų aukų, – Ardas po ilgo pokalbio apie tai, kad ši aštuonkojų būtybių rasė tikrai išvengs didesnių nuostolių, jei padės žmonėms, pagaliau galėjo pradėti dėstyti konkrečius savo planus. – Mane ypač pradžiugino tai, kad pačios Aukščiausiosios būtybės Jums skirtoje misijoje nedalyvaus, o stebės vaizdus, kuriuos Jūs transliuosite iš mūšio lauko. Manau, mes galime padaryti taip, kad Jūs neužsitrauktumėte Aukščiausiųjų būtybių įniršio anksčiau numatyto laiko ir sykiu padėtumėte mums ir nepraraastumėte nė vieno laivo.

– Tačiau kad neužsitrauktume jų įniršio, turime tiksliai įvykdyti įsakymą ir pradėti mūšį. Kaip mes tada padėsime Jums ir neprarasime savo laivų? – pasigirdo vieno iš tarybos narių klausimas.

– O kas Jums sako, kad Jūs turite pradėti mūšį? Jūs turite transliuoti vaizdus, patvirtinančius mūšio buvimą, bet tai nereiškia, kad pats mūšis realiai turi vykti.

Ši mintis pasirodė tokia sukrečianti ir netikėta, kad tarybos nariai ganėtinai ilgai užtruko ją gromuliuodami. Niekam iš jų nė į galvą neatėjo, kad galima panaudoti pačią paprasčiausią gudrybę. Diratai buvo paprasti ir tiesmuki padarai. Jie arba darydavo, arba nedarydavo. Tačiau nieko nedaryti ir kartu viską pateikti kaip aktyvią veiklą... Šito jie negalėjo suvokti.

– O iš kur mes gausime vaizdų iš mūšio lauko, jei pats mūšis nevyks? – nedrąsiai įsiterpė į pokalbį kapitonas, vis dar besipratindamas prie savo kaip tarybos nario statuso.

– Vaizdų gausime mes, – atsakė Ardas. – Jums tereikės nuskristi iki planetos, paimti iš mūsų informaciją, ją persiųsti Aukščiausiosioms būtybėms ir pasislėpti.

– O kodėl pasislėpti?

– Todėl, kad perduotoje informacijoje matysis, kad Jūsų laivynas visiškai sunaikintas.

– Kaip tai sunaikintas? – nesuprato diratai.

Ilgai dar Ardas turėjo aiškinti savo pašnekovams ne tik smulkias plano daleles, bet ir jo esmę. Ilgainiui jo kantrybė atsipirko. Vienas po kito tarybos nariai suvokė, ką suplanavo jų gudrusis Draugas, o supratę nuoširdžiai apsidžiaugė. Kur nesidžiaugsi, jei pagal planą Aukščiausiosios būtybės bus patenkintos ir nesiims represijų, o diratai visi liks sveiki.

„Ką gi, – galvojo Ardas, apsidžiaugęs, kad diratai jį pagaliau suprato. – Dabar svarbu, kad mūsų senoji, dar Haratų karo metu pasižymėjusi, Brolija sukurtų nuostabų filmuką apie paskutines diratų eskadros valandas. Manau, jie tikrai sugebės. Reikės paprašyti, kad Hansas asmeniškai dalyvautų šiame darbe. Jis tai tikrai privers Broliją viską padaryti.“

Andromedos ūkas. Dvarvų kontroliuojama erdvė

Dvarvų žvalgai paprastai neskirstydavo misijų į geidžiamas ir prastesnes. Kiekviena užduotis jiems žadėjo naujų pojūčių bei potyrių ir buvo vienodai laukiama. Tačiau Chrzas turbūt buvo kitoks. O gal pasidarė kitoks pabendravęs su žmonėmis? Gal amžinai nerimstanti žmonių sielos dalelė persidavė ir šiam, taip sėkmingai užduotį Žemėje atlikusiam žvalgui? Chrzas dažnai apie tai pagalvodavo paskutiniu metu. Laiko galvoti jis turėjo užtektinai. Atsisakęs kelių užduočių, tai buvo tiesiog neįsivaizduojama tarp dvarvų žvalgų, jis tyrinėjo vienos iš planetų gyvuosius medžius. Tyrinėjo kaip visuomet, tapęs vienu iš jų. Medžių, nors ir gyvų, gyvenimas buvo neskubus ir neužpildytas įvykių. Chrzui užteko laiko susigaudyti visose savo mintyse ir noruose. Tačiau vakar viskas pasikeitė. Iš tiesų sujudimas dvarvų gretose prasidėjo dar prieš dvi dienas, gavus iš žmonių prašymą parengti visą savo karinį laivyną bei, susijungus su sidargų ir isų karinėmis pajėgomis, užtikrinti pagalbą prabudusiesiems, kovojant prieš būsimą plataus masto invaziją. Niekas niekada iki šiol neprašė šios rasės dalyvauti tokio didelio masto kovose. Net jei ir paprašytų, dvarvai niekuomet nesutiktų. Tačiau šį kartą nesutikti jie tiesiog negalėjo. Kaip nesutiksi, jei pati kova pradėta vykdant dvarvų prašymus.

– Kiek kreiserių pasiųs isai ir sidargai? – pasidomėjo dvarvai pas juos atvykusio Teromijaus.

– Penkis šimtus ir tūkstantį, – nuskambėjo atsakymas. – Šitie skaičiai yra tikslūs, nes tiek isai, tiek sidargai jau davė savo sutikimą dalyvauti kovoje.

– Su mūsų turimais trimis tūkstančiais kovinių laivų iš viso bus keturi su puse tūkstančio. Kam tokia didelė armada reikalinga?

– Mes manome, kad puolančiųjų bus mažiausiai du kartus daugiau, – šis atsakymas tiesiog šokiravo dvarvus, tačiau netrukus jie buvo nuraminti. – Nesijaudinkit, pagrindinį smūgį atrems prabudusieji. Jūs, isai ir sidargai kviečiami tik tam atvejui, jei kas nors pradės vykti labai blogai. Tada tapsite paskutine užtvara užpuolikams. Tačiau, tai ne visi mūsų prašymai. Norėtumėme, kad Jūs evakuotumėte trijų saulių sistemas. Jos neturi būti pasienyje, bet ir ne dvarvų teritorijos viduryje. Pasirinkite mažiausiai apgyvendintas ir nelabai vertingas.

– Kam reikės šių sistemų?

– Su planais Jus supažindinsime vėliau. Dabar jie tik kūrimo stadijoje. Galiu pasakyti tik tiek, kad jos galbūt taps spąstais, – ramiai aiškino Teromijus.

– Gerai, pabandysime viską paruošti per porą savaičių. Tiks?

– Manau, kad taip...

Ir štai vakar Chrzas buvo pakviestas. Kartu su kitais šešiais tūkstančiais žvalgų jam pasiūlė dalyvauti koviniuose veiksmuose. Iš tiesų žvalgai tiesiogiai kovose nedalyvaudavo. Tradicija kiekviename kariniame laive turėti po du žvalgų atstovus buvo aiškinama galimybe susidurti su padėtimi, kai prireiks tik žvalgams būdingų įgūdžių. Dvarvų karinių laivų įgulas daugiausia sudarydavo kariai, inžinieriai ir pilotai. Juose, be dviejų žvalgų, dar būdavo ir po vieną mąstytoją.

Šį kartą Chrzui net nekilo mintis atsisakyti. Jis jau seniai suprato, kad labiausiai iš visų tyrimo objektų jį domina žmonės. Maža to, Chrzas suvokė, kad yra emociškai prisirišęs prie prabudusiųjų. Tad dabar jis jautė ne mažesnį džiaugsmą nei tada, kai išvyko į savo pirmąją misiją. Be to, laivas, į kurį paskyrė Chrzą, akivaizdžiai parodė, koks jis vertinamas tarp žvalgų. Toli gražu ne kiekvienas gali tikėtis pakliūti į tokios didelės eskadros flagmaną, kuriame tarnauja geriausi ir iškiliausi kariai, išradingiausi inžinieriai ir pats iškiliausias mąstytojas. „Be visa ko, jame gerokai saugiau nei kituose laivuose, – pagalvojo žvalgas, apžiūrinėdamas gigantišką kreiserį. – Jo galia prilygsta dešimčiai kitų laivų ir mūšyje jis laikosi ne priekinėse gretose.“ Žinoma, tai buvo ne visos dvarvo mintys, vykstant į paskirties vietą. Jį džiugino dar kai kas... „Jei Ardas ir kiti prabudusieji atvyks į dvarvų eskadrą, jie atvyks būtent į flagmaną. Čia būdamas turiu gerokai daugiau galimybių sutikti senus bičiulius“, – kupinas entuziazmo galvojo Chrzas.

• • • • •

– O kaip Brolija? – vėl įterpė savo „trigrašį“ sekretorius.

– O ką Brolija? – nesuprato Elena. – Brolija buvo kaip visuomet – aukštumoj. Negi tu kada nors girdėjai, kad jie nebūtų įvykdę kokios užduoties? Šį kartą taip pat nieko neapvylė. Sukūrė puikų filmuką per kelias dienas. Holivude tokį ištisus metus kurtų, naudotų tūkstančius statistų, išleistų šimtus milijonų dolerių, o Brolija labai greitai ir labai pigiai susitvarkė.

– Aš ir galvojau, ar nevertėtų aprašyti ir Brolijos darbo?

– Neverta, – trumpai pamąsčiusi atsakė Elena. – Ten per daug techninių dalykų. Skaitytojams bus neįdomu. Tęsiam savo istoriją toliau. Rašyk...

• • • • •

2031 metų gegužės 1 diena. Dvarvų kontroliuojama erdvė

„2031 metų gegužės 1 dieną prasidėjo iki tol neregėto dydžio puolimas prieš visas mąstančias Paukščių tako galaktikos rases“ – taip parašyta daugumoje istorijos vadovėlių, tačiau tai nėra tiesa. Puolimas tikrai prasidėjo, bet ne gegužės pirmą dieną ir jis buvo nukreiptas tikrai ne prieš visas mąstančias galaktikos rases. Jau savaitę prieš tai laivas po laivo, kreiseris po kreiserio rinkosi prie diratų ir dvarvų pasienio, kol susikaupė milžiniška armada iš daugiau nei dešimties tūkstančių kovai pasirengusių karinių laivų. Vadovėliuose minimą dieną įvyko pirmasis mūšis, kai daugiau nei šimtinė silukarų, taip vadinosi pati didžiausia ir karingiausia žygyje dalyvaujanti rasė, sunkiųjų kreiserių sunaikino jau ne kartą aprašytą sidargų bazę dvarvų teritorijos pakraštyje. Nežinia, ar tai galima buvo pavadinti didžiule pergale. Vis dėlto bazė buvo apleista ir ginama tik automatinių gynybos sistemų, padedamų kelių dešimčių nepilotuojamų naikintuvų. Nepaisant to, kad mūšio metu buvo sunaikintas vienas silukarų laivas ir rimtai apgadintas kitas, visoje armadoje buvo paskleista žinia apie šlovingą pirmąją pergalę. Aukščiausiosios būtybės pasistengė šį faktą pateikti kaip pranašaujantį neabejotiną sėkmę, todėl akivaizdžiai pakilo armados laivų ekipažų kovinė dvasia. Daugelis vėlesnių istorikų, nagrinėdami šio įsiveržimo padarinius, vieningai sutiko, kad tai buvo pirmoji iš daugybės Aukščiausiųjų būtybių klaidų. Pateikusios nedidelės apleistos sidargų bazės sunaikinimą kaip pergalę prieš smarkiai ginamą ir galingą priešo kosminę tvirtovę, Aukščiausiosios būtybės labai sumažino tą atsargumą, kuris prieš tai vyravo armadoje. Blogiausia, kad tokiai nepagrįstai euforijai pasidavė ir vadovaujantieji armados karininkai. Galbūt dėl to, tik pastebėję kelias skubiai besitraukiančias dvarvų eskadras, silukarų avangardiniai daliniai, nelaukdami įsakymų, pradėjo persekiojimą. Žinoma, kaip ir reikėjo tikėtis, manevras buvo apgaulingas ir atsiskyrę nuo pagrindinių pajėgų puolančiųjų junginiai buvo užpulti gerokai pranašesnių priešo pajėgų, tarp kurių buvo ir keli žmonės. Čia Aukščiausiosios būtybės padarė antrąją klaidą. Perėmę vadovavimą armadai, iki tol jie tik stebėjo įvykius, į juos nesikišdami, jie absoliučiai visus laivus pasiuntė į ką tik prasidėjusį mūšį, manydami, kad taip prasidėjo jų lauktos didelės kautynės. Kiek ir ko bebūtų prirašę ateities istorikai, tačiau smerkti Aukščiausiųjų būtybių už tokį sprendimą negalime. Jos laukė didelių kautynių ir priešininko galių demonstravimo, todėl tik išgirdusios apie tokio susirėmimo pradžią ir pastebėtus kovose dalyvaujančius haratus, taip Aukščiausiosios būtybės vis dar vadino prabudusiuosius, nuskubėjo į kovos lauką. Jos gi neturėjo tokios karų patirties, kurią turėjo žmonės. Kaip ir negalėjo žinoti, kad pasalos gali būti daugiasluoksnės ir prasidėję susišaudymai tėra antras viliojimo į pasalą etapas. Natūralu, kad atskubėjus į mūšio lauką visai armadai, priešininkų laivai iki tol spaudę silukarų avangardinius dalinius ir pridarę jiems didelių nuostolių, skubiai pasišalino. Tas pasitraukimas buvo toks greitas ir netvarkingas, kad panašėjo į panikos kupiną bėgimą. Priešai net nesugebėjo uždaryti erdvės šuolio vartų, per kuriuos pasitraukė ir taip leido visiems armados laivams nusekti jų pėdomis. Negalima sakyti, kad armados vadai prarado šaltą protą ir pasiuntė savo eskadras neišžvalgę aplinkos. Iš pradžių bėgančiuosius nusekė žvalgai, kurie patvirtino, kad priešas traukiasi labai panikuodamas ir nepaliko jokių minų ar kitokių spąstų prie išėjimo iš šuolio vartų. Labiausiai Aukščiausiąsias būtybes suintrigavo tai, kad priešo pėdsakai atvedė į didžiulę raudonosios žvaigždės sistemą, o patys jo laivai telkiasi prie antrosios tos sistemos planetos. „Akivaizdu, kad tai besikeičiančiųjų rasės sostinė, – vieningai pagalvojo visos trisdešimt Aukščiausiųjų būtybių. – Turbūt prie šios planetos jie kaupia visas jėgas ir prie jos atvyks visi likę haratai. Tie keli, jau dalyvavę, pridarė nemažai nuostolių, bet gera kovine dvasia nepasižymėjo.“ Tačiau ir tada armados vadovai ėmėsi atsargumo priemonių. Žvalgai buvo pasiųsti į dar dviejų, arčiausiai prie raudonosios esančių, žvaigždžių sistemas ir užfiksavo tinkamas koordinates galimam erdvės šuolio vartų atidarymui. Tik tada, kai užsitikrino kelius galimam atsitraukimui, Aukščiausios būtybės įsakė pulti toliau. Tačiau pulti jau nebuvo ko. Tik persikėlus visiems armados laivams į raudonosios žvaigždės sistemą ir išsirikiavus kautynėms, priešo pajėgos apsisuko ir pro iš anksto paruoštus šuolio vartus pasitraukė, palikdamos užpuolikus vienus. Iš tiesų nevisiškai vienus. Tik tada Aukščiausiosios būtybės sugebėjo užfiksuoti savo tikruosius priešus.

– Jie slėpėsi, tai spąstai! – šitas šūksnis geriausiai atspindi nustebimą, kuris apėmė visas trisdešimt.

– Skaičiuoju... Šimtas... Aštuoni...

– Penki tūkstančiai...

– Dešimt, jų dešimt tūkstančių. Ką jie darys? Puls patys?

– Reikia trauktis... Ar laukiam puolimo pradžios, kol išaiškės jų strategija?

– Galim įkliūti... Žiūrėkit, žvaigždė... Jie sprogdina žvaigždę.

– O Begaline visata! Liko dešimt minučių iki sprogimo ir pusvalandis, kol banga pasieks pirmuosius armados laivus. Traukiamės... Visiems atidaryti šuolio vartus į išžvalgytas sistemas.

– Iš pradžių pasiųsk žvalgybinius zondus. Apsidraudžiant...

– Zondai parengti. Siunčiam... Nuvyko... Gaunam duomenis... O...

– Visų išžvalgytų sistemų saulės sprogdinamos. Tada jų yra tikrai daugiau nei dešimt tūkstančių.

– Gerokai daugiau... Ką darom? Armados laivai užfiksavo žvaigždės anomalijas. Klausia mūsų, ką daryti.

– Įsakyk jiems trauktis. Užsiims veikla ir turės viltį išgyventi.

– Bet ta viltis melaginga... Jiems neužteks laiko tam, kad sukauptų energiją, reikalingą šuolio vartams atidaryti į tas erdvės koordinates, iš kurių šoktelėjome į šitą sistemą. Ten, kur galėtų greitai pasitraukti, jų laukia tas pats likimas kaip ir čia. Jie visi žus...

– Ką padarysi... Ką darome mes?

– Namo. Atidarykime vartus tiesiai iš šio laivo ir keliaukime namo.

– Per didelis atstumas... Reikės labai daug energijos. Sunaikinsim laivą... Reikėtų tokio dydžio ir tikslumo vartus atsidaryti išorėje.

– Visi pamatys, kad mes bėgame ir jei kas išgyvens ir žinią paskleis, nukentės mūsų reputacija. Dabar visi galvos, kad laivą tiesiog ištiko avarija.

– Tokį galingą flagmaną? Silukarų pasididžiavimą...

– Na, ir kas... Visko būna.

– Įgulą gelbėsim?

– Jie pamatys mūsų gimtąją planetą. Reikės pakeisti visų atsiminimus ir mąstymą. Be subtilaus pasirengimo tai gali sukelti įtarimus žemesnėms rasėms. Tam mes neturime nei laiko, nei atliekamų atskirų jėgų. O dabar – tiesiog avarija ir visi žuvo.

– Tik reikia paskubėti... Žvaigždė sprogsta...

– Gerai, kad priešai netrukdo. Galėtų mus visus sugauti ir ištyrinėti. Gal jie nesusiprotėjo?

– Po šiandienos spąstų jie man nepanašūs į kvailius. Manau, mus paleidžia specialiai...

– Aš irgi taip galvoju. Mėgina įbauginti.

– Nepavyks... Tačiau tikėtina, kad žlugo visi mūsų puolimai.

– Grįšim, pamatysim... Dabar nėra laiko. Sutinkate, kad reikia skelbti visuotinį pavojų rasei?

– Sutinku. Priešų per daug. Reikia mobilizuoti dešimtis tūkstančių mūsiškių. Kitaip jie užkariaus visą mūsų galaktiką ir mus sunaikins po vieną.

Žinoma, šio pokalbio jokie vėlesni istorikai neužfiksavo, o iš kur jis tapo žinomas Elenai, tebūnie paslaptis. Aukščiausiosios būtybės paspruko, armada nustojo egzistuoti, o daugelį žmonių dar ilgai graužė sąžinė už milijonus pražudytų gyvybių.

Andromedos ūkas. Dvarvų kontroliuojama erdvė

Silukarų flagmanas buvo išties milžiniškas. Žinoma, jei jo nelyginsim su kokia planeta, o apsiribosime sugretinimu su prie jo priartėjusiu dvarvų komandiniu kreiseriu. Flagmanas ne tik buvo didelis, jis buvo pats moderniausias, galingiausias, labiausiai apsaugotas tos karingos ir gausios rasės laivas. Jis vienas galėjo stoti į kovą su dešimčia tokių dvarvų komandinių laivų ir juos nugalėti, tačiau net šis gigantas neištvėrė to, ką jame padarė Aukščiausiosios būtybės. Tiesą sakant, laivas ištvėrė ir net sugebėjo apsaugoti pagrindinius savo energijos ir informacijos centrus, bet jo komanda neišgyveno. Fiziniai silukarų kūnai nebuvo pritaikyti didžiulėms perkrovoms ar siaučiančiai laive gaivališkai energijai. Ši rasė visuomet labiau pasitikėjo technika, apsaugančia fizinį būvį. Ir technika jų neapvylė... Maža to, laivas išliko, jis, padedamas tūkstančių remontinių robotų, tučtuojau ėmėsi skubaus remonto. Medicininiai robotai tuo metu ieškojo išlikusių gyvų, tačiau veltui klaidžiojo tarp atplyšusių straublių, nurautų ausų, rankų ir kojų ar sumaitotų stambokų, bet nepasižyminčių didžiule jėga kūnų. Gal tik vienas admirolas, buvęs labai apsaugotame komandiniame modulyje ir dar vienas kitas karininkas išvengė didžiulių išorinių sužalojimų, bet gyvybės neišsaugojo. Vėliausiai užgeso admirolas, taip ir nesulaukęs atskubančių medicininių robotų. Laivas pavėlavo ne tik išgelbėti savo vado, bet ir nesugebėjo suremontuoti apsaugos sistemų ir ginklų tam, kad galėtų sulaikyti prisigretinusius priešus. Kokiu intelektu bepasižymėtų laivo kompiuteris, tačiau jo disponuojami materialiniai ištekliai buvo riboti, o sužalojimai per daug dideli, kad būtų pašalinti labai greitai. Tad dabar jis tegalėjo bejėgiškai stebėti į laivą patekusius dvarvus, koridoriais artėjančius prie komandinio modulio.

– Galingas laivas, – prašneko dvarvas karys, šiuo metu naudojęsis geriausiai pritaikyta greitam judėjimui keturkojo padaro forma. – Sugebėjo atlaikyti žvaigždės sprogimo padarinius ir išlikti beveik sveikas.

– Manau, šitie sužalojimai kilo ne dėl žvaigždės sprogimo. Pagal turimus laivo duomenis, jis sugebėtų atlaikyti sprogimą ir net išsaugoti sužalotus, bet gyvus komandos narius, – atsiliepė šalia tursenantis inžinierius. – Kažkas atsitiko laivo viduje. Pagal mano prietaisų rodmenis galima labai nelogiška išvada, kad kažkas atidarė nedidelio diametro tolimojo šuolio vartus tiesiog laivo viduje. Nemanau, kad tai įmanoma.

– Kodėl gi ne? – atsiliepė aukšto, atletiško žmogaus formą pasirinkęs žvalgas. – Žmonės tai galėtų, bet niekuomet nedarytų, nes suprastų, kokia yra pražūtinga visiems įgulos nariams atsiradusi energija.

– Chrzas kaip visuomet įsimylėjęs žmones, – įsiterpė mąstytojas, nusprendęs, kad patogiausia bus judėti būnant visiškai apvaliam. – Tačiau šį kartą jis teisus. Jei aš teisingai suprantu, vartai pavojingiausi juos uždarant. Būtent tada visa atidarymui ir palaikymui skirta energija atsipalaiduoja ir pasklinda aplinkoje.

– Taip, – pritarė inžinierius. – Kuo vartai skirti tolimesniam persikėlimui, tuo daugiau energijos reikia juos atidarant ir suderinant, tuo daugiau energijos pasklinda jiems išnykus. Gaunami duomenys leidžia spręsti, kad šuolis buvo labai tolimas. Galbūt į kitą galaktikos kraštą.

– Negali pasakyti tiksliau?

– Neįmanoma, – papurtė tai, kas tuo metu jam atstojo galvą inžinierius. – Fiksuoju tik energijos likučius. Didžioji jos dalis buvo laivo absorbuota ar išsisklaidė aplinkoje.

– Taigi, ką mes turime? – reziumavo riedantis mąstytojas. – Aukščiausiosios būtybės nepasitikėjo laivo galimybėmis arba bijojo būti sučiuptos žmonių ir paspruko, sąmoningai pasmerkdamos mirčiai visą flagmano komandą.

– Nors galėjo visus išsivesti kartu... Būtent taip pasielgtų žmonės, – įsiterpė Chrzas.

– Gerai, pritariu, – tęsė mąstytojas. – Laivas tikrai unikalus ir gerokai galingesnis už viską, ką mes turėjome iki šiol.

– Labai praverstų mūsų karinėms pajėgoms, – šį kartą įsiterpė karys.

– Nepritariu, bet paaiškinsiu vėliau, – toliau kalbėjo mąstytojas. – Mes tuoj užvaldysime laivo kompiuterį, o jo įgula negyva ir sumaitota, nors galbūt išliko sveikų ir neseniai mirusių kūnų. Ką mums daryti toliau?

– Ištyrinėti laivą, – karštai pasiūlė inžinierius. – Nė vienas iš likusių armados laivų neištvėrė žvaigždžių sprogimų. Net ta dalis, kuri paspruko į baltosios nykštukės sistemą ir patyrė kiek mažesnį poveikį. Šitas atlaikė patį didžiausią smūgį ir jei ne poveikis iš vidaus...

– Na, gerai, – sutiko mąstytojas. – Nukopijuokite laivo informacinę sistemą, surinkite visą informaciją apie pagrindinius jo mazgus ir galėsite kartu su savo kasta gaminti tokius laivus patys. Kas toliau?

– Įtraukim laivą į mūsų pajėgas, – dar kartą pasiūlė karys.

– Kam? – nusistebėjo mąstytojas. – Kad ateityje visoms galaktikos rasėms atrodytumėme geriausiu atveju kaip maitvanagiai maitėdos, o blogiausiu – kaip šimtų tūkstančių, jei ne milijonų, mąstančių būtybių žudikai. Mums ir toliau reikės vykdyti savo misiją, o tai geriausia daryti nenuteikiant visų prieš save. Jei viskas klostysis kaip dabar, kalčiausios šioje istorijoje liks Aukščiausiosios būtybės. Kam mums dalytis su jomis kalte? Neracionalu. Galų gale pasinaudoję inžinierių gauta informacija, galėsime pagaminti dešimtis tokių, tik visiškai kito dizaino laivų.

– Kito dizaino tam, kad tie laivai atrodytų kaip mūsų išradimas? – pasitikslino Chrzas.

– Būtent, – sutiko mąstytojas. – O tu, žvalge, nieko nepasiūlysi?

– Turiu pora minčių, – linktelėjo galva Chrzas. – Jei rasime bent vieną neseniai mirusį ir nesumaitotą silukarą, galėsiu jas konkretizuoti.

– Ką gi, numatau tavo mintis, žvalge. Turiu pasakyti, kad idėja man patinka, nors reikėtų išgirsti ir detales. Inžinieriau, tik užvaldęs kompiuterį susisiek su žmonėmis ir paprašyk ką nors atvykti. Pasakyk, kad jiems gerai pažįstamas dvarvas Chrzas nori pasitarti dėl savo sumanytos misijos.

– Tu kaip visuomet mus visus pranoksti, – pagarbiai linktelėjo žvalgas mąstytojui. Tuo tarpu karys turseno tyliai svajodamas apie tai, kaip gera bus turėti savo pajėgose dešimtis tokių laivų. Jis net nesuprato, kad su tokiais laivais tiesiog nebus su kuo kariauti. Taiką tarp galaktikos rasių susirengė užtikrinti žmonės, akivaizdžiai taikydami į teisėjų vaidmenį. O kariauti su prabudusiaisiais šie laivai tiko ne daugiau nei paprastos gelbėjimosi valtys. Tačiau visa tai puikiai suvokė tiek žvalgas, tiek mąstytojas, o pastarasis dar pasidarė išvadas, kad žmonės kur kas labiau pasirengę konfliktui nei Aukščiausiosios būtybės. Svarbiausia, ką suvokė mąstytojas, apžiūrinėdamas silukarų lavonų liekanas, tai, kad karinius veiksmus bet kokiomis priemonėmis reikia perkelti iš dvarvų teritorijos toliau. Jis visiškai nenorėjo kada nors pamatyti taip sumaitotų tėvynainių. Jau ir taip dvarvai prarado dvi dešimtis laivų ir kelis šimtus savo rasės atstovų, kelias pilnas išteklių planetas. „Tegul dabar karo banga, lyg atsitrenkusi į pakrantės uolas, rieda atgal per diratų ir silukarų teritorijas“, – galvojo mąstytojas, svarstydamas apie numatomos žvalgo idėjos perspektyvas.

2031 metų gegužės 3 diena. Andromedos ūkas. Aukščiausiųjų būtybių planeta

Galingi kreiseriai, tiesiog aplipę plazminių pabūklų bokšteliais ir nusėti torpedų paleidimo angomis, tankia greta apsupo vienišą planetą. Atrodė, niekas negalės išgelbėti pasaulio, į kurį nusitaikė laivų pabūklai. Dvi kosminės tvirtovės, besisukančios aplink planetą tolimiausia orbita, tikrai nebuvo pajėgios pasipriešinti šimtams, o gal net ir tūkstančiui priešo kovinių kreiserių. Šūvis, antras, trečias... Planeta turi pradėti byrėti į gabalus... Tačiau nieko nevyksta. Kažkoks perregimas energijos skydas gaubia visą pasaulį ir neleidžia užtaisams net priartėti prie viršutinių atmosferos sluoksnių. Kreiseriai siunčia šūvį po šūvio, torpedą po torpedos, galiausiai panaudoja patį galingiausią ir pavojingiausią „Saulės ginklą“. Viskas veltui... Pagaliau laivynas įsitikina savo pastangų beprasmiškumu ir mėgina trauktis. Deja, tik mėgina... Pasirodo, jie jau apsupti priešų. Milžiniški, dešimtis kartų didesni už, atrodo, tokius galingus diratų kreiserius, žvaigždėlaiviai, visur knibždantys naikintuvai, tūkstančiais pakilę nuo planetos paviršiaus ir šimtai be jokių skafandrų laisvai kosminėje erdvėje nardančių būtybių nieko nelaukdami puolė įsiveržėlius, grasinusius jų pasauliui. Prasidėjo mūšis... Nors, tiesą sakant, mūšiu to pavadinti nelabai galima. Prasidėjo diratų laivų naikinimas. Iš karto dešimtimis. Sprogo kelios dešimtys naikintuvų, buvo rimtai apgadintas vienas iš milžiniškų laivų ir viena kosminė tvirtovė. Ir tai viskas... Daugiau priešas nuostolių nepatyrė. Tuo tarpu visas diratų laivynas tapo kosminių šiukšlių sambūriu, netvarkingai išsibarsčiusiu kosminiame vakuume.

– Viskas, nuo šio momento transliacija nutrūksta. Sprogo diratų flagmanas, žuvęs paskutinis. Kokios išvados? – šį kartą pokalbis vyko Bendrojoje Aukščiausiųjų būtybių sąmonėje ir, kitaip nei ankstesniame, juo susidomėjo ir dalyvavo kiek daugiau nei tūkstantis atskirų jėgų.

– Tai nėra gimtasis mūsų priešų pasaulis.

– Kodėl?

– Ar mūsų planeta apsaugota kosminėmis tvirtovėmis? Ar mūšyje mes naudotumėme nuo planetos paviršiaus pakylančius naikintuvus? Bet kokią priartėjusią eskadrą sunaikintumėme pasinaudodami pačios planetos vidine energija. Jie tokie patys kaip mes, tad kodėl turėtų elgtis kitaip?

– Gal planetoje liko mažai gynėjų?

– Šimto mūsiškių užtektų pasinaudoti visais gimtojo pasaulio energetiniais ištekliais. Jei nebūtumėme susidūrę su jais anksčiau, sakyčiau, kad tai gerokai silpnesnė rasė ir nesugebanti to, ką sugebame mes. Dabar taip sakyti negaliu. Jie atrėmė visus tris mūsų puolimus, meistriškai įviliojo į pasalą visą armadą, pademonstruodami puikią gynybą naikinant prieš demiurgų bazę pasiųstus asteroidus ir didelę jėgą sunaikindami diratų laivyną. Mes praradome visus kovoje dalyvavusius sąjungininkus, o jų sąjungininkų nuostoliai tiesiog niekingi. Ką tai reiškia?

– Kad tai jauna ir įgudusi kariauti rasė.

– Kodėl jauna?

– Su pademonstruotomis galiomis jie negalėjo turėti priešininkų tarp kitų rasių. Vadinasi, kurį laiką jie kariavo arba tarpusavyje, tai įmanoma tik retais atvejais kai kurių rasių vaikystėje, arba su kita galinga rase. Jei kariauta su kita galinga rase, tas karas baigėsi tik neseniai, nes mūsų priešai neprarado kovinių įgūdžių. Vienoje galaktikoje negali ilgai egzistuoti ir viena kitos nepažinti dvi tokios pat galingos rasės. Išvada: mūsų priešai dar visiškai neseniai tapo kaimyninės galaktikos valdovais ir dar visiškai neseniai pakilo į žvaigždes ir pasiekė savo rasės jaunystės amžių.

– Taigi. Jie jauni, energingi ir jų daug. Be to, jie gina savo sąjungininkus. Manau, visi su manimi sutiksite, kad haratai – nėra mūsų priešai, o tik vieni iš jų sąjungininkų.

– Tokiu atveju besikeičiantysis sąmoningai apsimetė suklydęs ir apgavo Rahamnavurą.

– Išvados logiškos. Pripažįstu, kad buvau apgautas. Anksčiau jokia rasė prieš mus nenaudojo tokios gudrybės, – nuskambėjo kaltę pripažįstančio, jau mums gerai pažįstamo piloto mintys.

– Nesvarbu... Visi būtumėme apsigavę. Reikia įsidėmėti tokią gudrybę. Išvada: mūsų priešų sąjungininkai savo noru aukojasi dėl jų. Tokio efekto mes nesugebėjome pasiekti.

– Kodėl savo noru?

– Besikeičiančiųjų neįmanoma paveikti. Jie miršta pajutę mentalinę prievartą.

– Kiek yra tų paslaptingų priešų? – nuskambėjo vieno iš neseniai prisijungusiųjų mintis.

– Mano apskaičiavimu, ne mažiau kaip dvidešimt penki tūkstančiai.

– Taigi, ką mes žinome?

– Mūsų priešų ganėtinai daug, ne mažiau kaip dvidešimt penki tūkstančiai, bet gali būti ir gerokai daugiau. Jie jauna ir energinga rasė, ir tai leidžia manyti, kad jų netgi daugiau nei mūsų. Jie turi daug keistai ištikimų sąjungininkų. Jei tikėtume besikeičiančiojo žodžiais, kad įgytų sąjungininkų, jiems net nereikia naudoti mentalinės prievartos. Jie neabejotinai valdo savo galaktiką ir jau įžengė į mūsų, visiškai kontroliuodami besikeičiančiųjų erdvę. Ir dar... Jie puikiai žinojo mūsų planą.

– Ateities numatymas?

– Abejoju... Tiksliai ateitį numatyti beveik neįmanoma. Yra keletas mūsiškių, gebančių jausti, kaip pasisuks vienas ar kitas įvykis, bet ne tiksliai numatyti. Aš jau susisiekiau su vienu iš jų, paaiškinau situaciją, bet gavau atsakymą, kad žaidimai jo nedomina. Be to, ir likę faktai nerodo, kad mūsų priešai gali taip aiškiai numatyti ateitį.

– Koks kitas variantas?

– Išdavikai tarp mūsų sąjungininkų?

– Išdavikai, paaukoję visus savo laivus ir jų įgulas. Nelogiška...

– Sutinku. Vadinasi, šiuo klausimu mums trūksta informacijos.

– Mums apskritai labai trūksta informacijos. Mes, pasirodo, taip ir nežinome, koks mūsų priešų rasės pavadinimas, kur jų gimtojo pasaulio buvimo vieta, kiek jų yra, kokios jų galios ribos. Su turima informacija karo pradėti negalime.

– Sutinku, o ankstesnis informacijos surinkimo būdas pasirodė labai neefektyvus. Gautos žinios nėra vertos patirtų nuostolių. Ką darom?

– Gal derybos?

– Nesutinku. Parodysime savo silpnumą. Dviejų valdančių rasių galaktikoje būti negali, o jie akivaizdžiai įžengė į mūsų teritoriją ir mėgina užgrobti valdžią.

– Vasinasi, kariaujam, – suošė šimtai minčių vienu metu.

– Tik ne taip, kaip iki šiol. Reikia pritraukti kuo daugiau mūsiškių. Ne mažiau kaip dešimt tūkstančių... Turime suformuoti nuolat veikiančią grupę, kuri puldinėtų mūsų priešus ir bandytų išsiaiškinti jų galios ribas.

– Kiek atskirų jėgų joje turėtų būti?

– Manau, apie du šimtus. Kiti turi visas pastangas skirti mūsiškių telkimui ir karo strategijos rengimui. Rahamnavurai, gal gali pasiimti į pagalbą porą atskirų jėgų ir pasiaiškinti su mūsų sąjungininkais. Gal vis dėlto buvo išdavystė?

– Nuo kurių pradėti?

– Iš eilės. Pradėk nuo diratų...

Ilgai dar vyko pokalbis, kuriame buvo siūlomos ir atmetamos įvairios strategijos. Kelios Aukščiausiosios būtybės juo susidomėjo ir prisijungė prie karštų aptarimų jau jiems įpusėjus. Ir tik viena, kaip jie save vadino, „atskira jėga", klausiusi diskusijų beveik nuo jų pradžios, liūdnai šyptelėjo ir sušnibždėjo: „Tiek švaistoma energijos tam, kad sužinotų tai, kas ir taip žinoma... Vaikiška. Gal susisiekti su tais prabudusiais žmonėmis ir jiems viską papasakoti? Tačiau jie nepatikės ir vis tiek sieks surasti žinių savo jėgomis. Tegul... Tegul jie dar pažaidžia. Juk jie faktiškai tik išaugo iš savo vaikystės. Tegul maištauja, mėgina išsilaisvinti. Tik kokia viso to prasmė? Na, suras jie tuos savo „lėlininkus", na, sukels „šachmatų figūrų maištą" ir kas iš to? Sužinos tai, ką sužinotų kiek vėliau. Nors... Gal būtent toks veržlumas ir siekis viską sužinoti kuo greičiau ir leis išlikti jų rasei net tada, kai apie mus visi bus pamiršę? Gal... Tai dabar nesvarbu." Aukščiausioji būtybė atsijungė nuo Bendrosios sąmonės ir pasinėrė į patį svarbiausią savo gyvenimo atradimą ir darbą. Ji visiškai neseniai, tik prieš kelis šimtmečius, atrado ištisą visatą savyje ir dabar tenai kūrė protingas rases. Kūrė iš savo minčių, svajonių, vilčių ir tikėjimo, baimių, pykčio, gėrio ir žinių. Ji darė tai, ką šioje visatoje mes priskiriame Dievui. Jums įdomu, kas buvo ta Aukščiausioji būtybė, net nesirengianti prisidėti prie naujos savo rasės kovos? Tai buvo viena iš tų, gal kiek aiškiau ateitį reginčių, atskirų jėgų.

Chrzas negalėjo nustygti vietoje nuo užplūdusių emocijų. Jau nuo tada, kai tik išgirdo, kad pasikalbėti su juo atvyks pats Ardas su keliais palydovais, jis visą laiką leido prie laivo apžvalgos ekranų.

– Kodėl jie nesinaudoja erdvės šuolio vartais? – paklausė jis netoliese buvusio mąstytojo, bandydamas kaip nors pratempti likusį iki susitikimo laiką.

– Tai akivaizdu, – nustebo mąstytojas, šį kartą pasirinkęs daugiarankės ir dvigalvės būtybės formą. – Žmonės turi patys savo akimis pamatyti tą vietą, į kurią rengiasi atidaryti šuolio vartus. Jokia filmuota medžiaga ar pateikta koordinačių sistema negali jiems užtikrinti absoliutaus tikslumo. Negalėdami atidaryti vartų be paklaidos erdvėje, jie bijo pakenkti mums. Tad žmonės šoktelėjo iki artimiausios jiems žinomos jau užfiksuotos vietos, tinkamos vartams atidaryti, ir iš ten atvyksta greitaeige valtimi. Tuoj jie bus čia. Va, žiūrėk, – parodė mąstytojas viena iš savo rankų. – Štai ir jie, artėja prie mūsų flagmano. Inžinieriau, susisiek su jais ir perduok, kad mes esame silukarų žvaigždėlaivyje. Tegul skrenda čionai. O tu, žvalge, kulniuok prie šliuzo ir pasitik savo draugus. Matau, kad nerimsti vietoje, ir tai mane kiek stebina. Nesi tipiškas dvarvų rasės atstovas. Nors, kita vertus, jau senokai savo veiksmais parodei, kad esi kitoks nei likę dvarvai. Gerai tai ar blogai, nežinau. Laikas parodys, – paskutinius žodžius mąstytojas ištarė pats sau, kadangi Chrzas jau buvo nuskubėjęs pasitikti atvykstančių svečių. Tiesą sakant, mąstytojui ir nelabai reikėjo klausytojų. Chrzo išskirtinumas jam suteikė peno apmąstymams, o tai leido bent trumpam pasijusti laimingam.

• • • • •

– Sveikas, bičiuli, – tvirtai apkabino Ardas jį pasitinkantį Chrzą. – Kaip laikaisi? Senokai apie tave nieko negirdėjau. Kaip tavo medžių tyrinėjimai?

– Malonu, kad prisimeni, – išsišiepė iki ausų žvalgas, patenkintas, kad Ardas prisimena net ankstesnių pokalbių smulkmenas. – Nelabai man ten patiko, per daug laiko tuščiai pro šalį eina. Pabendravęs su tavimi, pasidariau kažkoks nerimstantis ir energingas.

– Nemanau, kad tai blogai, – šyptelėjo dvarvui Ardas. – Vadinasi, esi kupinas jėgų. Spėsi dar nieko neveikti ir pailsėti. Kai pavargsi... Atleisk, nepristačiau tau savo palydovų. Būk pažįstamas – tai Loreta, – kalbėdamas Ardas privedė žvalgą prie jį atlydėjusių žmonių. – Ji viena iš stipresnių ir labai kompetentingų prabudusiųjų, – išgirdusi šį nelauktą įvertinimą Loreta net paraudo. – O štai čia, – palaukęs, kol Chrzas ir Loreta pasisveikino, parodė Ardas į netoliese stovintį Demetrijų. – Tai nuostabus asmuo, savyje suderinęs geriausias žmogaus ir demiurgo savybes. Aš labai džiaugiuosi, kad jis sutiko mums padėti ir atlydėjo mane iki Jūsų. – Demetrijus net išplėtė iš nuostabos akis, išgirdęs tokį nuoširdų jo asmens pristatymą. „Svarbiausia, kad jis taip ir galvoja. Keistas jausmas... Kaip gera ir nuostabu, kai išgirsti, jog tave taip gerai vertina tokia legendinė asmenybė kaip Ardas. Šaunus žmogus... Nenuostabu, kad jis visur susiranda draugų...“ – galvojo Demetrijus, žiūrėdamas į Ardą ir klausydamasis jo žodžių.

– Na, vaikine, – po savo palydovų pristatymo Ardas vėl kreipėsi į Chrzą. – Parodyk mums, kokį čia laivą turite, ir nuvesk pas tą Jūsų mąstytoją. Papasakosite, ką nuostabaus sumąstėte...

• • • • •

Mąstytojas, pasikeisdamas su žvalgu, ilgai aiškino neseniai kilusią idėją ir jos įgyvendinimo smulkmenas, o žmogus atidžiai klausėsi, retkarčiais užduodamas vieną kitą klausimą.

– Įdomu, tikrai įdomu, – galų gale linktelėjo Ardas, išklausęs visus paaiškinimus. – Sėkmės atveju silukarai taps mūsų sąjungininkais daugiau nepraliejus nė lašo kraujo. Tačiau nesėkmės atveju...

– Aš prisiimu visą riziką, – įsiterpė Chrzas. – Žvalgai visuomet rizikuoja vykdydami užduotį...

– Juolab kad misijai pasisekus, galimo karo veiksmai bus vykdomi labai toli nuo dvarvų teritorijos, – šyptelėjo Ardas, parodydamas, kad jis suprato net tai, ko dvarvai jam nesakė.

– Tuo labiau, – linktelėjo mąstytojas viena iš savo galvų, net nebandydamas apsimetinėti ir neigti pagrindinio siūlomos misijos tikslo.

– Blogai tik tai, kad mes rizikuojame Chrzo gyvybe. Visi puikiai žinote, kas nutiks žvalgui, jeigu jis paklius Aukščiausiajai būtybei į rankas, – ramiai dėstė Ardas. – Vadinasi, misiją atliekančiam dvarvui reikės, pirma, apsaugos, o antra, – patarimų. Tiek vienam, tiek kitam geriausiai tinka prabudę žmonės. Geriausia, jei kartu su Chrzu galėčiau vykti aš pats, tačiau negaliu palikti neužbaigto darbo su diratais. Kai tik pabaigsim pokalbį, iš karto vyksiu atgal į Diratų konfederaciją. Taigi, reziumuoju: aš sutinku su Jūsų pasiūlymu, pritariu dvarvų nuogąstavimams dėl galimų būsimo karo baisybių, bet kartu su Chrzu į šią misiją siunčiu du savo palydovus, kuriuos Jums jau pristačiau. Jų užduotis bus stebėti įvykius, prireikus padėti žvalgui patarimais, užtikrinti nuolatinį ryšį su prabudusiaisiais ir, svarbiausia, saugoti Chrzą.

– Kaip jie gali vykti kartu? – nustebo mąstytojas. – Žmonės negali pasirinkti kitų formų.

– Jiems ir nereikia, – atsainiai mostelėjo ranka Ardas. – Abu Chrzo palydovai sugebės veikti silukarų smegenis taip, kad liktų šiems nematomi ir iškreipti erdvę aplink save, kad jų nefiksuotų silukarų technika. Pavojus būti pastebėtiems kils tik tuomet, jei Chrzas ir jo palydovai susidurs su Aukščiausiąja būtybe. Tuomet jie kviesis pagalbą. Be to, Demetrijus su Loreta galės reikiamai paveikti labiausiai užsispyrusius ir nenorinčius klausytis logikos balso silukarus.

„Pasirodo, mes labai daug ko nežinome apie žmones ir jų gebėjimus, – svarstė mąstytojas, klausydamasis žmogaus žodžių. – Akivaizdu, kad Ardas viską suprato ir numatė dar prieš mūsų pokalbį.“ Tuo tarpu Demetrijus tuo pačiu metu mąstė apie tai, kaip gudriai ir subtiliai jis buvo įtrauktas į patį karinių veiksmų sūkurį. „Dabar jau vėlu ką nors pakeisti. Neprotinga būtų pasirodyti nelojaliu ir atsisakyti užduoties“, – svarstė demiurgas, dar išlikęs Demetrijaus asmenybėje. Tuo tarpu žmogus jame svarstė, kad jis niekuomet neleistų į tokią pavojingą misiją vienos Loretos, o be to, dar ir slapta džiūgavo, pajutęs kažkokį sunkiai paaiškinamą artėjančių nuotykių troškimą.

• • • • •

– Elena, gal padarom kelių minučių pertrauką? – pasinaudojęs pauze pasakojamoje istorijoje, prašneko sekretorius. – Labai pirštai pavargo. Noriu šiek tiek juos pailsinti. Gal geriau papasakok, kaip tapai prabudusiąja.

– Kaip ir dauguma pirmos ir antros bangos prabudusiųjų, – šyptelėjo moteris. – Eduro planetoje, prižiūrima Tomo. Gal tave labiau domina, kodėl aš nusprendžiau atsisakyti ankstesnio gyvenimo? – pasitikslino Elena ir, pamačiusi patvirtinantį sekretoriaus linktelėjimą, tęsė: – Aš anksčiau buvau visiška nepritapėlė ir maištininkė. Man viskas nusibosdavo. Visą laiką norėjau kažko naujo ir visuomet ieškojau kažko neapsakomo – gal harmonijos, o gal tikslo. Išbandžiau daugybę užsiėmimų, turėjau begalę įvairiausių draugų, bet niekas manęs netenkino. Tada nusprendžiau pabandyti įstoti į prabudusiųjų gretas. Tuomet dar nesuvokiau, kad atgal kelio neturėsiu, o prabudusieji to labai ir neakcentavo. Ką tik buvo pasibaigęs karas su haratais ir jie vykdė labai aktyvią reklaminę kampaniją, siekdami kuo daugiau pritraukti talentingų ir išsilavinusių žmonių į savo gretas. Pirmiausia tokių, kurių prabudimas būna spartesnis. Na, štai ir visas pasakojimas. Nuėjau, užsirašiau, mane patikrino ir pripažino tinkama. Nuo tada gyvenu visiškai kitokį gyvenimą. Ir žinai, aš esu labai laiminga, kad po ilgų dvejonių pasiryžau tapti išsigimėle, kaip tuo metu dažnai vadino prabudusiuosius. O kaip gi tu?

– Aš? – perklausė sekretorius, norėdamas surikiuoti mintis. – Aš kaip ir daugelis... Žinai, neturėjau ko prarasti. Nepritapdavau prie jokios kompanijos, bet ne taip kaip tu. Jokia jėga manęs nestūmė į priekį, negalvojau apie jokį tikslą. Tiesiog buvau „priplaukęs“, ir tiek. Kažkoks net ne svajotojas, bet apdujęs, taip ir nesuprantantis, ko noriu iš gyvenimo. Įsivaizduoji, per klasės susitikimą, praėjus dešimčiai metų po mokyklos baigimo, sugebėjau garsiai pasakyti, kad neatsimenu nieko, kas buvo mokykloje, nes tada viskas buvo tik blogai. Svarbiausia, kad tuo metu aš tikrai taip galvojau ir nesugebėjau suprasti, kokią didelę nesąmonę pasakiau. Kiekviename gyvenimo etape buvo gerų ir blogų dalykų. Nesmagu dabar sakyti, kad man taip ir nepavyko iki pat prabudimo pažinti savęs. Galiausiai vieną dieną atsimerkiau ir suvokiau, kad neturiu nieko brangaus, nieko, kas man teiktų didžiulį džiaugsmą ir ką nuoširdžiai branginčiau. Tad man nesunku buvo visko atsisakyti ir pasiprašyti į prabudusiųjų gretas. Žinai, reikalavimas atsisakyti bet kokios nuosavybės ir ryšių, buvusių iki prabudimo, atbaido labai daug pretendentų. Niekaip anksčiau nesupratau, kam toks reikalavimas buvo būtinas. Dabar suvokiu... Prabudimas – tai visiškai kitokio gyvenimo pradžia. Kitas mąstymas, kiti poreikiai, kiti gebėjimai ir kita atsakomybė. Kažkodėl tampa visiškai nebeįdomi asmeninė nuosavybė. Žinai, tas faktas, kad kiekvienas prabudusysis gali naudotis viskuo, kuo disponuoja visa bendrija, man primena komunizmą.

– Iš kiekvieno pagal gebėjimus, kiekvienam pagal poreikius, – šyptelėjo Elena.

– Būtent taip ir yra. Pinigų yra, bet jie priklauso visai prabudusiųjų bendruomenei. Tačiau sykiu jie priklauso ir man. Aš galėčiau šiandien pat nusipirkti brangiausią ir ištaigingiausią namą pačioje nuostabiausioje Žemės vietoje, bet manęs tai visiškai nedomina. Manęs nebežavi mintis, kad kažkoks daiktas priklauso man ir tiktai man. Turbūt dėl mūsų bendrumo jausmo, būdamas Žemėje, noriu gyventi netoli kitų prabudusiųjų ir man užtenka paprasto butelio būstinėje. Reikia kur nors nuvažiuoti, pasiimu bet kurį bendruomenei priklausantį automobilį, stovintį prie būstinės, ir važiuoju... Viskas taip paprasta, bet, kita vertus, labai sudėtinga.

– Kodėl sudėtinga? – Elena smalsiai klausėsi sekretoriaus minčių. Pati ji jau seniausiai viską suvokė, tačiau jai patiko stebėti, kaip tiesiog akyse vyksta prabudimo procesas ir kaip tobulėja vienas iš jaunesnių ir silpniausių prabudusiųjų. Tiesą sakant, Elena dar gerai prisiminė diskusijas, kilusias sprendžiant klausimą dėl sekretoriaus priėmimo į prabudusiųjų tarpą. Tada Johanas, atsakingas už naujų narių verbavimą, išreiškė labai skeptišką nuomonę dėl šito vaikinuko. Kiti abejojo, ir jei ne atsitiktinai tuo metu Žemėje buvusi Regina ir jos susidomėjimas kilusia diskusija, vaikinas tikrai nebūtų tapęs prabudusiuoju. Regina sugebėjo jame įžvelgti potencialą, o jos autoriteto ir žodžio pakako, kad iš karto nurimtų bet kokios diskusijos.

– Pasirodo, komunizmas, kuris tiesiog neįmanomas tarp paprastų žmonių, tampa natūralia santvarka tarp prabudusiųjų, kurie, galima sakyti, jau gyvena visiškai kitu lygmeniu. Elena, o kodėl ne visi žmonės gali prabusti?

– Geras klausimas, – šyptelėjo Elena. – Su šiuo fenomenu pirmą kartą susidūrėme prieš beveik dešimt metų. Hansas ilgai jį tyrinėjo ir Bendrojoje sąmonėje yra jo išvados, bet aš tau papasakosiu. Pasirodo, ne visus žmones Žemė veikia vienodai. Yra žmonių, kurie pačioje Žemėje tiesiog balansuoja ant prabudimo slenksčio ir jiems reikalingas menkiausias stumtelėjimas, kad prasidėtų visas procesas. Tokie žmonės iš aplinkinių išsiskiria kaip labai ryškios, gabios, stiprios ir įdomios asmenybės. Jų neįmanoma nepastebėti. Jie matomi bet kokioje kompanijoje ir bet kurioje aplinkoje. Apie tokį žmogų niekuomet nepasakysi, kad jis „paprastas“ ar „pilkas“. Atsidūrus už Žemės poveikio ribų, jų prabudimas vyksta tiesiog šuoliais.

– Pavyzdžiui, Ardo?

– Taip, pavyzdžiui, Ardas, bet ne vien jis. Yra dar Hansas, Regina ir kai kurie kiti. Tačiau yra ir kitokių žmonių. Tokių, kuriuos Žemė veikė ypač neigiamai ir negrįžtamai. Tie žmonės ne tik kad naudojasi gerokai mažesniu smegenų kiekiu, jie net praradę savo vidinį aš.

– Jie nebesuvokia savęs?

– Būtent, jie visą laiką skendi rūke ir nesugeba skaidriai ir aiškiai mąstyti. Kitais žodžiais, tokie žmonės neturi vidinės savo dalies, vadinamos siela, o tiesiog tėra paprastas fizinis apvalkalas su pagrindiniais instinktais ir proto užuomazgomis. Tačiau, įdomiausia, tokių individų vaikai nebūtinai bus tokie patys kaip jie. Tiesa, taip būna dažniausiai, bet ne visuomet. Retkarčiais net tikrai niekam tikusiems asmenims gimsta labai šviesios asmenybės, kuriose atsikartoja ne jų gimdytojų, bet tolimų protėvių, o kai kada ir net pirmųjų žmonių genai. Tad Hanso pasiūlymu prabudusieji stebi visus Lietuvos gyventojus ir iš visiškai degradavusių tėvų išperka kūdikius, teikiančius didelių vilčių. Tada jie auginami pas specialiai parinktus įtėvius, gauna puikų išsilavinimą, o sulaukę dvidešimt vienerių galės apsispręsti, kokį kelią rinktis toliau. Na, bet apie tai galėsi susirasti žinių Bendrojoje sąmonėje. Gal jau pailsėjai ir galime tęsti toliau?

– Žinoma, – linktelėjo sekretorius. – Diktuok...

• • • • •

2031 metų gegužės 8 diena. Andromedos ūkas. Diratų konfederacija

Pirmi įtarimai pilotui ir jo palydovams kilo dar skrendant savo nediduku laiveliu pro didžiausias Diratų konfederacijos planetas. Jie sutiko akivaizdžiai per daug karinių diratų laivų, keliaujančių savo bazių link. Žinoma, Aukščiausiosios būtybės galėjo atsidaryti šuolio vartus tiesiai į konfederacijos planetą – sostinę, kur jų jau laukė visi Diratų konfederacijos tarybos nariai, tačiau pasirinko ilgesnį, bet gerokai informatyvesnį kelią. Tikrai ne be reikalo... Diratų kosminės pajėgos nei pilotui, nei jo bendrakeleiviams nepasirodė praretėjusios.

– Kodėl taip yra? – klausė Rahamnavuras savęs ir savo palydovų.

– Gal mes anksčiau klaidingai įvertinome diratų pajėgas?

– Abejotina... Tiek jų rasės valdytojų minčių skenavimas, tiek informacinės sistemos kontrolė mums pateikdavo aiškius ir nedviprasmiškus duomenis. Vertindami jų karines pajėgas, galėjome apsirikti maksimaliai šimtu laivų, bet tikrai ne visu tūkstančiu.

– Tai gal mes sutikome ne diratų laivus?

– Neįmanoma... Atpažinimo ženklai, laivų forma ir ginkluotė rodo jų aiškią priklausomybę šiai rasei.

– Gal tuomet diratų laivai nežuvo mūšyje? – pirmas tokią prielaidą išsakė Rahamnavuras.

– Neįmanoma... Mes viską stebėjome transliacijos įraše...

– Gal jis nebuvo tikras?

– Vadinasi, visa diratų rasė perėjo į priešų pusę ir mus išdavė. Kitaip tokia klastotė neįmanoma...

– Mes matėme, kad diratų laivynas tikrai išvyko į jiems nurodytą paskirties vietą. Buvo transliuojama būtent iš tos vietos. Vadinasi, jie tenai atvyko. Tam, kad mūšis neįvyktų, o mums būtų pateiktas iš anksto suklastotas įrašas, diratai su priešais turėjo dar gerokai anksčiau sudaryti sąjungą. Tai sunkiai tikėtina...

– Kodėl?

– Mintis apie tokią sąjungą mes būtumėme aptikę bendraudami su jų rasės atstovais.

– Manai, žinios apie tai turėjo pasklisti tarp visų rasės individų?

– Bent jau tarp viso vadovaujančiojo personalo.

– O gal tai tik kelių labai iniciatyvių ir turinčių puikių organizacinių gabumų asmenų sąmokslas ir išdavystė?

– Gerokai didesnė tikimybė, kad mes anksčiau suklydome vertindami diratų pajėgas ir be reikalo įtarinėjame juos tokio masto išdavyste.

– Galbūt... Tačiau jei mes klystame, mūsų jau laukia priešų pasala.

– Mažai tikėtina. Bet kokiu atveju privalome vykti susitikti su tarybos nariais ir viską išsiaiškinti. Jei išsipildys blogiausi įtarimai, du turės atlaikyti puolimą, o trečias atidarys vartus.

– Tik sutariam, kad vartus atidarysim ne namo.

– Kad neatsektų?

– Taip, kad neatsektų. Vartus atversim į E5.

– Buvusi jaunimo treniruočių planeta?

– Taip, buvusi jaunimo treniruočių planeta. Kol pas mus dar buvo jaunimo...

Andromedos ūkas. Silukarų imperija

„Žmonės turbūt niekuomet nenustos manęs stebinti. Jie retai ką daro iš lėto, prieš tai labai gerai apgalvoję. Kol kas, kiek stebėjau prabudusiuosius, viskas vyksta labai greitai ir ne mažiau efektingai. Štai kad ir istorija su dvarvais ir silukarais. Demiurgai panašiu atveju iš pradžių viską nuosekliai apsvarstytų ir vis tiek niekuomet taip nepasitikėtų kitos rasės atstovais, kaip tai padarė Ardas. Anksčiau aš būčiau kalbėjęs apie įgimtą žmonių impulsyvumą ir panašiai, tačiau dabar suprantu, kad prabudusieji per šiuos penkiolika savo egzistavimo metų sukaupė daugiau informacijos apie svetimas rases nei demiurgai per tūkstantmečius. Ardas, palaiminęs misiją, nesielgė nei impulsyviai, nei neapgalvotai. Jis sąmoningai parodė didžiulį pasitikėjimą dvarvais, o mane su Loreta skyrė ne prižiūrėti ir vadovauti, o saugoti žvalgą, taip pademonstruodamas Chrzo gentainiams, kokie jie yra vertinami ir svarbūs. Žaliojo rato demiurgai gal ir galėtų sugalvoti panašų diplomatinį manevrą, bet tikrai ne taip greitai ir efektingai, kaip tai padarė Ardas. Tiesą sakant, turiu pripažinti, kad žmogaus pasitikėjimas dvarvais buvo visiškai pagrįstas. Tie vaikinai dirbo tiesiog stulbinamai efektyviai. Per kelias dienas inžinieriai visiškai perprogramavo silukarų flagmano informacinę sistemą ir įdiegė joje klaidingus duomenis apie kapitono likimą. Chrzas šiek tiek užtruko, kol surinko visą persikūnijimui būtiną informaciją ir paskui tapo tokia tikslia kapitono kopija, kad jį galėjo išduoti tik išsamus mentalinis skenavimas. Kiek supratau iš pokalbio su žvalgu, jam nepavyko iš silukaro lavono ir laivo informacinės sistemos išgauti išsamios informacijos apie pamėgdžiojamo objekto asmeninį gyvenimą. Manau, kad ši problema bus nesunkiai išsprendžiama. Padės versija apie dėl Aukščiausiųjų būtybių atidarytų laive šuolio vartų nukentėjusią kapitono smegenų dalį. Jei kas nors iš silukarų išsamiau pradės domėtis Chrzo demonstruojamu užmaršumu, įsikišime mes su Loreta. Vienu žodžiu, aš manau, kad misija tiesiog pasmerkta sėkmei. Galiausiai dvarvui tereikia pakliūti audiencijos pas imperatorių, o tada... Šiek tiek subtilaus apdorojimo ir visa Silukarų imperija bus mūsų pusėje. Įdomu, o kas bus toliau? Kad tik jiems paskui netektų už sąjungininkų pakeitimą sumokėti labai didelės kainos. Gerai, jau gerai... Čia demiurgas manyje prašneko. Svarbiausia, kad šneka ir pats netiki tuo, ką sako. Dar niekada žmonių sąjungininkais tapusios rasės nepasigailėjo dėl tokio savo poelgio ir nenusivylė prabudusiaisiais. Kodėl šis atvejis turėtų būti kitoks? Taigi, dabar mes laive trise. Aš, Loreta ir Chrzas. Kiti dvarvai misijoje nedalyvauja. Gerai, kad silukarai pastatė tokį nuostabų laivą, kuriam pakako kelių į informacinę sistemą įvestų komandų, kad sėkmingai sugrįžtų į imperijos sostinę, iš kurios pakilo atlikti jo įgulą pražudžiusio žygio.“ Nedidelis krestelėjimas, rodantis, kad laivas prisišvartavo prie aplink planetą skriejančios kosminės stoties, atkreipė Demetrijaus dėmesį. Jis linktelėjo galva, lyg atsakydamas į savo paties užduotą klausimą, užrašė dienoraštyje paskutinius žodžius ir nuskubėjo į komandinį modulį, kur jo jau laukė Chrzas su Loreta. Jei kam smalsu, paskutiniai užrašyti žodžiai skambėjo taip: „Atvykome... Nuotykiai prasideda.“

Žemės planeta. Vilniaus miestas. Parbudusiųjų būstinė

Hansas, patogiai įsitaisęs ant sofos, skaitė. Paskutiniu metu jis retai galėjo sau leisti ramiai savo malonumui paskaityti. Darbas vijo darbą, įvykis sekė įvykį. Ardas užsiėmė diratais, Teromijus rengė kovines prabudusiųjų pajėgas, kiti vykdė savo užduotis, todėl visi administraciniai ir vadovavimo rūpesčiai užgulė Hanso pečius. Štai ir dabar tik atrodė, kad jis visiškai atsipalaidavęs ir tiesiog skaitinėja knygą. Iš tiesų Hansas tuo pat metu buvo prisijungęs prie Bendrosios sąmonės ir laukė... Laukė Ardo šauksmo, kviečiančio skubėti draugui į pagalbą. Savo ruožtu Hanso ženklo laukė dar dešimt, asmeniškai Teromijaus atrinktų, prabudusiųjų, gebančių gerai kautis tiek naudojant fizinės kovos ypatumus, tiek vidinę energiją ar mentalines galias. Įsitaisę netoliese, jie užsiėmė savo reikalais, bet buvo kiekvieną sekundę pasirengę viską mesti ir keliauti.

„Nebloga maginės fantastikos knygutė, – galvojo Hansas, dar kartą perskaitydamas rankose laikomos knygos pavadinimą. – „Kaulų šokis“ – idėja apie nekrosrautą tikrai verta dėmesio, nors jau nebe nauja. Atsimenu, vienas mano dar iš senų laikų pažįstamas fizikas Meaney bandė tirti panašią teoriją, bet jam nieko neišėjo...“ Staiga buvusio detektyvo mintys apie knygą nutrūko. Jis išgirdo tai, ko su tokiu, nors išoriškai visiškai nepastebimu, nekantrumu laukė. Jis išgirdo Ardo kvietimą. Metęs knygą į šoną, Hansas nežymiu rankos judesiu atvėrė šuolio vartus ir mostelėjo jau išsirikiavusiems palydovams. Vienas po kito žmonės žengė pasitikti priešo. Paskutinis persikėlęs Hansas iš karto užvėrė šuolio vartus, sugerdamas į save visą jų energiją, ir atsargiai apsidairė. Viskas vyko taip, kaip jiedu su Ardu ir tikėjosi...

Andromedos ūkas. Diratų konfederacija

Iš priešais Konfederacijos tarybos rūmus nusileidusio laivelio išlipusios trys Aukščiausiosios būtybės įtariai stebėjo aplinką, bet nieko pavojingo neaptiko.

– Žiūrėkit, visa taryba susirinko kieme ir mus pasitinka.

– Pagarbos ženklas...

– Galbūt, o gal dėmesį atitraukiantis manevras.

– Abejoju. Būtų per daug primityvu. Priešų nesimato?

– Kol kas ne...

– Manau, kad mūsų įtarimai buvo nepagrįsti.

– Gal, bet dar neskubėkime su išvadomis, – taip besišnekučiuodamos Aukščiausiosios būtybės prisiartino prie kieme išsirikiavusių ir pagarbiai jų laukiančių diratų. Dar beeidami jie pasidalijo darbus. Pilotas turėjo kalbėtis su tarybos nariais, o likę du jo palydovai pasirengė skaityti visų tarybai priklausančių diratų atsiminimus ir mintis.

– Tebūnie pasveikinti diratų valdytojai, – pradėjo kalbą pilotas. – Sekite paskui mus į rūmus, kur aptarsime porą svarbių klausimų.

– Gal neverta eiti į rūmus? – pasigirdo netikėtas atsakymas. Tai, kas vyko toliau, buvo akivaizdus seniai nusistovėjusių tradicijų laužymas. Diratai, tarp kurių buvo ne tik tarybos narių, bet ir karių, priklausančių rūmų apsaugai, plačiu ratu apsupo atvykėlius. Tai nustebino ir šiek tiek erzino, bet neišgąsdino Aukščiausiųjų būtybių. Užtektų vieno piloto rankos mostelėjimo, kad visos „žemesnės gyvybės formos“ kristų negyvos šimto metrų spinduliu. Pavojų Aukščiausiosios būtybės pajuto tada, kai suprato, kad nebegali lengvai skaityti diratų minčių. Kažkas saugojo visus čia susirinkusius čiabuvius nuo atvykėlių mentalinės įtakos.

– Jūs, niekingi kirminai, – sugriaudėjo Rahamnavuro balsas, privertęs diratus krūptelti, bet nesunaikinęs jų nebylaus ryžto priešintis. – Manote, kad jums padės tas niekingas mentalinis skydas, kurį parūpino paslaptingas jūsų išdavystės bendras? Mes prireikus sunaikinsime jus vieną po kito, bet surasime tą, kuris sugundė diratus tapti išdavikais.

– Kam taip stengtis? – vienas karys iš rūmų apsaugos pajėgų žengė į priekį ir atskleidė tikrą savo esybę. Prieš pilotą ir jo palydovus stovėjo priešas... Priešas, kurį pirmą kartą Rahamnavuras pamatė dar peržiūrinėdamas diratų kapitono atsiminimus apie pirmąjį mūšį. Priešas, kuris, pasinaudodamas Aukščiausiųjų būtybių pradiniu sutrikimu, sugebėjo išlaikyti puikiai nuaustą iliuzijų tinklą ir nebuvo atskleistas tol, kol pats to nepanoro. Priešas, kuris žengė piloto ir jo palydovų link ramus, atsipalaidavęs, pasitikėdamas savo jėgomis, bet pasirengęs kovai. Priešas, kuris buvo visiškai vienas prieš tris Aukščiausiąsias būtybes. Priešas, kuris turėjo būti sučiuptas, pažemintas diratų akyse ar bent jau efektyviai sunaikintas.

Šį kartą Aukščiausiosios būtybės pademonstravo puikią reakciją. Vienu metu trys žaibai smogė ten, kur stovėjo Ardas, o būtent jis ir buvo tas atėjūnų įvardytas priešas, bet žmogaus toje vietoje jau nebebuvo. Ardas net nemanė gintis nuo staigaus priešininkų puolimo. Vietoj to žmogus, greičiau nei diratų akys galėjo pamatyti, metėsi Aukščiausiųjų būtybių link. Galingas šuolis, trys staigūs kojų smūgiai ir, prie tokios kovos nepratę priešininkai... Ne, Aukščiausiosios būtybės visiškai nenukentėjo. Joks paprastas smūgis negalėtų pramušti asmeninių Rahamnavuro ir jo palydovų energetinių skydų. Viskas, ką Ardui pavyko pasiekti, tai išblaškyti priešininkus į skirtingas puses, juos sutrikdyti ir primesti savą kovos taktiką. Tai nebuvo mažai, bet nebuvo ir daug. Anksčiau ar vėliau Aukščiausiosios būtybės atsigautų, perprastų žmogaus judesius ir priverstų jį stoti į joms įprastą ir mielą apsikeitimą energetiniais smūgiais, kurių stiprumą lėmė disponuojamos energijos kiekis. Trumpiau kalbant, Ardas realiai neturėjo jokių galimybių įveikti visus tris savo priešus ir išlikti gyvas. Žmogus tai suprato, tačiau ne tik nesitraukė iš kovos, bet ir pasiryžo dar vienam be galo rizikingam manevrui. Pasinaudodamas priešininkų sutrikimu, jis metėsi arčiausiai stovėjusio piloto link ir smogė. Netgi dienos šviesoje ryškiai švytinčia Ardo ranka nuvilnijo energijos bangos. Energijos, einančios iš pačių žmogaus gelmių, kurios galios užtektų suskaldyti asteroidą... Energijos, laužančios visas užtvaras ir tiesiog susmigusios į piloto krūtinę. „Antrą kartą šiandien nepajėgsiu taip smūgiuoti“, – dar spėjo pagalvoti Ardas, atšokdamas į šalį ir vengdamas Rahamnavuro palydovų atsako. Pilotas nežuvo... Jis nebūtų žuvęs ir po dvigubai stipresnio smūgio. Tačiau žmogaus išpuolis be pėdsakų nepraėjo. Skausmas... Begalinis skausmas, draskantis kiekvieną fizinio apvalkalo nervą, beveik verdantys smegenys, sunkiai susidorojantys su labai pakilusia kūno temperatūra... Kitais žodžiais, Rahamnavuras nebegalėjo kovoti. Jis, teisybę kalbant, nieko nebegalėjo ir visas jėgas turėjo skirti gydymuisi. Kita vertus, pilotui tereikėjo dviejų minučių tam, kad atsigautų. Po jų jis vėl galėtų prisijungti prie savo kovojančių draugų. Tačiau šių dviejų minučių poilsio jam niekas nesuteikė. Visa tai dėl diratų kaltės. Jei konkrečiau, dėl buvusio kapitono ir naujai iškepto tarybos nario kaltės. Tai jis pirmas pakėlė greitašaudį ginklą ir apibėrė Rahamnavuro palydovus sprogstamų kulkų kruša. Nieko ypatingo jis tuo nepasiekė, bet dėmesį į save atkreipė ir tuo faktiškai nulėmė kovos baigtį. Nenulėkusios ir pusės kelio, šimtai skriejančių kulkų virto tik dideliu smulkių dalelyčių debesiu, negalinčiu niekam pakenkti. Tačiau nukreipusios dėmesį į buvusį diratų kapitoną, Aukščiausiosios būtybės laiku nepastebėjo atvykusių į kovą žmonių pastiprinimo. Hansas su savo palydovais puolė taip greitai, suderintai ir veiksmingai, kad, nepraėjus nė minutei, abidvi Aukščiausiosios būtybės gulėjo suparalyžiuotos ir apraizgytos energetiniais pančiais, siurbiančiais jų vidinę energiją. Tas pats likimas laukė ir iki galo dar neatsigavusio piloto.

– Dėkui, draugai, – kreipėsi Ardas į besibūriuojančius diratus, prieš tai pasisveikinęs su Hansu ir jam padėkojęs už paramą. – Jūsų padedami nugalėjome ir sučiupome Aukščiausiąsias būtybes.

– Ką su jomis darysite toliau? – nuskambėjo klausimas iš diratų gretų.

– Paleisime, – atsakė Ardas.

– Kaip tai paleisite?

– Tiesiog... Perspėsime, kad nuo šiol visos diratų planetos bus saugomos nuo bet kokios jų agresijos, ir paleisime.

– Kodėl?

– Kad nebūtų priežasties keršyti už gentainių mirtį. Aukščiausiosios būtybės susitaikys su pralaimėjimu, bet jei bent viena iš jų žus nuo, kaip jos vadina, žemesniųjų formų veiklos, jos nenurims, kol neišnaikins visos jūsų rasės. Galų gale mes nenorime žudyti, o savo kova tik siekiame priversti Aukščiausiąsias būtybes palikti diratus ir kitus mūsų sąjungininkus ramybėje.

– Aišku... Iš tavo žodžių supratome, kad šioje galaktikoje greitai atsiras ir daugiau jūsų sąjungininkų, – nuskambėjo vieno iš tarybos narių teiginys.

– Supratote teisingai, – linktelėjo Ardas. – Bet nepykite, plačiau pasakoti negaliu.

– Suprantama, – diratų eilėmis nuvilnijo pritariamas murmesys. – Kada kalbėsitės su Aukščiausiomis būtybėmis?

– Pailsėsiu valandą ar dvi, atgausiu jėgas ir tada pasikalbėsime. Jūs neprieštaraujate?

– Ne, ne, – vieningai atsiliepė diratai. – Ar mūsų tarybos nariai galės dalyvauti?

– Žinoma, – linktelėjo Ardas, tuo pačiu baigdamas pokalbį ir patraukdamas žmonių būrelio link.

• • • • •

Du jo palydovai jau žengė per šuolio vartus, tačiau Rahamnavuras vis dar stovėjo prie jų ir žiūrėjo į Ardą, būtent taip prieš valandą prisistatė priešas pradėdamas pokalbį, kurį Aukščiausiosios būtybės dar ilgai prisimins. „Niekas jau kelis tūkstantmečius nėra taip pažeminęs Aukščiausiosios būtybės, kaip šis padaras neseniai pažemino mane. Tačiau, keista, aš jam jaučiu ne pyktį, o pagarbą. Jis elgėsi be galo drąsiai, net beprotiškai drąsiai. Taip, kaip nesugebėtų niekas iš man žinomų mano rasės atstovų. Tačiau tai dar ne viskas...

Kodėl jis mus paleido? Jei apsikeistume vietomis, jo lauktų žeminantys bandymai ir galiausiai mirtis, bet tikrai ne galimybė laisvam iškeliauti. Iki paskutinio momento laukiau klastos, bet jie elgiasi garbingai ir sąžiningai. Gal net kvailai ir nelogiškai, tačiau kilniai. Niekas mums netrukdė, niekas nevertė atskleisti gimtojo pasaulio buvimo vietos. Na, ir kas, kad jie sugebės susekti dabartinę mūsų kelionės paskirties vietą. Iš planetos E5 jie neturės jokios naudos. Ten jau tris tūkstančius metų niekas iš mūsiškių nesilankė. Ir vis dėlto, kodėl jis mus paleido?“ – viena po kitos sekusios mintys niekaip nepadėjo Rahamnavurui atsakyti į tokį svarbų klausimą. Galiausiai pilotas apsisprendė ir daugiau mintimis nei balsu tiesiai paklausė savo keistai besielgiančio priešo.

– Kodėl? – minties jis toliau nepratęsė, bet Ardas suprato, ko klausiamas.

– Beprasmiška dabar aiškinti. Tu turi pats suprasti. Mane paskatino trys logiškos priežastys, kurias suvokęs būsi pasirengęs tolesniam pokalbiui. O dabar keliauk... Pažadu, kad dabar jūsų niekas neseks, tačiau manau, kad ateityje mes dar susitiksime.

Nebeištaręs daugiau nė žodžio, Rahamnavuras linktelėjo savo priešui ir apsisukęs žengė pro atidarytus vartus. Tik atsidūręs E5 planetoje, jis atsargiai ir rūpestingai užvėrė šuolio vartus, sugerdamas visą jų energiją ir pasistengdamas palikti kuo mažiau savo pėdsakų, kuriais galėtų atsekti priešai.

2031 metų gegužės 10 diena. Andromedos ūkas. Silukarų imperija

„Štai aš ir vėl buvau teisus... Misija vyko maksimaliai sklandžiai. Tik atvykęs netikras silukarų flagmano kapitonas tapo visuotiniu susižavėjimo objektu. Chrzas šiek tiek bijojo medicininio patikrinimo. Jūs turbūt jau žinote, kad dvarvai turi kelis „nekintamus“ organus... Netiksliai išsireiškiau. Sakykime, santykinai nekintamus. Šių organų formą ir struktūrą jie gali keisti, bet jų masė išlieka ta pati. Štai ir dabar savo širdį Chrzas užmaskavo kaip vieną iš imituojamo objekto širdžių. Silukarai turi net tris širdis, jei jums įdomu tai žinoti. Taigi, Chrzo širdies forma ir dydis visiškai atitiko kapitono širdies formą ir dydį, bet tankumas ir masė iš esmės skyrėsi. Gerai, kad silukarų medikai „užmiršo" atlikti išsamesnius netikro kapitono širdžių tyrimus. „Užmiršo" dėl mūsų su Loreta aktyvesnių veiksmų. Na, užteks čia girtis ir pasakoti apie medicininį patikrinimą. Svarbu, kad viskas praėjo gerai. Medikai patvirtino mūsų versiją apie šiek tiek pažeistas kapitono smegenis ir dėl to kilusią amneziją, apimančią kai kuriuos senesnius jo gyvenimo įvykius. Technikai, nukopijuodami flagmano informacinę sistemą, nepastebėjo, kad ji buvo pakeista. Aukščiausioji karinė vadovybė, išgirdusi netikro kapitono pasakojimą ir šiek tiek mentališkai paveikta Loretos, labai pasipiktino Aukščiausiųjų būtybių veiksmais. Netgi labai, labai ir dar kartą labai... Imperatorius kartu su savo artimiausiais patarėjais, tepraėjus vienai dienai po mūsų atvykimo, jau paskyrė Chrzui audienciją, kurioje, tegul ir nekviesti, dalyvausime ir mes su Loreta. Štai dabar, niekieno nepastebimas ir nematomas, aš stoviu Imperatoriškoje menėje ir nuobodžiauju. O jūs tikėjotės, kad vėl rašau savo dienoraštį... Ne, aš tik jį apmąstau. Visus šiuos žodžius užrašysiu, kai turėsiu laisvesnio laiko. Chm... Kažkaip nelogiškai išeina... Viena vertus, aš nuobodžiauju, bet, kita vertus, neturiu laiko. Taigi, iš tiesų aš turiu užsiėmimą. Esu atsakingas už mūsų su Loreta maskuotę ir aplinkos stebėjimą. Loreta dabar susikaupusi ir taiko švelnią ir subtilią mentalinę prievartą imperatoriui ir jo patarėjams. Paklausite, kodėl švelnią? Viskas labai paprasta. Mes negalime susargdinti ar kitaip pakenkti imperatoriaus smegenims. Jis privalo ir toliau išlikti valinga ir stipri asmenybė, tik jau su keliomis vyraujančiomis nuostatomis ir mintimis, kurios jam turi atrodyti labai natūralios ir logiškos. Tas pats pasakytina ir apie jo patarėjus. Tokia įtaka reikalauja labai didelio susitelkimo ir nemažai energijos.

Taigi, antras mano darbas – užtikrinti, kad niekas Loretai netrukdytų. Trečias darbas – klausytis pokalbio ir viską įsidėmėti, kad paskiau galėčiau tiksliai viską atkartoti. Nepaisant tų darbų, man vis tiek šiek tiek nuobodu. Norisi daugiau veiksmo... Gal aš per mažai dėmesio skiriu pokalbio klausymuisi? Gerai, paklausykime jo drauge..."

– Tu tvirtai įsitikinęs, kad Aukščiausiosios būtybės iš anksto planavo mūsų eskadros žūtį ir vartus laivo viduje atvėrė siekdamos pašalinti visus jų veiksmų liudytojus?

– Tvirtai įsitikinęs, Jūsų Imperatoriškoji didenybe. Laivas būtų atlaikęs žvaigždės sprogimo padarinius ir sugebėtų pasišalinti, išsaugodamas gyvus, tegul ir sužalotus įgulos narius. Manau, kad silukarai ir kiti sąjungininkai Aukščiausiųjų būtybių buvo tiesiog paaukoti informacijos surinkimo tikslais.

– Kokios informacijos?

– Apie paslaptingus priešininkus. Manau, Aukščiausiosios būtybės paprasčiausiai siekė pamatyti savo priešų galias ir gebėjimus. Supratusios, kad mano laivo įgulos nariai liks gyvi, jie šaltakraujiškai ir apgalvotai nusprendė visus mus sunaikinti. Aukščiausiosios būtybės padarė tik vieną klaidą. Jos neapskaičiavo laivo valdymo modulio apsaugos lygio ir nesitikėjo, kad jis gali atlaikyti išsilaisvinusią tolimojo šuolio vartų energiją ir išsaugoti mano gyvybę.

– Jie elgiasi su mumis kaip su bandomaisiais gyvūnais, – pasipiktino imperatorius.

– Blogiau, – valdovo mintims pritarė vienas patarėjas, gal kiek labiau nei jo kolegos paveiktas Loretos. – Jie elgiasi su mumis kaip su bandomaisiais gyvūnais, kurių gyvybė jiems nieko verta. Dėl kažkokio niekingo ir tik jiems svarbaus eksperimento jie galėtų paaukoti visą silukarų rasę.

– Aš pritariu gerbiamo patarėjo mintims, – nutaikęs tinkamą progą, Chrzas vėl įsiterpė į pokalbį. – Tačiau man atrodo, kad dabar mums svarbu ne piktintis Aukščiausiųjų būtybių poelgiais, o nutarti, kaip galėtume išsaugoti silukarų rasę nuo žūties.

– Teisingai, – nuvilnijo patarėjų gretomis.

– O tie priešai, ar galingi? – pagaliau vėl ištarė žodį imperatorius.

– Stebėdamas Aukščiausiųjų būtybių reakciją ir klausydamasis netyčia jų ištartų žodžių, aš susidariau įspūdį, kad tie priešai yra galingesni už Aukščiausiąsias būtybes ir jas labai gąsdina. Maža to, jie, atrodo, nenaudoja jokios prievartos savo sąjungininkams ir saugo juos.

– Kodėl tu taip nusprendei? – pasigirdo reikiamas klausimas.

– Priešingai nei mūsų tironai, jie kovėsi primose gretose ir ėmėsi visų įmanomų priemonių, kad sumažintų savo sąjungininkų nuostolius. Mes praradome visą iki šiol neregėto dydžio armadą, o sugebėjome sunaikinti tik kelis priešininkų laivus. Laivus, kurie pavieniui buvo silpnesni už bet kurį silukarų kreiserį. Tai labai daug pasako apie Aukščiausiųjų būtybių priešus. Be to, aš manau, kad diratai... – čia Chrzas labai išmintingai nutilo, leisdamas pokalbio įtampai pasiekti aukščiausią tašką.

– Ką diratai? – prarijo jauką imperatorius, labai susidomėjęs šiais dvarvo žodžiais.

– Manau, kad diratai perėjo į kitą pusę ir pakeitė sąjungininkus.

– Kodėl taip manai? – vienu metu šūktelėjo būrelis patarėjų.

– Aukščiausiosios būtybės mums minėjo, kad misijoje turėjo dalyvauti ir diratai, tačiau jų laivyno aš nemačiau. Vadinasi, diratai atsisakė vykdyti nurodymą...

– Tačiau Aukščiausiosios būtybės juos būtų sunaikinusios už tokį nepaklusnumą, – suabejojo imperatorius.

– Aš manau, kad diratai jau yra ginami savo naujų sąjungininkų, ir Aukščiausiosios būtybės prieš juos dabar yra bejėgės.

– Tai tu galvoji... – tiesiog akivaizdžiai ore pakibo neištartas klausimas.

– Taip, – ryžtingai sujudino viršutines galūnes Chrzas, tai pagal silukarus atitiko žmogiškąjį galvos linktelėjimą. – Po to, ką jie padarė su mano įgula ir kaip niekingai mus išdavė...

Po viso šito, aš manau, kad mums metas pakeisti sąjungininkus, – žinoma, jei ne Loretos pastangos, po šių žodžių Chrzas būtų išjuoktas ar net suimtas. Labai jau didelė baimė prieš Aukščiausiąsias būtybes buvo įsikerojusi silukarų širdyse. Dabar ši baimė prislopo. Nors ir neišnyko galutinai, tačiau jau nebetrikdė imperatoriaus ir jo patarėjų. Jei kas galėtų matyti Loretą, pastebėtų, kokia nežmoniška įtampa ją kaustė ir kiek daug pastangų ir energijos jai reikėjo susidoroti su amžinomis silukarų fobijomis. Ir tai padaryti labai atsargiai, nepakenkiant patiems veikiamiems objektams.

– Sakykim, tu teisus, – atsargiai pradėjo imperatorius. – Šnekant labai hipotetiškai, kokių veiksmų imtumeisi siekdamas susisiekti su tais paslaptingais diratų sąjungininkais?

– Manau, man tereikėtų šiandien poerdviniu ryšiu susisiekti su Diratų konfederacijos taryba ir paprašyti, kad perduotų savo sąjungininkams, jog silukarai norėtų su jais pabendrauti ir lauktų apsilankymo imperijos sostinėje.

– Vėl šnekant labai hipotetiškai... – toliau mykė imperatorius. – Jei imperatorius tau neduotų įsakymo, tačiau nepastebėtų tavo veiksmų, ar tu prisiimtum atsakomybę susisiekti su diratais, perduoti jiems savo mums išsakytą žinią ir sutikti jų sąjungininkų pasiuntinį, jei toks atvyks?

– Taip.

– Toliau tęsiant šį abstraktų ir nekonkretų pokalbį... Ar tu, sutikęs tą minėtą subjektą, slapta atvestum jį į šią menę pokalbiui?

– Taip, – labai ryžtingai, be lašelio abejonės ištarė Chrzas. – Manau, jei man sektųsi, šis minėtas subjektas galėtų rytoj pat apsilankyti imperatoriaus priimamajame.

– Ir taip pasielgtum, net žinodamas, kad nesėkmės atveju būtum apkaltintas imperijos išdavyste ir netyčia nužudytas dar prieš patekdamas į Aukščiausiųjų būtybių rankas?

– Net tokiu atveju aš pasiryžęs paaukoti savo gyvybę dėl silukarų rasės ateities.

– Šaunu, – sujudino viršutines galūnes imperatorius. – Tad žinok, kad imperatorius tau jokiu būdu neduoda įsakymo elgtis taip, kaip mes labai abstrakčiai kalbėjomės. Šis pokalbis buvo hipotetinis ir neturi nieko bendro su realybe, o imperatorius tiesiog tikrino tavo atsidavimą silukarų rasei ir imperijai. Dabar gali eiti, tu laisvas. Žinok, kad rytoj po pietų imperatorius ir jo patarėjai posėdžiaus šioje menėje ir rūmuose nebus priimami jokie lankytojai. Prie rūmų ir jų viduje budės ištikimiausi gvardiečiai, kurie neįleis jokių pašalinių asmenų, išskyrus tuos, kuriuos nurodys pats imperatorius. Supratai mane?

– Taip, Jūsų didenybe. Visiškai. O dabar leiskite atsisveikinti, – persikreipęs, kaip reikalavo rūmų ceremonijos taisyklės, ir taip išreikšdamas didžiulę pagarbą imperatoriui, Chrzas atbulas išslinko iš Imperatoriškosios menės. Neverta net sakyti, kad Demetrijus su Loreta, taip niekieno ir nepastebimi, išsekė iš paskos. Loreta per Bendrąją sąmonę susisiekė su žinių iš jos laukusia Regina, kuri ir turėjo būti ta paslaptingų diratų sąjungininkų atstovė.

„Loreta šauniai pasidarbavo, tačiau mentalinės įtakos srityje, palyginti su Regina, ji tebėra pradinukė. Tiesą sakant, šioje srityje net stipriausi demiurgų meistrai negali net iš tolo prilygti Reginai. Tas pasakytina ir apie Didžiąją prabudusiųjų trijulę. Manau, kad jau rytoj vakare silukarų imperatorius ir jo patarėjai nebeturės jokių paslėptų baimių ir abejonių, bus labai ryžtingai nusiteikę sudaryti sąjungą su žmonėmis“, – taip galvodamas Demetrijus sekė paskui Chrzą, nepamiršdamas ir tiesioginės savo pareigos užtikrinti sau ir Loretai reikiamą maskuotę.

Žemės planeta. Vilniaus miestas. Prabudusiųjų būstinė

Iš pirmo žvilgsnio scena, kuri atsivertų pašaliniam stebėtojui, buvo identiška prieš daugelį metų įvykusiai scenai, kai Hansas, tada dar paprastas detektyvas, pirmą kartą aplankė Brolijos narius. Tie patys žmonės, Dmitrijus, Johanas, Ahmedas, Elisa, Pjeras, Zoranas, Andrejus, Vudis ir Ronaldas, sėdėjo dirbdami su kompiuterine technika ir tas pats Hansas atvyko prašyti jų pagalbos. Taip atrodytų tik iš pirmo žvilgsnio. Daug kas buvo pasikeitę... Labai daug kas... Pirmiausia nei Hansas buvo toks pats, nei Brolijos nariai liko tokie patys. Buvęs detektyvas dabar tapo vienu iš pripažintu prabudusiųjų vadovu, o žmonės, į kuriuos kadaise kreipėsi detektyvas, po prabudimo tapo pačiais talentingiausiais informacinio tinklo specialistais. Maža būtų pasakyti, kad jie suprato informacinį tinklą, jie galėjo jausti jį, valdyti, dar daugiau, jie galėjo patys tapti tuo tinklu, susilieti su juo. Galiausiai net technika, stovinti prie stalo, net iš tolo nepriminė tos ankstesnės kompiuterinės technikos, su kuria dirbo Brolijos nariai. Dabartinis jų darbo įrankis buvo pusiau organinis, specialiai išaugintas ir sujungtas su pačia naujausia prabudusiųjų sukurta elektronika, kompiuteris, valdomas prabudusiųjų mintimis ir impulsais ir gebantis stulbinamu greičiu atlikti skaičiavimus, kurie pareikalautų pastangų ir nemažai laiko net iš visu pajėgumu veikiančių prabudusio žmogaus smegenų. Tik vienas dalykas nepasikeitė. Šie žmonės ir toliau vadino save Brolija ir visą laiką dirbo grupėje, o tai tarp prabudusiųjų buvo labai retas reiškinys.

– Tai bus labai sudėtinga ir gali užtrukti, – pagaliau prašneko Andrejus, išreikšdamas visų Brolijos narių mintis, kilusias išklausius Hanso pageidavimų. Paskutiniu metu susiformavo nuolat veikianti pasąmonė, bendra tik šiems Brolijos nariams. Tad jiems nereikėjo tiesiog perdavinėti savo minčių kitiems ar išsakyti jų žodžiais. Viskas, apie ką galvodavo ir ką jausdavo vienas Brolijos narys, be jokių pastangų ir labai natūraliai tapdavo žinoma kitiems jo kolegoms. Dažnai tapdavo nebeaišku, kieno ir kaip atsiradusi mintis klaidžiodavo jų galvose.

– Suprantu, – linktelėjo Hansas. – Aš ir negalvojau, kad bus lengva, bet tai labai svarbu. Visas savo jėgas skirkite tik šiam projektui.

– Mums teks visiškai apleisti Žemės informacinį tinklą. Yra pavojus, kad prarasime jo kontrolę.

– Dabar tai nesvarbu, – gūžtelėjo Hansas. – Kraustykitės į Edurą ar Skruzdžių planetą. Tame darbe, kurį jūsų prašau atlikti, net menkiausias neigiamas Žemės poveikis jums gali nemažai kliudyti. Jūsų dispozicijoje bus viskas, ko pageidausite. Visi duomenys iš silukarų flagmano, dvarvų inžinierių užfiksuoti rodmenys apie susinaikinusių vartų energijos likučius, duomenys iš Diratų konfederacijos ir laisvas priėjimas prie jų informacinės sistemos, Teromijaus atlikti matavimai prie dabar jau sunaikintos sidargų bazės dvarvų sistemoje. Jei viskas klostysis pagal planą, rytoj Regina jums leis prisijungti prie silukarų duomenų bazių. Jei manote, kad reikia dar ką nors tirti, keliaukite, kur reikia, ir atlikite bet kokius bandymus. Ardas prašė manęs pasakyti, kad galite imti pagalbininkų tiek, kiek jums reikia, ir tuos, kurie jums reikalingi. Net jis pats pasirengęs mesti visus darbus su diratais ir atlėkti pas jus, jei tik jo prireiks.

– Aišku, tai labai svarbu, – šį kartą ištarė Vudis. – Tai mes jau supratome ir darysime viską, kas mums pagal jėgas. Tačiau net dabar galiu pasakyti, kad duomenų tam, kad nustatytume gimtąją Aukščiausiųjų būtybių planetą, yra aiškiai per mažai.

– Jūs bent jau nustatykite kuo siauresnę galaktikos zoną, kurioje mes galėtumėme atlikti paieškas, – atsiduso Hansas ir pats suprasdamas, kokį sudėtingą uždavinį pavedė atlikti Brolijai.

– Gerai, – vėl pokalbį pratęsė Andrejus. – Mes traukiamės iš tinklo. Paliksime tenai kelias apsaugines programas, kurios bent jau savaitei sulaikys net pačius talentingiausius Žemėje gyvenančius ir prabudusiesiems nepriklausančius įsilaužėlius. Jei mums neužteks savaitės tavo užduočiai įvykdyti, atnaujinsime tas programas ir dirbsime toliau. Manau, mes sugebėsime ir užtikrinti Žemės informacinių tinklų saugumą, ir dirbti tavo pavestą darbą.

– Kada pradėsite? – pasidomėjo Hansas.

– Visi jau pradėjo, tik aš dar kalbu su tavimi, – atsiliepė Andrejus. – Rytoj persikelsime į Skruzdžių planetą, ten aplinka ne tokia blaškanti... Jei ko prireiks, pranešime Bendrojoje sąmonėje.

– Sėkmės, – linktelėjo Hansas, suprasdamas, kad pokalbis baigtas ir pasuko išėjimo link. „Tikiuosi, jiems pasiseks“, – galvojo Schneideris. „Ne, tai Ardas tikisi, kad jiems pasiseks, o aš kažkodėl jaučiu, kad jiems pasiseks.“ Hansas nusišypsojo truputį pradžiugintas tokios minties ir žengė per ką tik atsidarytus vartus į Eduro planetą.

• • • • •

– Elena, pataisyk mane, jei klystu, bet Brolija tikrai nespėjo visko atlikti per savaitę? – daugiau pasitikslino, nei konstatavo sekretorius.

– Ir per savaitę nespėjo, ir per mėnesį, – nusišypsojo Elena. – Tik prieš keturias dienas sužinojau, kad darbas pagaliau baigtas ir nustatyta apytikslė Aukščiausiųjų būtybių gimtosios planetos buvimo vieta. Kiek Brolija dirbo? Daugiau nei šešis mėnesius. Per tą laiką jie gavo labai daug papildomos informacijos ir vis tiek konkrečių ieškomo objekto koordinačių nurodyti nesugebėjo. Kita vertus, aš jų nesmerkiu. Jie ir taip padarė beveik neįmanomą dalyką, o savo skaičiavimuose rėmėsi labiau spėlionėmis nei tikrai faktais.

– Kodėl spėlionėmis? – nesuprato sekretorius.

– O tu galėtum tvirtai pasakyti, kad Aukščiausiosios būtybės atverdamos šuolio vartus turi išnaudoti tiek pat energijos, kaip ir mes? Mes žinome minimalų mums būtinos energijos kiekį, kuris reikalingas atverti šuolio vartus. Tačiau neaišku, ar tokio pat kiekio reikia Aukščiausiosioms būtybėms. Jie gali naudotis šiek tiek kitokiais vartų atvėrimo būdais ir visi apskaičiavimai bus nieko verti. Galų gale skirtingi asmenys valdo ir sunaudoja skirtingus energijos kiekius, nors ir atlieka identiškus veiksmus. Pavyzdžiui, jei vartus atvertų Ardas, likutinė fiksuojama energija po jų išnykimo būtų kur kas didesnė už tą, kuri liktų po mano atvertų vartų išnykimo. Tiesą sakant, jo sukurti vartai būtų gerokai patvaresni ir tikslesni nei maniškiai. Egzistuoja tik bendri principai, rodantys, kokiu greičiu energija sklaidosi aplinkoje. Brolija turėjo atsižvelgti į šimtus skirtingų veiksnių, kurie dažnai negalėjo būti tiksliai nustatyti. Tad aš manau, kad tėra penkiasdešimties procentų tikimybė, kad jų nurodyta galaktikos sritis yra teisinga. Žinoma, jei nekreipsime dėmesio į Hanso nuojautą.

– Hanso nuojautos paprastai išsipildo, – įsiterpė sekretorius.

– Taip, – sutiko Elena. – Ir tai gerokai sustiprina tikimybę, kad Brolija viską apskaičiavo teisingai. Na, baikim diskusijas, dar daug darbo liko. Rašyk toliau...

• • • • •

2031 metų gegužės 12 diena. Andromedos ūkas. Aukščiausiųjų būtybių planeta

– Visi Bendrojoje sąmonėje peržiūrėjome Rahamnavuro ir jo palydovų atsiminimus. Kokių bus komentarų?

– Aš norėčiau, kad mes dar kartą visi kartu peržvelgtumėme Rahamnavuro atsiminimus – nuo pokalbio su priešu, pasivadinusio Ardu, pradžios, – pasigirdo pageidavimas. Šį kartą daugiau nei tūkstantis Aukščiausiųjų būtybių fiziškai kartu susirinko savo gimtojoje planetoje.

– Gerai... Padarykim taip: aš paimsiu reikiamus vaizdus iš Bendrosios sąmonės ir pateiksiu visų Jūsų apžvalgai. Tiks?

– Žinoma, – atsiliepė keletas dalyvių.

Atrodė, kad aplinkui dar plevena ką tik ištarti žodžiai, o viduryje „Palaimintosios“ arenos, kurioje susirinko Aukščiausiosios būtybės, pasirodė erdvinis priešo silueto vaizdas. Kiekvienas žiūrovas Ardą matė taip, kaip prieš kelias dienas jį matė gulintis ant žemės pilotas. Iš lėto priartėjęs, priešas kurį laiką apžiūrinėjo Rahamnavurą ir ramiai prabilo:

– Tave mes jau buvome sutikę. Tu vienas iš tų, kurie bandė pagrobti mano tautiečius Mėlynojo demiurgų rato valdose. Ką gi... Sveikas dar kartą. Nors ir susitikome tikrai ne taip, kaip tau norėtųsi, – truputį palaukęs atsakymo ir jo nesulaukęs, Ardas kalbėjo toliau: – Noriu, kad žinotum, tave ir tavo draugus greitai paleisime. Netyrinėsime, nekankinsime ir nežudysime. Paleisime ir dabar net neseksime paskui. Tačiau iš pradžių norėčiau truputį pakalbėti. Tu sutinki?

– Kalbėk, jei nori, – pasigirdo išdidus piloto atsakymas. – Negi aš tave užčiaupsiu.

– Gerai, jau gerai, – šyptelėjo priešas. – Matau, dialogo nebus. Nesvarbu, kada nors mes dar susitiksime, ir tada tu tikrai norėsi pasikalbėti. Mano vardas Ardas. Pasakiau jį tam, kad žinotum, kas su tavimi kalbėjo ir žinotum, ko ieškoti, jei kils noras dar kartą pabendrauti. Dabar klausykis manęs atidžiai. Nuo šiol visose diratų planetose įsikurs mūsų įgulos, kurios bus pasirengusios bet kada stoti į kovą su jumis, jei tik vėl sumanysite pulti. Diratai nuo šiol yra mūsų sąjungininkai ir draugai, kuriuos mes ginsime, nesvarbu, kas, kada ir kur juos užpultų. Įgulos bus ganėtinai gausios ir, be to, mes būsime parengę rezervą, kuris atvyks į bet kurią Diratų planetą, kurioje jo prireiks. Supratai mane?

– Taip, – nuskambėjo niūrus atsakymas.

– Na, ir šaunu. Dabar keli mano palydovai jums padės atgauti jėgas ir paleis. Visi trys galėsite keliauti, kur panorėsite. Tai, ką pasakiau anksčiau, įvykdysiu. Žinoma, jei dabar nuspręstumėte kovoti toliau, pažadu, kad antrą kartą pasigailėjimo nesulauksite. Visi trys būsite sunaikinti. Tikiuosi, aš aiškiai viską pasakiau.

– Taip.

– Puiku, – po šių žodžių Ardas nusisuko nuo Rahamnavuro ir pamojo ranka keliems kartu su Hansu atvykusiems prabudusiesiems.

Sumirgėjęs vaizdas išnyko, o arenoje pakibo daug sakanti tyla. Ne, Aukščiausiosios būtybės neišsigando. Jos tiesiog susimąstė, ką būtų galima daryti toliau.

– Jis įvykdė savo pažadą, – pasigirdo Rahamnavuro balsas. – Mus paleido ir niekas nebandė sekti.

– Tai galėjo būti klasta, – kartu su ištartais žodžiais ore pakibo abejonė.

– Nemanau, – jai priešais nupleveno tvirtas piloto įsitikinimas.

– Nesvarbu, – valingas balsas užgesino beužsiplieskiantį ginčą. – Tegu mūsų priešas pasirodė esąs garbingas, jis vis tiek yra priešas. Maža to, tas priešas ką tik atėmė iš mūsų diratų kontrolę. Netrukus apie tai sužinos kitos žemesnės rasės, ir tai labai pakenks mūsų reputacijai.

– Teisingai, turime atsiimti diratų pasaulių kontrolę.

– Vadinasi, planuojame didelį puolimą?

– Ne mažiau tūkstančio mūsiškių ir dėmesiui nukreipti pasitelksime pagalbines silukarų pajėgas. Jie – diratų kaimynai...

– Silukarai labai nukentėjo per paskutinį žygį.

– Niekis, kelis šimtus karinių laivų sukrapštys. Mums daugiau neprireiks.

– Gal jau yra sugalvotas tikslesnis planas?

– Taip, aš jau prieš valandą viską apmąsčiau. Siūlau pulti taip. Silukarai kartu su dvidešimčia mūsiškių puola vieną diratų pasienio planetą. Priešai pamanys, kad puolama būtent ši planeta ir permes ten savo rezervus. Tuo metu ne mažiau tūkstančio suvienytų jėgų puls Diratų konfederacijos sostinę. Atsidarysime vartus tiesiai priešais tarybos rūmus. Bendrojoje sąmonėje turime reikiamas koordinates. Netikėtai užpuolę priešų įgulą, kuo greičiau ją sunaikinsime ir paimsime kelis belaisvius tyrimams. Visus Diratų konfederacijos tarybos narius sunaikinsime. Tai bus pamoka tiek diratams, tiek kitiems sąjungininkams, jei tik jie sugalvos mumis abejoti. Manau, po tokio smūgio diratai atsisakys sąjungos su mūsų priešais ir grįš į mūsų glėbį.

– Aš nemanau, kad toks planas teisingas, – beveik visiškoje tyloje nuskambėjo Rahamnavuro balsas.

– Tau nepatinka kovos strategija?

– Kovos strategija gera, – sutiko pilotas. – Aš manau, kad mums nereikia kariauti.

– Ką siūlai?

– Pradėti kalbėtis. Susitikti su priešais, išsiaiškinti, kas jie tokie ir ko nori, ir tik tada spręsti, ar verta kariauti.

– Tai logiška, – ore pakibo kitų Aukščiausiųjų būtybių pateiktas Rahamnavuro pasiūlymo vertinimas. – Tačiau dabar tokia veiksmų seka yra rizikinga ir neapgalvota. Kalbėtis ir tartis reikės, niekur nuo to nedingsime, tačiau tai darysime vėliau. Prieš tai turime įrodyti savo jėgą ir nugalėti priešus. Tik tada galėsime su jais kalbėtis kaip lygūs su lygiais. Iki šiol mes tik pralaimime ir kol kas net neatrodome lygiaverčiai pašnekovai. Mes turime atrodyti ne tik kad lygiaverčiai, mes turime atrodyti smarkiai pranašesni. Tada ir pokalbis vyks mūsų pasiūlytomis sąlygomis.

– Aš neprieštarauju bendrajai valiai, bet mano asmeninė nuomonė nesikeičia, – nulenkė galvą Rahamnavuras, parodydamas, kad nesirengia kelti ginčo.

– Puiku, tada viskas sutarta. Rytoj susisieksime su silukarais ir pateiksime jiems veiksmų instrukcijas. Atsižvelgiant į pasiruošimo laiką, kurio reikės šiai žemesniajai rasei, puolimą pradėsime po keturių dienų.

Daugiau pokalbis nebevyko. Visiškai nebevyko... Nei apie orą, nei apie pramogas ar kokia nors kita tema. Kad ir apie bites, kaip kai kada kalbasi žmonės Žemėje. Visos Aukščiausiosios būtybės po paskutinių žodžių atsistojo ir tiesiog išsiskirstė. Kas sau... Kiekvienas turėjo savų reikalų ir savų problemų, kurios jiems atrodė ne mažiau, o dažnai ir labiau svarbios nei vykstantis karas su keistais priešais. Daugiau nei pusė Aukščiausiųjų būtybių nebuvo įsitikinusios pavojaus realumu ir kare dalyvavo siekdamos paįvairinti savo kasdienybę. Tačiau tai nereiškė, kad jos nesiruošė rimtai kovai...

Andromedos ūkas. Silukarų imperija

„Net nežinau, ar džiaugtis, ar liūdėti... Tiesa, Jūs nesuprantate apie ką aš. Aš kalbu apie Reginos apsilankymą pas Silukarų imperatorių. Žinoma, malonu, kai pasirodo, kad buvau visiškai ir neginčytinai teisus tiek esmėje, tiek smulkmenose. Viskas vyko būtent taip, kaip aš ir galvojau. Chrzas neva susisiekė su diratais, sulaukė jų naujų sąjungininkų atstovo, slaptai atsivedė jį į rūmus ir pristatė imperatoriui bei tarybai. Dešimt minučių... Tik tiek prireikė Reginai, kad atliktų tai, ko mes su Loreta nesugebėjome per pusvalandį. Tiesą sakant, jos įtaka buvo tokia stipri, kad veikė netgi mane. Įsivaizduokite Deivę, įžengiančią į salę ir maloningai nusišypsančią ją susižavėjimo kupinais žvilgsniais palydintiems paprastiems mirtingiems. Taip, aš nesuklydau. Ji atrodė... Neapsakomai. Nėra žodžių apibūdinti tiems jausmams, kuriuos ji kėlė savo pasirodymu. Na, gerai... Kaip patyręs mentalinės įtakos specialistas galiu pasakyti, kad Regina pirmiausia labai stipriai veikė emociniu lygmeniu, keldama susižavėjimą, besiribojantį su euforija. Vėliau prasidėdavo poveikis objektų mąstymui, kuris tapdavo gerokai lengvesnis po jau sukeltų emocijų. Taip aš galiu pasakyti kaip specialistas. Tačiau jei būčiau paprastas silukaras, tegalėčiau išlementi: „Deivė." Na, štai ir viskas... Toliau nėra apie ką pasakoti. Ji atėjo, pamatė, užvaldė ir pasiliko kontroliuoti bei valdyti. Mes taip pat pasilikom. Šį kartą matomi visiems ir vaidindami Reginos palydovus bei pagalbininkus. Mano ir Loretos užduotis buvo užtikrinti saugumą ir laiku pasikviesti pagalbą, jei ta misija taptų ne mūsų jėgoms. Paklausit, o kodėl turėčiau liūdėti, kai viskas sekasi kaip iš pypkės? Būtent todėl ir truputį liūdžiu. Per lengva viskas. Jokios kovos, jokių nuotykių, jokio azarto. Nuobodu... Kas man čia pasidarė? Turbūt demiurgo manyje beveik nebeliko. O gal jis tik tūno saugiai pasislėpęs ir išlįs, kai ateis laikas? Gal? Kaip ten bebūtų, aš dar nepasirengęs prisijungi prie Bendrosios prabudusiųjų sąmonės ir tapti tiktai žmogumi. Gal kiek vėliau? Pažiūrėsim...“ – išgirdęs jį kviečiančias Loretos mintis, Demetrijus nustojo rašyti, pakilo ir nubėgo į Imperatoriškąją menę. „Pakvipo šiokiais tokiais nuotykiais, – bėgdamas galvojo vyras. – Ką tik Aukščiausiosios būtybės susisiekė su silukarais poerdviniu ryšiu ir įsakė per kelias dienas parengti ir sutelkti jų nurodytame erdvės taške visus likusius karinius imperijos laivus. Reikia kurti atsakymą.“

Baltojo demiurgų rato planeta

Baltojo demiurgų rato valdovas lengvai pašiurpęs klausėsi savo kolegos iš Geltonojo rato. „Negi jis dar nieko nesuprato? Kiek galima kelti erzelynę, kuri naudos neatneš, bet pakenkti gali, – baltasis valdovas iš lėto apsidairė ir šiek tiek nusišypsojo. – Atrodo, aš ne vienas, kuris skeptiškai vertina Geltonojo rato iniciatyvą. Mėlynasis akivaizdžiai linkęs prieštarauti. Jam reikalinga žmonių parama dėl veiklos Harato planetoje ir jis nelinkęs kvailai maištauti. Žaliasis nepritaria iš principo. Jis diplomatas ir pacifistas, todėl nemano veltis į svetimus karus. Raudonojo rato valdovas, matau, yra geltonojo pusėje. Na, manau, užteks. Laikas imtis iniciatyvos man ir pateikti kitokių idėjų.“

– Tai, sakai, brolau, kad suformavę komandą iš dviejų demiurgų meistrų, trijų atlantų ir trijų tavo rato patobulintų keturrankių, mes galime nugalėti bet kokį žmogų, – pradėjo Baltojo rato valdovas, reziumuodamas prieš tai ilgai trukusį geltonojo demiurgo aiškinimą. – O kam mums reikia kovoti su žmonėmis?

– Kaip tai kam? – nesuprato Geltonojo rato valdovas. – Mes įgyjame galimybę tapti stipriausia visos galaktikos rase. Kaip gi mūsų Didysis tikslas? Brolau, pamiršai?

– Ne, nepamiršau, – šyptelėjo oponentas. – Tik aš manau, kad mes jau tapome stipriausia ir gerbiamiausia galaktikos rase. Juk tai mes sukūrėme žmones, mes tapome jų atstovais, mes vieninteliai visoje galaktikoje galime įsikūnyti į žmones. Tiek būdami gyvi, kaip tai padarė Demetrijus, tiek po fizinio kūno mirties, kaip tai padarė mano tėvas. Likusiųjų akyse mes ir žmonės sudarome nedalomą vienetą. Žaliasis man neduos sumeluoti. Mąstančiųjų taryboje kitos rasės tik su mumis ir su isais aptaria visus prašymus, kuriuos jie nori adresuoti žmonėms. Taigi, jiems atrodo, kad mes esame vieni iš tų, kurie gali veikti prabudusiųjų sprendimus.

– Būtent, – perėjo į puolimą Geltonojo rato valdovas. – Jiems atrodo... Aš noriu, kad demiurgai iš tiesų būtų galaktikos valdovai, o ne iliuzijų imperatoriai, kaip yra dabar.

– Šaunus pavadinimas – Iliuzijų imperatoriai, – vėl šyptelėjo baltasis. – Lenkiu galvą prieš tavo išradingumą. Tik man rodos, tu dar ne viską apgalvojai ir pats skendi iliuzijose. Ar tavo komanda, ar net visos parengtos komandos kartu sudėjus, galės apsaugoti bet kurios mūsų sistemos saulę nuo susprogdinimo? Negi tu vis dar nesupratai, kad kare su žmonėmis nebus kovos vienas prieš vieną. Jie nesiterlios su mumis, o tiesiog sunaikins mus visus. Nebent parodytų gailestingumą. Tu nori patirti žmonių gailestingumą ir sykiu prarasti visą tą autoritetą, kurį turime dabar? Net jei žmonės nuspręs nenaikinti visos rasės, o nubausti tik atskirus individus, jie atvyks čionai tikrai ne pavieniui. Čia atvyks dvidešimt, trisdešimt tūkstančių prabudusiųjų, kurie puikiai moka suvienyti ir taip padidinti savo jėgas. Ar tai geba tavo formuojamos komandos? Manau, kad ne.

– O gal mums kreiptis į Aukščiausiąsias būtybes? – nusiminęs ir pripažinęs oponento argumentų svarumą, dar tęsė geltonasis.

– Ir tapti jų vergais? – gūžtelėjo pečiais Baltojo rato valdovas. – Aš prieš kelias dienas Jums visiems pateikiau iš Teromijaus gautą informaciją apie Aukščiausiąsias būtybes ir neseniai įvykusį mūšį dvarvų erdvėje. Patys matėte, ką sugeba žmonės ir kaip elgiasi jų priešai. Norėtumėte būti viena iš tų nelaimingų, Aukščiausiųjų būtybių paaukotų rasių? Aš turiu geresnį pasiūlymą.

– Kokį? – nuskambėjo iš karto keli akivaizdžiai susidomėję balsai.

– Pasiūlykim šitas naujai suformuotas pajėgas žmonėms. Kiek komandų mes galime suformuoti šiai dienai?

– Beveik tūkstantį, – atsiliepė Geltonojo rato valdovas. – Kad būtų didesnis skaičius, trūksta atlantų ir apmokytų keturrankių.

– Štai, ir puiku... Užteks ir tūkstančio. Jei galvosime objektyviai ir realiai, šis tūkstantis komandų gali atstoti kokius du, na, gal tris šimtus prabudusiųjų. Suformuojam delegaciją iš kelių demiurgų valdovų, pasiimam kelias geriausias komandas ir vykstam į Eduro planetą. Ten, kiek žinau, šiuo metu yra tiek Hansas, tiek Teromijus. Gal net Ardą užtiksime... Tada iškilmingai pristatysime savo naują kūrinį ir pasiūlysim juo naudotis žmonėms per karinius veiksmus. Manau, jiems tokia mūsų pagalba pasirodys naudinga ir jie pasiūlymą priims.

– O mums kas iš to?

– Žmonių dėkingumas, draugystė ir pagarba. Jie jausis mums skolingi. Gerai, paaiškinsiu suprantamai. Įsivaizduokit, kad išprotėjęs Kūrėjas būtų kėlęs nepatogumus kokiai nors Isų planetai. Ką darytų žmonės?

– Jie, vos tik apie tai sužinoję, nuvyktų į vietą ir išsiaiškintų su tuo išsišokėliu, – net nemirktelėdamas atsakė Žaliojo rato valdovas. Visi likę tylėjo, nes visi suprato, kad žaliasis kolega kalba tiesą.

– Būtent, – linktelėjimu pritarė kalbėjusiajam Baltojo rato valdovas. – Dabar prisiminkite mūsų atvejį. Turėjome apeliuoti į įvairiausius jausmus, įkalbinėti, prašyti, kol jie galiausiai sutiko. Ir tai po tam tikrų tarpusavio diskusijų. Nekiltų jokių problemų, jei reikėtų padėti isams, bet jos kilo, kai mes paprašėme pagalbos. Kodėl? Todėl, kad jie mūsų nelaiko draugais, iš mūsų nieko gero nesitiki ir negerbia taip, kaip gerbia tą karių rasę. Reikia tai pakeisti. Mes tarp žmonių draugų turime atsidurti greta isų, o ne vilktis už sidargų ar dvarvų nugarų. Įgyti pasitikėjimą padės mūsų pasiūlymas padėti tokiu ganėtinai sunkiu žmonėms momentu.

– Gerai, – linktelėjo Geltonojo rato valdovas. – Esmę supratau, bet kam mums to reikia? Kam mums reikia tapti žmonių draugais? Mūsų tikslas reikalauja tapti žmonių valdovais.

– Kam mes sukūrėme žmones? – nesutriko baltasis demiurgas. – Tam, kad jie būtų mūsų įrankiai kovoje su kitomis rasėmis. Ar galime mes priversti žmones tapti tokiais įrankiais? Ne. Ar galime mes kitaip pasiekti, kad žmonės būtų tokie įrankiai? Taip. Paklausite kaip? Labai paprastai. Žmonės, nepaisant jų neribotos galybės, turi vieną silpną vietą. Tai jų jausmai. Tereikia manipuliuoti jų jausmais. Savo poelgiais sukelti pagarbą bei draugiškumą ir žmonės savo valia, niekieno neverčiami, taps mūsų įrankiais.

– Ar nebus tokie įrankiai atšipę? – vėl įsiterpė Geltonojo rato valdovas. – Brolau, negi tu įsivaizduoji, kad žmonės, net tapę mūsų draugais, kovos su mumis prieš bet kurią iš Mąstančiųjų sąjungos rasių.

– Net minties tokios neturėjau, – šyptelėjo baltasis valdovas. – Priešingai, jei mes pradėsime kovoti su Mąstančiųjų sąjungos rasėmis ar kitais žmonių sąjungininkais, greitai prarasime jų pagarbą ir draugiškumą. Tačiau kiek Galaktikos ploto užima Mąstančiųjų sąjunga? Tiesiog niekingą dalį. Yra tūkstančiai rasių, kurios nėra žmonių draugai ir kurių mes nežinome. Jei prabudusieji neprieštaravo, kad mes su tam tikrais apribojimais viešpatautume Harate, jie taip pat neprieštaraus mūsų viešpatavimui kitoje jiems nežinomoje planetoje. Tiesą sakant, mano žvalgai pranešė, kad panašią ekspansiją jau pradėjo sidargai. Tačiau įsivaizduokite, kad plėsdamiesi erdvėje, nepriklausančioje Mąstančiųjų sąjungai, mes aptinkame priešą, su kuriuo susidoroti patys nepajėgsime. Į ką tada galėsime kreiptis pagalbos ir kas mums tikrai padės? Teisingai mąstote... Žmonės. Taigi, aš Jums siūlau vienintelį gerą būdą toliau įgyvendinti mūsų Didįjį tikslą.

Tolesnis pokalbis vargu ar galėtų ką nors sudominti. Geltonojo rato valdovas daugiau neprieštaravo ir kalba pakrypo iš pradžių į technines plano įgyvendinimo smulkmenas, o paskui ir į laisvalaikio praleidimo ir atsipalaidavimo būdus. Svarbu tik tai, kad po dviejų dienų Baltojo, Mėlynojo, Žaliojo ir Geltonojo ratų valdovai kartu su trimis pačiomis geriausiomis komandomis susirengė vykti į Eduro planetą ir pasiūlyti žmonėms savo pagalbą.

2031 metų gegužės 16 diena. Andromedos ūkas

Spalvos... Turbūt visa įmanoma spalvų gama atsispindėjo aplinkoje šią ankstyvą valandą. Nors ne... Vyravo mėlyna ir raudona. Kitos tik teikė reikiamą foną. Kaip visada Didžioji saulė skubėjo ir lenkė Mažąją, sparčiau kildama virš horizonto. Bet kuriuo paros metu žmogus, turintis polinkį į romantiką, neatsiplėšdamas stebėtų nepakartojamą spalvų žaismą, kurį kūrė dviejų planetos saulių spinduliai. Tačiau ankstyvą aušros valandą vaizdas suvirpindavo net visko mačiusių Aukščiausiųjų būtybių širdis. Smaragdu tviskėjo miškai, dangaus mėliu žėravo kloniai, sodriu raudonumu jiems atsakė vandenyno bangos. Būtent šią valandą gimė garsiausių rasės menininkų šedevrai. Kol ši rasė dar turėjo menininkų... Reta Aukščiausioji būtybė dabar domėjosi tokiais niekais kaip spalvų žaismas ar gamtos grožis. Buvo kur kas rimtesnių ir svarbesnių tyrinėjimų. Galiausiai ką reiškia gimtosios planetos grožis prieš nepakartojamus naujos žvaigždės užgimimo vaizdus. Jokie vandenynai, jokie kalnai ar kloniai su jų miškais negalėjo pakartoti to, ką Aukščiausiosios būtybės regėjo keliaudamos kosmoso platybėmis. Taip galvojo beveik visi. Beveik... Vienintelis vis dar visą laiką, išskyrus retus užduočių vykdymus, gyvenantis gimtojoje planetoje. Vienintelis, kuriam niekada nenusibosdavo stebėti jos grožio. Vienintelis, kuris galėdavo rasti ramybę apkabinęs tūkstantmetį medį ir jausdamas verdančios aplinkui gyvybės veržlumą. Vienintelis toks buvo Rahamnavuras. Negalima sakyti, kad kiti nesilankydavo ir nebūdavo savo gimtajame pasaulyje. Jiems tai buvo lyg tėvų namai, kuriuose kažkada užaugai ir į kuriuos retkarčiais sugrįžti, bet jau turi savus, kuriuose gyveni. Vienintelis, kuriam ši planeta vis dar buvo gimtieji namai, neatskiriama nuo jo esybės, skaitytojams jau gerai pažįstamas pilotas. Jei dabar būtų ramus, jis užgniaužęs kvapą gal kokį šimtatūkstantąjį kartą stebėtų, jo manymu, nepakartojamą spalvų žaismą. Jei būtų ramus... Tačiau dabar jis nebuvo ramus. Priešingai, buvo gerokai sudirgęs ir piktai žvelgė į atsiveriančius tolimojo šuolio vartus. „Na, kaip jie nesupranta, kad mes einame tiesiai į spąstus? – mąstė Rahamnavuras. Jo tautiečiai vis dar be galo pasitikėjo savimi ir vis dar neįsisąmonino, kad sutiko lygiavertį, o gal net pranašesnį priešininką. – Niekada per visą mūsų istoriją niekas dar neatrėmė tūkstančio suvienytų jėgų puolimo“, – atsakė jie pilotui, kai jis pradėjo reikšti abejones. Abejones, kurios kilo silukarams griežtai atsisakius paklusti Aukščiausiųjų būtybių paskutiniam nurodymui. „Reikia pakeisti imperatorių, – nuskambėjo bendra logiška mintis. – O gal ten jau įsikūrę priešai? Pasiųskime žvalgą. Jis per vieną dieną viską išsiaiškins. Imperijos sostinėje turime kelias pažymėtas koordinates, tinkamas šuolio vartams atidaryti“, – pasigirdo kitas atsargus siūlymas. Taip ir buvo nuspręsta. O vakar žvalgas sugrįžo.

– Taip... – patvirtino jis. – Imperatoriaus rūmuose šeimininkauja priešai. Kol kas tik trys, bet gali būti ir daugiau. Aplinkui tiesiog tvyro mentalinės įtakos pėdsakai. Labai stiprios įtakos, kuriai panaikinti reikėtų labai daug laiko ir pastangų. Sykiu labai subtilios ir atsargios įtakos, leidžiančios objektams išlikti mąstančiomis ir valingomis asmenybėmis. Tai darbas, kuriuo didžiuotųsi bet kuri Aukščiausioji būtybė.

„Štai tau, kad nori, – tada galvojo pilotas. – Jiegu jie nėra pranašesni, tai bent jau tikrai nenusileidžia mums sąmonės valdymo srityje. Reikėtų labiau vertinti priešus. Gali būti, kad be nukreipiamojo smūgio mes nesusidorosime. Siūlau pradėti derybas." „Siūlymas daugumos atmestas, – nuskambėjo daugelio sąmonių balsai. – Vykdysim tą patį planą. Nukreipiamasis smūgis bus. Užteks dvidešimt atskirų jėgų. Apsieisime be silukarų." Štai kodėl dabar, stebėdamas atsiveriančius vartus į Diratų konfederacijos sostinę, Rahamnavuras tyliai keikė saviškių pasipūtimą. Tačiau buvo jau per vėlu. Jis nieko negalėjo pakeisti. Juk jis tebuvo visumos dalis ir negalėjo priešintis pačiai visumai.

Eilėmis pro vartus žengė Aukščiausiosios būtybės, lydimos tiesiog fiziškai apčiuopiamos jėgos. Kraupios ir ryškios jėgos. Jėgos, kuriai anksčiau niekas visoje galaktikoje negalėjo pasipriešinti. Tol, kol čia neatsirado žmonių...

• • • • •

– Elena, mes praleidome epizodą su demiurgais, – jau kažkelintą kartą sekretorius nutraukė moters pasakojimą. – Atsimeni, rašėm, kad jie ruošiasi žmonėms pasiūlyti pagalbą. Toliau kažkodėl tu nebepasakojai. Gal pamiršai?

– Nieko aš nepamiršau, – gūžtelėjo pečiais Elena, neapsispręsdama, ar jai pykti ant sekretoriaus už įsiterpimą, ar pagirti, kad jam taip labai rūpi pasakojimo kokybė. – Tiesiog man atrodo, kad epizodas Eduro planetoje, kai demiurgai pasiūlė savo paslaugas prabudusiesiems, skaitytojams nebus įdomus. Kita vertus, mane tada labai pralinksmino Teromijaus reakcija. Jei Hansas buvo labai maloniai nustebintas demiurgų pasiūlymo ir savanoriškai atskleistos informacijos, tai Teromijus buvo tiesiog apstulbęs. Kas jau kas, o jis tai tikrai žinojo, kad išblyškėliai niekada nieko nedaro vien draugystės labui be naudos sau. O įžvelgti, kokia gali būti tiesioginė nauda demiurgams, jis nesugebėjo. Kaip tu manai, kokias iš to galime daryti išvadas?

– Manau, kad čia galimos dvi išvados, – kaip žvalus ir pavyzdingas mokinukas išpyškino sekretorius. – Pirma, Teromijuje demiurgo visiškai neliko ir jis į pasaulį žvelgė kaip prabudęs žmogus, nuoširdžiai ir nebandydamas visur įžvelgti tik klastą. Antra, Baltojo demiurgų rato valdovas gudrumu pralenkė savo tėvą.

– Šaunu, – linktelėjo sekretoriui Elena. – Aš manau, kad abi tavo išvadas reikėtų sujungti. Teromijus ieškojo paslėptos klastos, bet jos nesugebėjo įžvelgti. Dėl baltojo demiurgo sutikčiau tik iš dalies. Matai, aš dabar abejoju, ar, pateikdamas šį pasiūlymą savo kolegoms, jis iš tiesų gudravo. Gal net ne taip... Klausimas, kada jis iš tikrųjų gudravo? Ar bandydamas įkalbėti savo kolegas, ar atstovaudamas visiems demiurgams ir siūlydamas pagalbą žmonėms? Gali būti, kad jį labai sukrėtė tai, jog jo taip garbinamas tėvas tapo žmogumi. Taigi, jei toks spėjimas teisingas, gali būti, kad baltasis valdovas nuoširdžiai bandė padėti žmonėms ir pirmiausia savo tėvui.

– Elena, jei pratęsime tavo loginę mintį, gali būti, kad per artimiausią dešimtmetį dabartinis Baltojo demiurgų rato valdovas įsilies į žmonių gretas.

– Ir aš taip galvoju, sekretoriau. Tokia ryški asmenybė prabudusiesiems tikrai praverstų. Tik gal tai įvyks ne taip greitai, kaip tu sakai. Baltasis demiurgas jaučia didžiulę atsakomybę savo rasei ir ratui, be to, jis yra labai pareigingas. Tik įsitikinęs, kad jo ratas bus patikimose rankose, jis ryšis pasekti savo tėvo pėdomis. Bet kokiu atveju aš asmeniškai manau, kad mes jau dabar tarp demiurgų valdovų turime tikrą ir nuoširdų draugą. Nors tai ir neįprasta išblyškėliams.

– Žmonės priėmė demiurgų pagalbą? – pasitikslino sekretorius.

– Taip. Visas tūkstantis pasiūlytų mišrių demiurgų, atlantų ir keturrankių komandų netrukus buvo permestas ir įkurdintas Diratų konfederacijos sostinėje.

– Vargšiukai pateko tiesiai į mūšį?

– Ne visai taip... Faktiškai jie atvyko šešios valandos prieš Aukščiausiųjų būtybių puolimą, bet realiai kautynėms dar nebuvo pasirengę. Na, bet neužbėkime įvykiams už akių. Rašyk, sekretoriau, toliau...

• • • • •

Tikrai negalima sakyti, kad pilotas buvo teisus galvodamas apie būsimą pasalą. Jokios pasalos Diratų konfederacijos sostinėje nebuvo. Žmonės iš tiesų patikėjo, kad Aukščiausiųjų būtybių puolimas nukreiptas prieš vieną iš konfederacijos pakraščiuose esančių planetų. Būtent tenai ir buvo nusiųstas seniai paruoštas dviejų tūkstančių puikiai pasirengusių prabudusiųjų rezervas. Net prasidėjus kovos veiksmams konfederacijos sostinėje, šis rezervas taip ir liko visų pamirštoje pakraščių planetoje, veltui laukdamas būsimo didelio puolimo. Tuo tarpu sostinėje į sunkų mūšį stojo labai išsklaidytas penkių šimtų prabudusiųjų būrys bei ką tik tenai atsiųstos demiurgų ir jų pagalbininkų komandos, kurios tikrai dar nebuvo pasirengusios aktyviems kovos veiksmams. Žinoma, tiek Diratų konfederacijos sostinės gynėjų buvo iš pradžių. Vėliau... Stop. Geriau pradėsiu nuo pradžių...

Įsiveržimo planas buvo paprastas. Didžioji dalis per šuolio vartus žengusių Aukščiausiųjų būtybių turėjo susidoroti su planetos gynyba, tuo tarpu du šimtai puolančiųjų turėjo visas savo jėgas skirti tam, kad būtų blokuojamas bet kokių šuolio vartų atidarymas planetos paviršiuje ir jos artimiausioje orbitoje. Visas įsiveržimas turėjo trukti ne ilgiau kaip valandą. Iš principo planas veikė. Kaip tas senas vežimas – girgždėdamas, stenėdamas, bet nuo kalno riedėjo. Na, kas galėjo pagalvoti, kad tos dvi dešimtys Konfederacijos tarybos rūmuose buvusių žmonių nesislėps, nebandys laukti pagalbos, o pasileis į savižudišką ataką? Tik atsidarius šuolio vartams ir pasirodžius pirmiesiems įsiveržėliams, jie nedelsiant buvo užpulti prabudusiųjų. Nedidelis žmonių būrelis nesišvaistė žaibais, nebandė pralaužti Aukščiausiųjų būtybių apsaugos ar imtis kokių nors naujoviškų kovos priemonių. Jie, kaip tas avinas, stumiantis per tiltą gerokai stambesnį priešininką, visą savo ir pasiekiamą aplinkos energiją naudojo vienam labai paprastam veiksmui. Jie visaip siekė išstumti Aukščiausiąsias būtybes atgal per vartus. Pirmas dešimtukas įsiveržėlių buvo taip sutrikdytas tokios neįmantrios, bet ganėtinai veiksmingos taktikos, kad atsitraukė kelis žingsnius atgal ir taip užblokavo kelią kitiems savo tautiečiams, pasirengusiems žengti pro vartus. Dešimt minučių... Ilgas, be galo ilgas dešimt minučių. Dešimt minučių, kurios nulėmė, jei ne galaktikos, tai bent jau Diratų konfederacijos tarybos narių tolesnį likimą. Būtent tiek nedidelis būrelis žmonių sulaikė per vartus atplūstantį nežabotos galios cunamį. Ir būtent tiek užteko tam, kad į mūšio vietą atvyktų visi likę Konfederacijos sostinės planetoje buvę žmonės, o demiurgų komandos pasirengtų kautynėms. Kai visiškai išsekęs ir nusilpęs prabudusiųjų dvidešimtukas pasitraukė iš kovos, Aukščiausiosios būtybės priešais save pamatė išsirikiavusius ir kovai pasirengusius priešus. Priešus, kurie neturėjo jokių galimybių nugalėti, bet galėjo sulaikyti įsiveržėlius tol, kol atvyks pastiprinimas, atsiliepęs į jau pasiųstą pagalbos šauksmą.

Kaip skruzdės, puolančios kur kas stipresnį priešininką, keturrankiai su atlantais aplipo dar neišsirikiavusias kovai Aukščiausiąsias būtybes, stengdamiesi jas atskirti nuo visumos ir priversti kovoti po vieną. Didelės sėkmės jie nepasiekė, bet priešų dėmesį blaškė ir neleido jiems sujungti savo jėgų. Demiurgai laikėsi už savo partnerių nugarų ir įnirtingai rūpinosi jų gynyba nuo mentalinės įtakos ir taip pat bandė pralaužti nemenką priešininkų mentalinį skydą. Žmonės savo ruožtu kovojo glaudžiame būryje, suvienijį savo jėgas aplink

Ardą ir, elgdamiesi lyg gigantiškas vientisas organizmas, drąsiai puolė patį įsibrovėlių centrą. Mūšio vieta atrodė taip, lyg žemė maišytųsi su dangumi. Be perstojo pliekiantys žaibai, banguojanti ir drebanti žemė, uraganinio vėjo šuorai, iš dangaus krentantys milžiniški akmenys ir Konfederacijos tarybos rūmų likučiai. Visa tai išbandė žmonės mėgindami pralaužti priešų gynybą. Jie net pabandė sužadinti ugnikalnį tiesiai po atidarytais šuolio vartais, tačiau Aukščiausiosios būtybės laiku sureagavo ir to padaryti neleido. Negalima pasakyti, kad toks veržlus ir viską apimantis bei įvairiapusis puolimas buvo nesėkmingas. Žinoma, atsižvelgiant į tai, ką mes vadinsime sėkme. Jei sėkme galima vadinti tai, jog Aukščiausiosios būtybės sutriko ir iš pradžių užsiėmė tik aklina gynyba, bandydamos surikiuoti savo gretas, taip įkyriai puolamas kraštuose demiurgų, keturrankių ir atlantų komandų, o centre žmonių sukeltų stichijų, tada puolimas buvo sėkmingas. Jei kalbėtumėme apie Aukščiausiųjų būtybių atsitraukimą ar bent susilpnėjimą, tai toks puolimas joms buvo tas pats, kas drambliui pulko zuikių ataka. Gal kiek trikdanti ir stebinanti, bet absoliučiai nekenksminga. Ištisas penkiolika minučių Aukščiausiosios būtybės tik gynėsi, laukdamos iš žmonių stipresnio smūgio ir tik tada nusprendė pulti. Tačiau tada, pasirodo, jau buvo per vėlu... Prasidėjo kur kas rimtesnės ir labiau trikdančios problemos. Na, kas galėjo pagalvoti, kad žmonės taip gerai pasirengė karui ir turi tokių didelių rezervų? Keli tūkstančiai prabudusiųjų, išskirstytų po Diratų konfederacijos planetas, dar keli tūkstančiai, nuvykę į tą niekam nereikalingą skylę apgauti melagingo puolimo... Atrodė, jog daugiau kaip penki tūkstančiai žmonių neturėtų bandyti prasibrauti į Konfederacijos sostinę. Tačiau taip tik atrodė plano sudarymo metu. Atidaryti vartus bandė ne penki, o dvidešimt penki tūkstančiai prabudusiųjų. Jei pirmą bandymą Aukščiausiosios būtybės šiaip ne taip atrėmė, tai antrą... Antrą kartą, kai jėgas suvienijo visi dvidešimt penki tūkstančiai ir vedini Teromijaus bei Hanso visą savo energiją skyrė trejiems vartams tarp Eduro ir vykstančio mūšio vietos atidaryti... Tą kartą Aukščiausiųjų būtybių pastangos pasipriešinti atrodė kaip karklo bandymai atsilaikyti prieš siaučiančią vėtrą.

– Jų per daug... Iš kur jų tiek daug? Jie per stiprūs, mes neišlaikysim.

– Reikėjo ne aklai gintis ir derinti savo veiksmus, o iš karto bandyti užvaldyti artimiausias planetos energetines gyslas.

– Dabar jau per vėlu. Paleiskit, atsitraukit, nebandykit daugiau jiems trukdyti... Neužteks energijos, nusilpsit. Atrodo, dar bus rimta kova.

Panašios mintys, lyg vėjas pralėkusios Aukščiausiųjų būtybių gretomis, rodė, į kokią sunkią padėtį jos pakliuvo. Dvi minutės... Tiktai dvi niekingos minutės ir vaizdas mūšio lauke pasikeitė iš esmės. Nebesiautėjo nei audros, nei žaibai. Atsitraukė demiurgų komandos, praradusios tik kelis labai atkaklius keturrankius. Aukščiausiųjų būtybių gretos jau buvo tvarkingos ir sudarė taisyklingą ir glaudų kvadratą. Būtent tokios rikiuotės jie siekė nuo pat mūšio pradžios ir pagaliau ją suformavo dabar. Tačiau dabar jau buvo per vėlu... Nediduką Aukščiausiųjų būtybių kvadratą apsupo glaudžios, daugiau nei dvidešimt penkių tūkstančių žmonių eilės. Čia buvo beveik visi pirmieji prabudusieji, čia buvo visa apmokyta ir parengta jų kariuomenė, čia buvo Didžioji trijulė. Toliau kova vyko ganėtinai ramiai. Nebuvo nei audrų, nei žaibų. Kaip replėmis spaudžiamas riešutas, taip žmonės savo suformuotais jėgos laukais spaudė priešus. Tik kibirkštys, begalinės kibirkštys ir raibuliuojantis oras rodė vietą, kur susidūrė abiejų pusių jėgos. Žmonių buvo daugiau ir jie valdė planetos energiją. Jau po penkių minučių paaiškėjo, kad Aukščiausiosios būtybės neturi didelių galimybių laimėti. Jos buvo stiprios, labai stiprios... Todėl galėjo laikytis... Dar valandą, o gal net dvi. Tačiau laimėti jos nebegalėjo. Lėtai, lėtai, tačiau neišvengiamai kaip lemtis žmonės centimetras po centimetro spaudė savo priešus. Tik vienas dalykas jiems nepavyko. Jiems nepavyko sunaikinti vis dar atidarytų vartų, per kuriuos į planetą pateko Aukščiausiosios būtybės. Kita vertus, gali būti, kad žmonės net nenorėjo vartų sunaikinti, o siekė juos užgrobti, neleisti savo priešams jų uždaryti ir taip paslėpti gimtosios planetos pėdsakus.

Kautynės buvo įdomios. Kova, kurioje dalyvavo vienas kito verti priešininkai. Tiksliau, tokia ji tapo po to, kai iniciatyvos ėmėsi Rahamnavuras.

– Keičiam strategiją, – nupleveno jo mintis tarp Aukščiausiųjų būtybių. – Paliekam gynybai tik ketvirtadalį jėgų, visą likusią energiją koncentruojame smūgiui.

– Į ką smūgiuosime? – nuvinguriavo klausimas.

– Į jų vadą. Aš atpažinau jo aurą ir nustačiau tikslią jo buvimo vietą. Smūgiuojame į priešą, pasivadinusį Ardu, ir taip sutrikdykime savo priešininkus. Jei viskas bus gerai, galėsime atsitraukti ir uždaryti paskui save vartus.

– Jei viskas bus gerai? O tu pagalvojai, kad jei nepasiseks, būsime visiškai bejėgiai ir pralaimėsime per pusvalandį?

– Yra kitų minčių? Koks skirtumas – pralaimėti per pusvalandį ar po keturių valandų. Prie planetos energijos mūsų neprileidžia, savos jėgos senka. Jei bandysime trauktis, neužteks laiko paskui save uždaryti vartus ir priešai įsiverš į mūsų gimtąjį pasaulį. Išvada viena – galime laukti, bet tai atves prie pražūties. Po dviejų trijų valandų turėsime sunaikinti vartus, kad priešai nerastų mūsų planetos, o patys arba žūti, arba pasiduoti, – sunki ir beviltiška tyla lydėjo piloto žodžius.

– Tu tapsi ieties smaigaliu?

– Taip, tikiuosi, sugebėsiu ir ištversiu.

– Tada pradėkime...

Dar dešimt minučių nieko nevyko. Tiksliau, nieko, kas keltų žmonėms įtarimą. Gal tik tai, kad Aukščiausiosios būtybės priešinosi kur kas silpniau nei mūšio pradžioje ir kur kas greičiau apleisdavo laikomas pozicijas. Tačiau niekas iš prabudusiųjų dėl to nesijaudino. Gal tik Hansą staiga persmelkė blogos, labai blogos nuojautos banga.

– Saugokit Ardą! – spėjo suklikti jis Bendrojoje sąmonėje ir nutilo. Nutilo, nes viską užgožė grynos, koncentruotos, neapsakomai galingos energijos smūgis. Smūgis, kuris galėtų sunaikinti visą planetą. Ką ten planetą... Toks smūgis galėjo susprogdinti saulę. Tik nukreiptas jis buvo ne į kokį kosminį kūną, o į vieną vienintelį žmogų. Žmogų, kuris prabudusiesiems įkūnijo viltį, tikėjimą, pasididžiavimą ir atsidavimą. Žmogų, be kurio jie bent jau laikinai pakriktų ir pasimestų. Žmogų, kurio mirtis lemtų visos Aukščiausiųjų būtybių rasės sunaikinimą, nes jo žūties prabudusieji neatleistų niekam ir niekada. Tai buvo meistriškas smūgis, galėjęs nulemti tolesnę daugelio dviejų galaktikos rasių ateitį. Tik viena smulkmena – prieš Aukščiausiąsias būtybes kovojo jų verti priešininkai. Prabudusieji sureagavo dar nebaigus skambėti Hanso klyksmui. Prieš nežabotą energijos bangą vienas po kito kilo skydai. Puikūs, meistriški skydai. Skydai ne stabdantys, bet sugeriantys ateinančią energiją ir sunykstantys tik tada, kai būna ja persisotinę. Keliolikos diratų kreiserių, kabojusių orbitoje netoli mūšio vietos, įguloms pasirodė, kad iš jų planetos kyla nauja saulė. Tokie ryškūs spinduliai šaudavo į viršų persisotinus ir susinaikinus eiliniam skydui. Dešimtys jų sunyko per kelias sekundės dalis, o žmonės vis kūrė ir kūrė naujus, sustabdę buvusį savo puolimą ir skydams kurti skirdami visą savo jėgą. Tačiau kūrė per lėtai... Ir štai, tik penki procentai tos jėgos, kurią į vieną vienintelį mirtiną smūgį paleido Aukščiausiosios būtybės, prasiveržė pro paskutinį barjerą ir smogė į visas savo gyvybines jėgas sukoncentravusį Ardą. Jei tai būtų kitas prabudusysis... Nesvarbu kas... Gal net Teromijus ar Hansas. Tas žmogus, be abejonės, žūtų. Tačiau puolimas buvo nukreiptas ne į juos, o į žmogų, kuriam lygių tarp prabudusiųjų kol kas nebuvo. Jis pabudo anksčiausiai, mokėsi ir tobulėjo greičiausiai ir dabar valdė jėgas, dar neklausančias kitų jo tautiečių. Ardas išgyveno... Tačiau tik tiek. Ne, jis netapo invalidu. Tai tiesiog neįmanoma tarp prabudusiųjų. Anksčiau ar vėliau vidinės gyvybinės jėgos atkuria bet kuriuos pažeistus audinius ir organus. Jei žmogus nemirė iš karto, jis visada atsigauna. Skiriasi tik laikas, per kurį prabudusieji sugeba atsikurti. Taip ir dabar... Ardas nemirė, bet apie tolesnį jo dalyvavimą kovoje nebegalėjo būti ir kalbos.

Šitoks viską apimantis smūgis turėjo dar du šalutinius padarinius. Vienas buvo susijęs su Rahamnavuru, o kitas su Hansu. Vieną trumpą akimirksnį pilotas, per kurį ir buvo nukreipta visa Aukščiausiųjų būtybių sukaupta energija, pasijuto įtrauktas į Bendrąją prabudusiųjų sąmonę. Net sunku apsakyti, kokias ten teliuškuojančio emocijų vandenyno audras jis aptiko. Baimė, siaubas, įniršis, tiesiog nežabotas, mirtį lemiantis įniršis, palengvėjimas ir rūpestis. Visais šiais jausmais buvo persisunkusi kiekviena Bendrosios prabudusiųjų sąmonės kertelė. Visus šiuos jausmus teko išgyventi ir pilotui. O tai suteikė tam tikrą suvokimą. Suvokimą, kad Aukščiausiosios būtybės ką tik stovėjo ant savo išnykimo ribos. „O galingieji Dievai, – sušnibždėjo sukrėstas iki sielos gelmių Rahamnavuras. – Koks įniršis, kokia neapykanta! Jie per kelias sekundes padidino savo jėgas dešimteriopai. Turime bėgti, kol jie sunerimę dėl vado laukia, kol jis bus išgabentas į saugesnę vietą. Jei tik užgaišim, mūsų laukia mirtis. Tada niekas nesustabdys šios keršto besišaukiančios minios. Galingieji Dievai, kuriais aš niekuomet netikėjau, tačiau dabar meldžiu, meldžiu kaip savo rasės sūnus, kaip jūsų niekingas kūrinys – neleiskite Ardui numirti...“

– Bėgam! – lyg vėjo šuoras Bendrojoje Aukščiausiųjų būtybių sąmonėje nuošė piloto šūksnis. – Bėgam, nes paskui bus vėlu!

Eilė po eilės, dešimtis po dešimties Aukščiausiosios būtybės skubiai apleido mūšio lauką. Paskutinis žengė Rahamnavuras ir po savęs labai stropiai užvėrė vartus, sugerdamas visą jų energiją. Prabudusieji netrukdė ir nepersekiojo Aukščiausiųjų būtybių. Teromijus galvojo apie pakartotinio smūgio galimybę ir, nenorėdamas rizikuoti Ardo gyvybe, palaukęs, kol tas bus išgabentas į Eduro planetą, įsakė visiems susitelkti į gynybą. Hansas savo ruožtu dar tik gaivaliojosi nuo patirto šoko. Panašiai kaip pilotas – jis vienai milisekundės daliai staiga buvo įtrauktas į vienos iš Aukščiausiųjų būtybių sąmonę. Sąmonę su jos prisiminimais, gyvenimo patirtimi ir žiniomis. Per trumpas laikas teko Hansui, kad suvoktų ir apdorotų visą jį užplūdusią informaciją. Jis tespėjo įsiminti Aukščiausiosios būtybės atsiminimus apie paskutinius kelių mėnesių įvykius. Savaime aišku, šie duomenys negalėjo padėti atskleisti gimtojo priešininkų pasaulio buvimo vietos, tačiau jeigu juos sujungtume su Brolijos turima informacija... Tuomet Brolijos užduotis turėtų gerokai palengvėti.

• • • • •

– Dabar supratau, – šūktelėjo sekretorius, vėl nutraukdamas Elenos pasakojimą.

– Ką supratai? – perklausė moteris.

– Supratau, iš kur tu viską taip tiksliai žinai apie Aukščiausiųjų būtybių planus ir pokalbius. Maniau, kad sukūrei. O tu, pasirodo, viską iš Hanso sužinojai.

– Šaunuolis, – šyptelėjo Elena. – Bet dabar neblaškyk minčių ir rašyk toliau...

• • • • •

Štai taip savaime pasibaigė turbūt didžiausias mūšis Diratų konfederacijos sostinės istorijoje. Unikalus mūšis... Nepaisant nežabotų jėgų, kurios siautė kovos lauke, žuvusiųjų nebuvo nė vienoje pusėje. Labiausiai jame nukentėjo diratai, kurie tiesiogiai kovose nedalyvavo. Kita vertus, diratai ne tik labiausiai nukentėjo, bet ir daugiausiai išlošė. Galiausiai, ko verti tie sugriauti Tarybos rūmai ir didžioji dalis aplinkui buvusio, jau prieš parą dėl viso pikto evakuoto miesto, jei visi Konfederacijos tarybos nariai liko sveiki ir gyvi, o pati rasė netapo nemąstančių vergų sambūriu. Sugriovimus galima atstatyti... Patys diratai galvojo taip pat. Atvirai pasakius, jie džiūgavo. Žinoma, džiaugėsi ir dėl mūšio baigties, bet labiausiai didžiavosi tuo, kad tapo tiesioginiais liudytojais įvykio, iki tol dar nebuvusio per visą jiems žinomą istoriją.

– Tu matei... O kaip jie smogė... – tik ir skambėjo tarp tarybos narių. Vienintelis dalykas šiek tiek temdė jų džiaugsmą – nepavykęs bandymas viską nufilmuoti. Siautusi kovos lauke energija per sekundės dalis sudegino visus diratų robotus ir automatines kameras, pasiųstas užfiksuoti įvykių. Taip pat sėkmingai ši energija trukdė ir orbitoje buvusių laivų technikai. Ne, ši technika negedo, tačiau jos nufilmuoti vaizdai atrodė taip, lyg būtų vykę be galo drumzliname vandenyje.

– Mūsų draugas sužeistas, – pagaliau emocingus šūksnius nutraukė buvusio kapitono pastaba.

– Aš per žiūronus mačiau, kad jis liko gyvas, – atsiliepė kitas tarybos narys.

– Ir aš, ir aš... – nuskambėjo dar keli balsai.

– Tai, žinoma, labai gerai, bet gal mes turėtume kaip nors reaguoti į jo sužeidimą? – toliau tęsė kapitonas, parodydamas nelauktus diplomatinius gebėjimus.

– O kam? Pasveiks, atvyks pats...

– Galbūt ir taip, bet aš manyčiau, kad diratams būtų gerokai naudingiau draugiškai pasidomėti jo sveikata. Parodytumėme, kad vertiname jo draugystę ir esame dėkingi dėl jo pastangų. Aš daug su juo bendravau. Jis būtų labai pamalonintas tokio mūsų elgesio. Gal net pasiųstų saviškius atstatyti mūsų sugriautos sostinės. Pagalvokite, kiek tokiu atveju sutaupytumėme...

– Tu teisus, tu teisus, – pasklido šurmulys tarybos narių gretomis. – Manai, reikia keliauti ten, kur jis yra gydomas?

– Taip, – subangavo visu savo didžiuliu kūnu buvęs kapitonas. – Jei leisite, aš atstovaudamas visiems diratams, nueisiu pas mūsų draugo palydovus ir paprašysiu perkelti mane tenai, kur jis gydomas. Tada trumpai su juo pakalbėsiu ir sugrįšiu atgal.

– Žinoma, žinoma, – vėl vienu metu nuskambėjo net keli tarybos narių balsai. – Keliauk dabar pat.

Džiaugsmingai suburbuliavęs buvęs kapitonas greitai nuskuodė tolumoje besibūriuojančių žmonių link. Taip ir neištarta liko viena mintis, dėl kurios jis neprisipažino savo kolegoms. Buvusiam kapitonui iš tiesų rūpėjo Ardo sveikata. Tiesą sakant, ji rūpėjo gerokai labiau nei galimas žmonių dėkingumas ir diplomatinės subtilybės.

• • • • •

„Kur tavo galia, garsi palikimais...“ – šie senojo dainiaus žodžiai tiksliai nušviečia Aukščiausiųjų būtybių savijautą po mūšio ir skubaus pasitraukimo. Vėl visas tūkstantis susirinko „Palaimintojoje“ arenoje, tik šį kartą tai buvo visiškai kitos atskiros jėgos nei prieš tai. Visi gerokai aplamdyti, kai kurie sužaloti ir bandantys užsigydyti žaizdas, kiti išsekę taip, kad vos bepastovėjo ant kojų... Žinia apie pralaimėjimą kaip piktas vėjo šuoras greitai pasklido po visą rasės Bendrąją sąmonę, priversdama vis daugiau atskirų jėgų domėtis šiuo nesėkmingai besiklostančiu konfliktu. Ne, nevilties nebuvo. Aukščiausiosios būtybės vis dar pasitikėjo savo jėgomis.

– Tereikia pritraukti daugiau atskirų jėgų, ir kitą kartą tikrai nugalėsime, – plazdeno bendra mintis virš arenos.

– Taip, reikia pritraukti daugiau atskirų jėgų, bet to neužteks nugalėti, – kaip žaibas švystelėjo Rahamnavuro žodžiai, nublokšdami žemyn optimistinę mintį.

– Kodėl? Iš kur žinai? Tu pasiūlei puikų planą, kuris tikrai padėjo. Pasirodei esąs ganėtinai stiprus, kad taptum „Ieties smaigaliu“. Antrą kartą mes nužudysime jų vadą ir jie pakriks.

– Ne! Aš labai suklydau. Mums be galo pasisekė, kad jis liko gyvas. Jei mano planas būtų pavykęs, mūsų rasė taptų pasmerkta išnykti. Priešai, save vadinantys žmonėmis, mus persekiotų tol, kol nenužudytų paskutiniojo iš mūsų.

– Iš kur žinai, kaip jie save vadina? Kodėl esi toks tikras dėl savo žodžių? – kaip tolimas griaustinis arenoje aidėjo nepasitikinčios mintys.

– Kažkas nutiko... Smūgio metu buvau įtrauktas į jų sąmonę. Ten pajutau... Net negaliu apsakyti, ką ten pajutau, – Rahamnavuras trumpam nutilo, bandydamas suformuluoti sakinį. – Aš tas emocijas jaučiu ir dabar. Perduosiu Jums jas per Bendrąją sąmonę, tegu visi tai pajunta.

Kaip elektros smūgio kratomos suvirpėjo Aukščiausiosios būtybės, buvusios arenoje.

– Koks įniršis! Jie – demonai, kraujo ištroškę demonai, ir kiek jų daug...

– Mes pasmerkti, – pritarė keli balsai.

– Ne! – Rahamnavuro šūksnis sustabdė beįsiplieskiančią paniką. – Taip, jų labai daug. Sprendžiant iš mane užgriuvusios emocijų koncentracijos ir gilumo, galiu sakyti, kad jų Bendrąją sąmonę sudaro tiek pat individų, kiek ir mūsiškę. Tačiau, priešingai nei mes, visi jie pasirengę kovai. Mes suklydome vertindami priešų skaičių ir dabar turėsime keisti savo planus. Gerai tik tai, kad vadas liko gyvas, – Rahamnavuras palaukė kitų minčių, bet visi įdėmiai klausėsi jo balso. – Visi pajutote palengvėjimą ir rūpestį bei tai, kaip atslūgo įniršis, kai tik priešai suprato, kad jis atsigaus. Ardas jiems tapo kelrode žvaigžde, sugebančia suvaldyti šitą stichiją, vadinamą žmonėmis, nukreipiančia juos reikiama kryptimi. Jei jo nebeliks, pagrindiniu priešų egzistavimo tikslu taps kerštas. Tik patenkinę keršto jausmą, jie ieškotų tolesnių gyvenimo kelių. O keršto jausmas būtų patenkintas nužudžius paskutinį iš mūsų rasės.

– Tada mes turime nepakenkdami jų vadui paimti jį į nelaisvę ir iškelti savo reikalavimus, – vienišas, nedrąsus pasiūlymas pakibo virš tribūnų.

– Teisingai, – linktelėjo galva pilotas. – Tik bėda ta, kad paimti jį į nelaisvę tiesiog nerealu. Visų pirma jis toks stiprus, kad prilygsta daugumai iš mūsų. Be to, manau, kad vadas visą laiką bus saugomas saviškių. Net tada, kai atrodys, kad Ardas vienas, pasirodys, kad kokie penki tūkstančiai priešų budi ir laukia, kada ateiti jam į pagalbą. Kol kovosime su tais penkiais tūkstančiais, atskubės visa jų rasė. Aš, būdamas jų Bendrojoje sąmonėje, supratau, kad mes žmones apgavome savo klaidinančiu manevru ir jie tikrai nusiuntė į tą skylę jau parengtą rezervą.

– Tai iš kur atsirado šitie dvidešimt penki tūkstančiai?

– Manau, kad jiems užteko dvidešimties minučių tam, kad mobilizuotų mus užpuolusius individus. Dar po kokio pusvalandžio galėjo pasirodyti dar tiek pat ar net dvigubai daugiau priešų. Ši rasė stulbinamai greitai reaguoja į pavojų. Ne... – mąsliai nutęsė Rahamnavuras. – Ardo į nelaisvę paimti nesugebėsime.

– Gal dar ką nors sužinojai, būdamas jų Bendrojoje sąmonėje?

– Sužinojau, bet nesu dėl to tikras. Per daug neįtikinamos žinios, kad būtų teisingos. Kažkodėl supratau, jog iš viso yra daugiau nei septyni milijardai žmonių, nors jų sąmonė pagal individų skaičių prilygsta mūsiškei. Nesuprantu, kaip tai gali būti. Ir dar... Kažkodėl skambėjo vienas žodis. Keistas toks žodis – „prabudusieji“. Kodėl būtent „prabudusieji“? Gal kiti miega? Akivaizdžiai trūksta informacijos.

– Daugiau nei septyni milijardai, – arenoje nuvilnijo baimės, besiribojančios su panika, banga. – Tai negali būti tiesa. Tik žemesnės rasės, kovojančios už savo gyvybę ir gyvenančios labai trumpai, gali pasiekti tokius skaičius. Mūsų rasei išlikti to niekuomet nereikėjo. Jie tokie kaip ir mes... Jų negali būti tiek daug...

– Gal? Bet kodėl „prabudusieji“? – tiesiog fiziškai regimas klausimas užvaldė visų dėmesį. – Logiškai išeitų, kad kiti miega...

– Mums labai trūksta informacijos, – dar kartą pakartojo pilotas, staiga pajutęs, kad tapo pripažintu autoritetu kalbant apie santykius su žmonėmis.

– Ką darom toliau? – sunerimo dalis atskirų jėgų.

– Kovojam ir ieškom informacijos, – atsiliepė absoliuti dauguma tiek iš esančių arenoje, tiek pokalbyje dalyvaujančių per Bendrąją Aukščiausiųjų būtybių rasės sąmonę.

– Aš siūlyčiau bandyti derėtis, – pamėgino įsiterpti į karingų balsų chorą Rahamnavuras.

– Per anksti mums derėtis. Mes nepralaimėjome ir nelaimėjome. Tad negalima kelti savų sąlygų ir priimti svetimų. Kokia prasmė iš tokių derybų? – lyg juodas debesis tvirtai iškilo tolesnį karą pranašaujanti mintis.

– O gal pabandom? – dar mėgino kovoti pilotas.

– Ne, Rahamnavurai. Mes dar kariausime, ir mums vadovausi tu. Ar sutinki prisiimti šią pareigą, ar nori atsiskirti nuo visumos?

– Negaliu atsiskirti, nors kai kada ir norėčiau, – be garso sušnibždėjo piloto lūpos. – Sutinku, – po areną nuskambėjęs jo balsas nebuvo kupinas nei entuziazmo, nei optimizmo.

– Ką mes toliau darysime?

– Aš išsirinksiu šimtą pačių stipriausių atskirų jėgų ir bandysime surinkti kuo daugiau informacijos apie žmones. Kiek jų iš tiesų? Kas tie „prabudusieji“? Jei kiti miega, tai kur? Bandysime atsakyti į šiuos klausimus. Jei tik mums pavyks... Gal mėginsime dar kartą pasišnekėti su žmonių draugais demiurgais? Pažiūrėsim...

– O likę?

– Likę bursite atskiras jėgas. Šauksite visus per Bendrąją sąmonę, įkalbinėsite, aiškinsite. Kas neatsilieps Bendrojoje sąmonėje, vyksite to ieškoti ir kalbėtis tiesiogiai. Mes per greičiausiai įmanomą laiką turime kovai suburti didžiąją mūsų rasės dalį.

Ir vėl kalba nutilo savaime. Ir vėl atskiros jėgos išsivaikščiojo gydytis bei vykdyti Rahamnavuro nurodymų. O jis pats...

Jis pats ieškojo ir ieškojo naujų argumentų, kuriais saviškius galėtų įtikinti pradėti derybas. Jis nenorėjo kariauti. Ne vien dėl to, kad bijotų žmonių... Nors šitas jausmas taip pat drumstė vidinį piloto pasaulį. Svarbiausia, kad jis tiesiog nenorėjo kariauti.

2031 metų gegužės 18 diena. Eduro planeta

Mergina iš lėto apsidairė, priėjo prie upelio ir panardino jame rankas. „Ne, keistas jausmas niekur nedingo, – pagalvojo ji. – Priešingai, jis dar sustiprėjo." Lyg negalėdama patikėti savo akimis, ji iš lėto apsidairė. Taip dairosi žmogus, pamatęs kažką neapsakomai gražaus, tiesiog stebuklingo, kažką, kas realybėje negalėtų egzistuoti. „Kiek daug gyvybės", – sukuždėjo apstulbusi mergina. Prieš jos akis tiesiog kunkuliavo gyvybė. Tiksliau išsireiškus, gyvybės energija. Silvija, o būtent toks buvos šios jaunos moters vardas, pajuto visumą ir save visumos dalimi. Ji pajuto gyvybės gijas apraizgiusias visa, kas gyva. Pamatė nuostabius jų raštus ir įmantriausius piešinius, kuriais tiesiog pulsavo trykštanti ir nesustabdoma gyvybės energija. Jei bent vienas iš anksčiausiai prabudusiųjų tuo metu būtų šalia jos, žinia apie vieną iš unikaliausių individų per visą prabudusiųjų istoriją jau skrietų Bendrojoje sąmonėje. Jei bent vienas būtų šalia... Visi svarbiausieji ir stipriausieji tuo metu buvo Eduro planetoje, bet jiems nelabai rūpėjo, ką veikia tik prieš tris dienas pirmą kartą iš Žemės atvykusi mergina. Netgi ligijietis Tomas, kuris paprastai prižiūrėdavo ir mokydavo naujokus, tuo metu buvo labai užsiėmęs visiškai kitais dalykais. Žinoma, tai pateisinama ir nekelia jokios nuostabos, jei supranti, kad tik prieš dvidešimt keturias valandas į Edurą atgabeno sunkiai sužeistą Ardą. Atrodytų, kad per tiek laiko žmogus jau turėjo atsigauti po bet kokio sukrėtimo, tačiau šį kartą taip neatsitiko. Visa Ardo vidinės energetikos sistema buvo absoliučiai išbalansuota. Sutriko energijos pasisavinimo iš aplinkos funkcija. Jo organizmas stengėsi išgyti ir po truputį regeneravo, bet be pagalbos iš išorės tai darė labai lėtai ir sunkiai. Svarbiausia, kad niekas Ardui negalėjo kaip nors padėti. Buvo tūkstančiai prabudusiųjų, pasirengusių atiduoti jam visą savo gyvybinę energiją, bet jis net ir norėdamas nesugebėtų jos priimti.

Tuo metu Silvija palaimingai tyrė tai, kas ką tik atsivėrė prieš jos akis. Maža to, dar po valandos braidymo po seklų upelį, ji suvokė, kad gali patraukti ar pasukti gyvybinės energijos tėkmę ką tik ištirtomis gijomis. Staiga kažkas nutiko. Aplinkoje nuvilnijo, suraibuliavo nematomos, bet juntamos bangos. „Kas nutiko? – nustebo Silvija ir pažvelgė ten, iš kur sklido jos pajustos bangos. – Tai stovykloje... – toliau galvojo mergina. – Aaa, šitą objektą žinau. Prabudusieji man sakė, kai ruošėsi perkelti iš Žemės į Edurą, kad tai erdvės šuolio vartai. Žiūrėk, net trys iš karto. Ko čia toks sujudimas? Pirmas dvi paras buvo ramu, o vakar kažkas nutiko. Liaudies renkasi be skaičiaus. Štai ir dabar, kažkas dar atvyko. Turbūt nutiko kažkas labai svarbaus. Eisiu ir pasiklausinėsiu. Tikėsimės, nebars manęs, kad be mokytojų leidimo šlaistausi po apylinkes. Jie sakė, kad per penkias dienas turime apsiprasti ir susipažinti su stovykla. Už stovyklos ribų, sakė, nė žingsnio negalima žengti. Bet man buvo labai įdomu. Na, nesvarbu, bars tai bars, einu paklausinėsiu, kas įvyko“. Lengva jai buvo nutarti ko nors pasiklausinėti, bet ne taip lengva šį savo pasiryžimą įgyvendinti. Visi kažko nerimavo, bėgiojo, niekas neatrodė nusiteikęs atsakinėti į klausimus. Silvija sustabdė kažkokį vaikinuką, nežinia kur skubėjusį ir mandagiai paklausė:

– Gal galėtumėte man pasakyti, kas čia nutiko?

– Atleisk, neturiu laiko. Ką tik pats viską išsiaiškinau, lekiu pas Eleną. Ji prašė pažiūrėti, kas atvyko. Žvilgtelk Bendrojoje sąmonėje. Ten yra visa informacija.

– Bet kas ta Elena? – tik spėjo tarstelti mergina, nulydėdama akimis tolstantį pašnekovą. – Ir kas ta Bendroji sąmonė?

Beviltiškai apsidairiusi Silvija pastebėjo du centrinės aikštės pakraštyje sėdinčius ir besišnekučiuojančius vyrus. Vieną ji pažinojo. Tai buvo vyriausiasis mokytojas ligijietis Tomas. Ji dar nežinojo, ką reiškia žodis *ligijietis*, bet instinktyviai jautė, jog šitas žmogus yra tas, į kurį galima kreiptis visais rūpimais klausimais. Antro ji nepažino. Priėjusi prie vyriškių, ji kurį laiką klausėsi jų pokalbio, bandydama susivokti įvykiuose.

– Kaip tu manai, jie pora ar ne? – kreipėsi Tomas į savo pašnekovą.

– Sunku suprasti, drauguži. Ji visuomet buvo labai nepriklausoma moteris. Būti šalia Ardo nėra lengva. Jis lyderis ir lyderis visur. Tam, kad būtum visą laiką šalia, reikia gyventi jo rūpesčiais ir siekiais. Regina nėra tokia. Ji turi savų pomėgių ir interesų. Kad ir ta žvalgyba. Nusprendė ir iškeliavo pasidairyti po galaktikos platybes. Vienu metu aš maniau, kad tarp jų ne daugiau bendro nei, pavyzdžiui, tarp manęs ir Elenos. Dabar aš abejoju.

– Hansai, manai, kad jos elgesys paskutinėmis dienomis parodo tikrus jausmus?

– Manau, kad taip. Tu pažiūrėk, kai tik sužinojo, ji spjovė į viską. Vietoj savęs į Silukarų imperiją pasikvietė ir paliko kelis mūsiškius ir parlėkė pas Ardą. Dabar visą laiką klūpo šalia jo ir bando visomis įmanomomis priemonėmis perduoti jam savo gyvybės energiją. Visi prabudusieji sunerimę. Bet ji ypač.

– Atleiskite, – įsiterpė Silvija, nuraudusi dėl tokio savo nemandagaus elgesio. – Gal galėtumėte pasakyti, kas čia dedasi? Kodėl visi tokie sunerimę?

– Tu neseniai atvykai į Edurą? – paklausė vyras, pavadintas Hansu.

– Prieš tris dienas, – linktelėjo mergina.

– Paskutinė grupė, – už ją viską paaiškino Tomas. – Merginos labai neblogos prognozės... Kaip, tiesą sakant, ir kitų penkių žmonių, kurie kartu su ja buvo perkelti iš Žemės.

– Aišku, – linktelėjo Hansas, parodydamas, kad suprato. – Kuo tu vardu?

– Silvija.

– Tai, va, Silvija, prieš porą dienų kaimyninėje galaktikoje įvyko didelis mūšis, kuriame buvo labai rimtai sužeistas Ardas. Girdėjai apie tokį?

– Girdėjau, – linktelėjo mergina. – Apie jį turbūt visi girdėjo. Tačiau kaip tai galėjo nutikti? Ardas juk neįveikiamas. Visi Žemėje žino, kad jis vos ne pusdievis ar kažkas panašaus.

– Na, Ardas tikrai nėra pusdievis, – plačiai nusišypsojo Hansas su Tomu. – Aš čia prisiminiau vieną pamokančią istoriją, kurią tau reikėtų įsiminti. Vienas iš prabudusiųjų žvalgų tolimame mūsų galaktikos kampelyje aptiko labai įdomią civilizaciją. Ją galima pavadinti medžiotojų civilizacija. Jie jau keliavo po kosmosą ir buvo sutikę keliolika kitų, netoliese gyvenusių protingų būtybių rasių. Taip susiklostė, kad tarp visų jų sutiktų būtybių medžiotojai buvo patys geriausi kariai ir stipriausi kovotojai. Jie grobdavo kitų rasių atstovus ir versdavo dalyvauti medžioklėse, kuriose pagrobtiesiems buvo priskiriamas grobio vaidmuo. Kuo stipresnė buvo auka, tuo didesnė šventė buvo per medžiokles. Ir štai mūsų žvalgas nusprendė truputį juos pamokyti. Jis leidosi sučiumpamas ir įtraukiamas į medžiojamų objektų sąrašą. Tačiau per artimiausią medžioklę jis parodė dalį savo gebėjimų ir iš aukos pavirto medžiotoju. Ne, jis nežudė vargšelių, kaip kad tie elgdavosi su savo aukomis. Bet po tos medžioklės jų išdidumas labai nukentėjo. Žinoma, tai ilga ir įdomi istorija, kurią galėtumėme ilgai pasakoti, bet mano tikslas ne toks. Aš tau bandau pasakyti, kad nėra neįveikiamų. Tiek Ardas, tiek visi prabudusieji labai sunkiai nugalimi, bet nugalimi.

– Aišku, – linktelėjo Silvija. – O šitie pabaisos? Tie, kur šnekasi su vienu žmogumi... Ką jie čia veikia?

– Matau, kad panelė dar ne viską suvokia, – šyptelėjo Hansas. – Na, niekis, praeis. Tie tavo vadinamieji pabaisos tai Iskinas ir Iskikas, šios planetos šeimininkai, Skruzdžių planetos avilio patelė ir diratų kapitonas iš gretimos galaktikos. O tas, kur tau atrodo žmogus, yra Chrzas. Tai dvarvas, kuris dabar pasirinko žmogaus išvaizdą. Jie visi Ardo draugai ir atskubėjo čia susirūpinę dėl jo sveikatos. Matai, Ardas labai unikali asmenybė. Jis traukia aplinkinius ir sugeba susirasti ištikimų draugų net tarp kitų rasių atstovų.

– O kodėl Jūs nepagydote Ardo?

– Jo organizmas nesugeba įsisavinti aplinkos energijos. Kiek jam beduotume, tiek jis atmeta. Ardas privalo pagyti pats, nes niekas jam negali padėti.

– Kodėl? – nustebo Silvija. – Aš manau, kad reikėtų tik palenkti tas gyvybinės energijos gijas. Žiūrėkit, jos eina aplink jį taip tarsi jis nebūtų gyvybės visuma. Tai niekis, galima jas paimti ir pasukti, kad jos vėl eitų per jį, – staiga mergina nutilo, pajutusi kaip rimtai į ją žiūri abudu pašnekovai.

– Silvija, papasakok mums išsamiau, apie kokias tu gyvybinės energijos gijas šneki.

• • • • •

Elena dar kartą nutilo, neapsispręsdama, ką pasakoti toliau. Kelias minutes kantriai laukęs ir stebėjęs pro langą žiūrinčią moterį, sekretorius galų gale neiškentė.

– Na, ir kas buvo toliau? – paragino jis Eleną.

– Ai, toliau, – numojo ranka moteris, išsiplėšdama iš savo minčių. – Viskas labai paprasta ir banalu. Silvija jiems parodė visą gyvybės energijos gijų tinklą. Tiek Hansui, tiek Tomui buvo labai sunku įžiūrėti tai, ką rodė mergina. Jie buvo įpratę matyti atskirus naudotinus energijos šaltinius ir nemokėjo į visą aplinkoje knibždančią gyvybę žiūrėti kaip į visumą, jungiamą vieningos energijos. Vėliau keli prabudusieji išmoko matyti ir net valdyti Silvijos aptiktas gijas, bet niekas niekada nedarė to taip lengvai ir meistriškai kaip ši mergina. Ji teužtruko penkiolika minučių, kad pasiektų tai, ko mes visi nesugebėjome pasiekti per dvi paras.

– Elena, o kodėl prabudusieji tokie skirtingi? Štai, pavyzdžiui, Regina ir Silvija ar Hansas ir Ardas. Visi jie dabar jau visiškai prabudę ir išskirtinai galingi, bet kiekvienas iš jų sugeba tai, ko nesugeba kiti.

– Nežinau, sekretoriau. Aš bent manau, kad kiekvienas iš mūsų dar iki prabudimo turėjo paslėptų išskirtinių tam tikros rūšies gabumų. Prabudęs jis šiuos gabumus tik sustiprino ir vėliau labai išlavino. Tačiau Silvija mane tikrai labai nustebino. Jei būčiau paprastas žmogus ir nesuprasčiau jos galių prigimties, ko gero, manyčiau, kad ji yra Gyvybės deivė ar kažkas panašaus.

– Va, va, – šyptelėjo sekretorius. – Tada Regina – Minčių valdovė, Hansas – Orakulas, Ardas – Kovos dievas, tu – Pasakotoja, kuriai paklūsta realybė, o aš – tavo ištikimas Pagalbininkas. Išeitų visai puiki fantazijų knygutė.

– Gal mes geriau rašykime normaliai, be visų ten dievų ir deivių, – šyptelėjusi pasiūlė Elena. – Rašyk toliau. Geltonojo demiurgų rato planeta, 2031 metų rugpjūčio 28 diena.

– Palauk, Elena. Tu praleidai tris mėnesius. Kas nuvyko per šį laiką?

– Nieko ypatingo, ką vertėtų aprašyti, – atsainiai gūžtelėjo pečiais moteris. – Aukščiausiosios būtybės pirmą mėnesį tris kartus puolė prabudusiuosius Diratų konfederacijos pakraščiuose ir Silukarų imperijoje. Kiekvieną kartą jie užpuldavo vieną ar du žmones, bandydami juos paimti į nelaisvę. Taip pat kiekvieną kartą atsitraukdavo tik pamatę, kad atvyksta pagalba užpultiesiems. O paskui viskas tapo ramu. Net pernelyg ramu... Atsimenu, Hansas nervinosi, niekaip nesugebėdamas įžvelgti Aukščiausiųjų būtybių planų. Jis jautė, kad įvyks kažkas negero, bet negalėjo sukonkretinti savo nuojautos. Ir štai 2031 metų rugpjūčio 28 dieną viskas paaiškėjo. Rašyk, sekretoriau...

• • • • •

2031 metų rugpjūčio 28 diena. Geltonojo demiurgų rato planeta

– Kapitone, šiuo metu atveriami penkiasdešimt erdvės šuolio vartų. Atstumas iki orbitinės tvirtovės – nuo dešimties iki dvidešimties šviessekundžių, – ramus kompiuterio pranešimas išplėšė Geltonojo demiurgų rato orbitinės tvirtovės kapitoną iš minčių apie filosofinių krypčių raidos panašumus ir dėsningumus.

– Objektų dydis?

– Kiekvienas objektas prilygintinas artimojo skrydžio klasės naikintuvui.

– Pragaištis, – nusikeikė po nosimi demiurgas. Būdamas vienas iš rato meistrų, kapitonas sykiu buvo labai patyręs ir galbūt net garsiausias savo rato strategas. Jis iš karto suvokė, kad tokie maži objektai negali turėti užtektinai energijos tam, kad atidarytų šuolio vartus. Vienintelės žinomos rasės, galėjusios naudoti tokius mažus laivus net tarp galaktinėms kelionėms, buvo žmonės ir Aukščiausiosios būtybės. Žmonės neturėjo priežasčių atvykti tokiu būdu. Jie galėjo atsidaryti vartus tiesiog planetos paviršiuje. – Vadinasi, artėja priešai. Ką gi, – nusišypsojo iki kaulų smegenų persisunkęs fatalizmo filosofija demiurgas. – Geros bus kautynės... Tik gaila, kad man ir mano kariams jos bus paskutinės.

– Dėmesio visiems! – tarp tvirtovės sienų ir už jų, pasiekdama tris netoliese dreifuojančius kreiserius, nuskriejo skvarbi kapitono mintis. – Artėja priešai. Visiems prisijungti prie Bendrosios sąmonės, informacija ir komunikavimas bus tik per ją. Įjungti apsauginius laukus, paruošti pabūklus ir torpedas, išleisti naikintuvus... Geros jums kovos, vyrai!

Praėjus dviem minutėms po šio kreipimosi, kai tik nuolaužos terodė ką tik sunaikinto vieno iš demiurgų kreiserių žūties vietą, kai orbitinė tvirtovė purtoma dešimčių sprogimų vis dar kovojo ir leido salvę po salvės iš visų savo pabūklų, kai šimtai Geltonojo rato naikintuvų bet kokia kaina stengėsi sustabdyti įsibrovėlius, kai tūkstančiai tokių pat naikintuvų tik pakilę nuo planetos skubėjo į mūšio vietą tam, kad taip pat, kaip prieš tai jų draugai, žūtų kovodami, už kelių tūkstančių kilometrų planetos paviršiuje, Geltonojo rato valdovo rūmuose, ramiai šnekučiavosi du demiurgų ratų valdovai. Gerai, jei sakytume teisybę, tas pokalbis tik išoriškai atrodė ramus, tačiau šiai išblyškėlių rasei buvo labai emocingas.

– Kaip manai, kiek jie užtruks? – kiek pasimuistė kėdėje Geltonojo rato valdovas, išduodamas savo jaudulį.

– Manau, apie dešimt minučių orbitoje. Paskui apie dvidešimt minučių, kol pasieks rūmus, žinoma, jei taviškiai kovos... – ramiai atsiliepė Baltojo rato valdovas, kuris prieš dvi dienas atvyko pasisvečiuoti pas savo kolegą.

– Žinoma, kovos, – karštai patikino geltonasis. – Tik kiek iš to naudos... Ką darom?

– O ką mes galime padaryti? Iš planetos nepaspruksime. Tavo technikai aiškiai pasakė, kad net asmeninis rato valdovo laivas negali atlikti šuolio nuo planetos paviršiaus. Vadinasi, reikėtų pakilti į kosmosą, o ten mus iš karto sunaikintų. Per Bendrąją sąmonę jau pasiuntėme nelaimės žinią, bet reali pagalba atvyks negreitai. Mūsiškiams reikėtų susisiekti su žmonėmis ir paprašyti jų įsikišti, o tai šiek tiek užtruks. Prabudusieji, be abejo, atskubės, bet ne anksčiau kaip po trijų ar keturių valandų. Tiek laiko mes neturime. Taigi, arba tikėkimės, kad tavo rato karinės pajėgos ganėtinai ilgai užlaikys Aukščiausiąsias būtybes ir laiku atvyks žmonių pagalba, arba... – Baltojo rato valdovas trumpam nutilo, bandydamas surikiuoti mintis.

– Kas arba? – perklausė geltonasis.

– Arba liepk nutraukti kovas ir visiems saviškiams pasitraukti. Tegul priešai ateina čionai ir su mumis pasišneka. Tada ir sužinosime, ko jie norėjo.

– Visiems aišku, kad jie nori sunaikinti planetą, – karščiavosi Geltonojo rato valdovas.

– Priešingai, – ramiai jam atkirto baltasis demiurgas. – Akivaizdu, kad jie nenori sunaikinti planetos. Jei norėtų, jau būtų tai padarę, o ne kovotų su taviškiais orbitoje. Jie nori nusileisti į planetą. Tikėtina tam, kad pasišnekėtų su tavimi ir manimi, žinoma, jei jie žino, kad aš čia.

– Apie ką jie nori kalbėtis?

– Žinoma, apie žmones. Tačiau dabar siūlau nustoti svarstyti ir gelbėti savo karių gyvybes. Liepk visiems nustoti priešintis ir skubiai evakuotis. Laivus atstatysi, bet patyrusių karių taip greitai nerasi. Jie neturi jokių galimybių nei laimėti, nei pakenkti Aukščiausiosioms būtybėms.

Geltonojo rato valdovas bijojo. Net labai, labai bijojo, tačiau suvokė, kad kolegos lūpomis byloja tiesa. Trumpai susikaupęs, jis perdavė visus įsakymus ir... Ir visiškai nusiramino. Dabar, kai geltonojo demiurgo likimas nebepriklausė nuo jo paties veiksmų, jis vėl prisiminė savo mėgstamą fatalizmo filosofiją. „Bus, kaip bus“, – pagalvojo Geltonojo rato valdovas, prieš tęsdamas pokalbį.

Praėjus dar dviem minutėms, mūšis nebevyko. Ne todėl, kad demiurgai būtų sunaikinti. Jie tiesiog vykdė įsakymą ir išsilakstė. Į skirtingas puses... Žinoma, prieš evakuaciją orbitinės tvirtovės įgula visomis ryšio priemonėmis pradėjo transliuoti pranešimą, skirtą Aukščiausiosioms būtybėms, apie tai, kad demiurgai nutraukia kovą, o Geltonojo rato valdovas laukia garbingų svečių savo rūmuose. Nežinia, ar dėl šio pranešimo, ar dėl kitų priežasčių, bet Aukščiausiosios būtybės nutraukė skerdynes ir nebepersekiojo sprunkančių priešininkų.

– Ir ką mes darysime, kai klausinės apie žmones? – jau kur kas ramiau svarstė Geltonojo rato valdovas, laukdamas, kol atvyks Aukščiausiosios būtybės.

– Kaip tu nori... Gali atverti jiems savo prisiminimus. Manau, net neturėsi kitos išeities, jei norėsi likti gyvas, – lyg kalbėdamas apie visiškai nereikšmingą įvykį, dėstė baltasis demiurgas. – Tačiau aš jiems nieko nesakysiu ir minčių neatversiu. Viename iš mano dantų paslėpta stiprių nuodų. Pasirūpinau dar tada, kai sužinojau apie nukankintus mūsų pilotus ir supratau, kad galiu pakliūti Aukščiausiosioms būtybėms į rankas. Jeigu jie mane pradės kankinti, aš tvirčiau sukasiu dantis ir numirsiu.

– Teromijus jiems šito neatleis, – linktelėjo galva geltonasis, parodydamas, kad suprato savo kolegą. – Žmonės kol kas dar nežudė Aukščiausiųjų būtybių. Turbūt dėl kokių nors savo planų ar dėl garsaus Ardo polinkio į gailestingumą. Tačiau jei bent vienas iš Didžiosios trijulės užsispirs, net Ardas negalės daugiau apsaugoti nugalėtų Aukščiausiųjų būtybių nuo sunaikinimo.

– Na, ir tegul, – šyptelėjo Baltojo rato demiurgas. Jam buvo maloni mintis, kad dėl jo asmens mirties žmonės gali žiauriai keršyti. To, žinoma, nepadarytų dėl jokio kito demiurgo. – Jei Aukščiausiosios būtybės vėl patvirtins savo kaip žudikų psichopatų reputaciją, tegu po to pajunta visus padarinius, – staiga baltasis nutilo ir įsiklausė. – Girdi, jie leidžiasi tiesiai priešais rūmus. Tuoj bus čia.

– Bus tai bus, – kilstelėjo vyno taurę Geltonojo rato valdovas. – Aš jiems atskleisiu savo žinias, bet pirmiausia paaiškinsiu, kuo jiems gali grėsti tavo mirties ar kankinimo faktas. Taip pat kelis kartus nurodysiu, kad Geltonojo rato demiurgai, nepaisant ankstesnių nesutarimų, liks ištikimi žmonėms ir jiems padės tiek karo, tiek taikos metu. Žinai, mes neseniai su tavimi ginčijomės dėl dabartinės demiurgų politikos teisingumo. Dabar aš manau, kad tu buvai teisus, o aš klydau. Žmonės tikrai nėra blogiausia, kas galėjo nutikti mūsų rasei. Šiuo metu, mes tiesiog privalome remti prabudusiuosius. Dėl mūsų pačių ir visos mūsų rasės ateities.

Nežinia, kiek ir kur būtų išsirutuliojęs šis labai nuoširdus pokalbis tarp kolegų, kurie niekuomet nebuvo laikomi draugais, bet jį nutraukė į menę įžengusios trys Aukščiausiosios būtybės. Žengdamos atsargiai jos dairėsi į šalis, lyg laukdamos pasalos. Likę keturiasdešimt septyni užpuolikai išsidėstė aplinkui rūmus, pasirengę atremti galimą žmonių puolimą. Jau daug kartų Aukščiausiosioms būtybėms teko skubiai trauktis nuo visuomet laiku atvykstančių prabudusiųjų. „Šį kartą priešai neturėtų atskubėti taip greitai, – mąstė Rahamnavuras, kartu su dviem palydovais eidamas ramiai sėdinčių demiurgų link. – Nors kas juos žino, tuos žmones. Atrodo, jie visur spėja ir viską žino. Absurdas kažkoks, ir tiek... Įdomu, kas tas antrasis, kuris sėdi prie Geltonojo rato valdovo?“ Kaip atrodė geltonasis demiurgas, Aukščiausiosios būtybės jau žinojo iš to vienintelio likusio gyvo ir po kankinimų palūžusio, Geltonajam ratui priklausiusio laivo piloto. Lengvai mostelėjęs ranka Rahamnavuras paralyžiavo jam nepažįstamą demiurgą, visiškai nesirūpindamas, kad tai pastarajam sukėlė nežmonišką skausmą.

– Pasišnekėkim, rato valdove, – atsainiai prisėdęs ant fotelio krašto priešais geltonąjį demiurgą, ištarė Rahamnavuras. – Tavo palydovas, kas jis toks bebūtų, mums nemaišys.

– Pasišnekėkim, – toliau ramiai skanaudamas vyną, net su tam tikru iššūkiu atsiliepė demiurgas. – Tik pradėkim nuo to, kad aš tau atversiu dalį minčių, susijusių su mano kolega, kurį tu taip neapdairiai kankini. Manau, kad tai padės tau, garbusis svety, išvengti kelių nedovanotinų klaidų.

– Įžūli... – pradėjo Aukščiausioji būtybė, bet nutilo viduryje žodžio, kai tik perėmė ir suprato jam siųstas mintis. – Ah, net šitaip. Tai keičia situaciją, – dar vienas rankos mostas ir dingo visas baltąjį demiurgą kaustęs stingulys. – Tai vertinga informacija ir mes ją įsidėmėjome. Kartu sveikinu Baltojo rato valdovą. Teko girdėti, kad jis turi daugiausiai informacijos apie žmones.

– Turi, – linktelėjo baltasis valdovas. – Tačiau, kaip jau turėjote suprasti, jis ta informacija nelinkęs dalytis. Baltasis ratas nepalengvins darbo žmonių priešams nei veiksmais, nei mintimis.

– Ir baltasis valdovas taip elgsis, nesvarbu, kad nuo jo poelgių priklausys kito rato valdovo gyvybė? Kiek suprantu, apribojimai taikomi Jūsų asmeniui, neliečia geltonojo valdovo, – taip pat mandagiai tęsė pokalbį Rahamnavuras. Jis jau suprato, kad jėga čia daug nepasieksi. Pilotui reikėjo informacijos apie žmones, bet provokuoti priešų asmeniniam kerštui jis tikrai nenorėjo.

– Manau, tam, kad išvengtume neapgalvotų veiksmų, jums užteks tos informacijos, kurią turi Geltonojo rato valdovas, – pabrėžtinai ramiai ištarė baltasis demiurgas. – Taip pat norėčiau priminti, kad Jūs neturite laiko tolesnėms diskusijoms ir veiksmams. Mes jau pasiuntėme pagalbos šauksmą ir artimiausiu metu planetoje pasirodys prabudusieji. Taigi, siūlau imti, kas duodama, ir pasitraukti.

– Na, jei tai bus visa informacija, kuria disponuoja Geltonojo rato valdovas, – pradėjo Rahamnavuras, sunkiai tramdydamas savo įniršį prieš įžūlias žemesniąsias formas, – tada mes sutiksime su Jūsų sąlygomis.

– Gerai, tai bus visa informacija, kuria aš disponuoju apie žmones, – po labai visiems prailgusios keliolikos sekundžių tylos ištarė Geltonojo rato valdovas. Kaip bebūtų keista, jis šitą laiką rimtai svarstė savo pasiaukojimo ir mirties variantą, sykiu prašydamas kolegos, kad žmonės už jį atkeršytų. Tačiau gyvenimo meilė nugalėjo ir geltonasis demiurgas pasiryžo atskleisti savo žinias. Taip pat ir Žemės planetos koordinates.

– Dėkoju už bendradarbiavimą, – nuskambėjo po minutę užtrukusios tylos, per kurią Rahamnavuras perėmė visą reikiamą informaciją iš geltonojo valdovo. – Buvo malonu pabendrauti, bet dabar turime skubėti, – po šių žodžių Aukščiausiosios būtybės apsisuko ir išskubėjo iš menės.

– Žinai, brolau, – sunkiai ištarė Geltonojo rato valdovas, žvilgsniu nulydėdamas pasišalinančius priešus, – prisilietęs prie jo minčių, aš supratau, ką reiškia žvelgti į šaltas mirties akis.

– Palauk, sakai prisilietęs prie jo minčių, – kilstelėjo antakį baltasis valdovas, taip išreikšdamas savo nuostabą.

– Priešas taip susižavėjo mano perduodama informacija, kad pamiršo savo paties saugumą. Man taip pat pavyko šį tą sužinoti, kas bus naudinga žmonėms. Jei atvirai, aš manau, kad dabar ne tik Aukščiausiosios būtybės žinos, kur yra prabudusiųjų gimtoji planeta, bet ir atvirkščiai.

Penkios minutės... Tik penkios minutės skyrė Rahamnavurą ir jo palydovus nuo įsiutusio Teromijaus, vedusio šimtinę žmonių. Be reikalo abu demiurgai galvojo, kad pagalba užtruks kelias valandas. Tiesą sakant, ji ir būtų užtrukusi ilgiau, jei ne Demetrijus, atsitiktinai aplankęs Baltojo rato planetą. Tik sužinojęs apie ištikusią nelaimę, jis atsidarė vartus į Edurą, ten sustabdė pirmą pasitaikiusį prabudusįjį ir paprašė perduoti visą informaciją į Bendrąją sąmonę. Po to, kai demiurgų pagalbos šauksmas pasiekė Teromiją, netruko ir dešimties minučių iki to momento, kai jis, vedinas paskubomis surinktais kariais, įžengė į Geltonojo rato valdovo rūmų menę. Įžengė ir suprato, kad pavėlavo... Nors, kita vertus, suprato, kad viskas baigėsi kur kas geriau, nei jis bijojo.

2031 metų rugsėjo 1 diena.
Andromedos ūkas. Aukščiausiųjų būtybių planeta

Keturi tūkstančiai porų akių žibėjo kovos aistra, keturi tūkstančiai burnų skandavo karo šūkį, keturi tūkstančiai širdžių kartojo priesaiką. Priesaiką, kurios žodžiai neskambėjo daugiau nei dešimt tūkstančių metų. Priesaiką skirti visą save kovai su priešu. Priesaiką, bylojančią apie tai, kad Aukščiausiosios būtybės pakilo į žūtbūtinį karą.

– Mes žinome, kas jie, – skambėjo mintis keturiuose tūkstančiuose galvų tų, kurie susirinko „Palaimintoje" arenoje.

– Mes žinome, kur jų gimtasis pasaulis, – antrino antra tiek stebinčių viską per Bendrąją sąmonę.

– Mes žinome jų stiprybės ir silpnumo šaltinį. Jų didybės ir būsimos pražūties ištakas, – skraidė žodžiai virš arenos, suteikiantys jėgų ir vilties.

– Mes sunaikinsime jų planetą. Mes sunaikinsime visus neprabudusiuosius. Mes priversime juos derėtis mums naudingomis sąlygomis.

– Taip! – šūksnis nuslopino visą kitą triukšmą. – Tik nepamirškit, kad ir jie žino, kad mes gavome šią informaciją. Jie lauks ir bus pasirengę. Turime viską gerai apsvarstyti.

– Kada? Kada trauksime į kovą, Rahamnavurai? Sakyk, kada?

– Kai mūsų bus dešimt tūkstančių tam pasišventusių. Kai sukursime gerą planą, kuris neleis patirti pralaimėjimo. Kai būsime tam parengę laivus, kuriais turėsime naudotis. Žemesniosios formos perduotos koordinatės netinka mums taip, kaip norėtumėme. Remdamiesi tik jomis, mes negalime atverti tiesioginių šuolio vartų į Žemę. Teks keliauti laivais, kosmine erdve, atliekant vienas paskui kitą kelis šuolius. Kada mes būsime pasirengę, klausėte Jūs... Manau, po trijų mėnesių.

– Ar imsime į pagalbą sąjungininkus?

– Jokių sąjungininkų. Nebegalime niekuo pasitikėti. Nutraukime visas kovines operacijas, visus kontaktus už rasės ribų ir ruoškimės tik šiam lemiamam mūšiui.

– Mes su tavimi, Rahamnavurai. Mes su tavimi. Tu vėl tapsi mūsų „Ieties smaigaliu“. Tu vėl vesi mus į pergalę.

Kaip įsiutintas vandenynas gaudė visa „Palaiminta“ arena. Šį kartą niekas nebesiskirstė ir neskubėjo. Šį kartą niekas neturėjo svarbesnių reikalų už artėjančią kovą.

• • • • •

– Elena, pasakyk man, o kodėl Brolija taip užtruko? Pasirodo, Geltonojo demiurgų rato valdovas jiems pranešė labai daug informacijos apie gimtąją Aukščiausiųjų būtybių planetą.

– Ne tiek daug, kad darbas taptų kur kas lengvesnis. Jis nerado Rahamnavuro mintyse jokių koordinačių, o tik gimtojo pasaulio vaizdus, kuriuos ir pasistengė mums perduoti. Svetimos rasės atstovo akimis regėti vaizdai negali padėti atidaryti šuolio vartų. Žinoma, Brolijai labai padėjo, kai sužinojo, kokia ten vyraujanti spalvų gama, kelios saulės matomos nuo planetos paviršiaus, kokio lygio apšvietimas būna dienos metu. Galiausiai skaičiuodami, mąstydami, spėliodami ir atmetinėdami jie pateikė rezultatą. Tą pačią dieną, kai Brolija nurodė tikrintinas žvaigždžių sistemas, pakilo dvidešimt tūkstančių mūsų patyrusių žvalgų ir leidosi į paieškas. Nemanau, kad labai ilgai truks, kol mes sužinosime pirmuosius rezultatus.

Staiga moteris nutilo, pakėlė į viršų akis ir tarsi į kažką įsiklausė.

– Viskas, sekretoriau, baigiam rašyti. Ką tik Bendrojoje sąmonėje nuskambėjo Ardo šauksmas. Jie aptiko Aukščiausiąsias būtybes, užfiksavo duomenis apie vietą šuolio vartams atidaryti ir dabar visus kviečia tenai. Žemę, Edurą ir Skruzdžių planetą lieka ginti tik dešimt tūkstančių mūsiškių. Deja, sekretoriau, tu įvardytas tarp liekančiųjų. Kol kas dar esi per silpnas rimtoms kovoms. Nors, turiu pasakyti, mano akyse padarei labai didelę pažangą, – ištarusi šiuos žodžius, moteris išbėgo iš kambario ir, jau būdama lauke, atsidarė erdvės šuolio vartus.

– Gal ir per silpnas kovai, – sumurmėjo sekretorius, paliktas vienas. – Bet užtektinai stiprus stebėti ir rašyti. Prisijungsiu prie Bendrosios sąmonės, stebėsiu visus įvykius ir juos užrašysiu. Negerai palikti nepabaigtą tokį svarbų darbą...

• • • • •

2031 metų lapkričio 16 diena. Andromedos ūkas

Nusivylimas... Ne, ne ta juoda, širdį ir protą užvaldanti neviltis, o tik nusivylimas. Būtent šis žodis geriausiai atspindi Rahamnavuro savijautą. Tiek vilčių, tiek galimybių... Savaitė, viena vienintelė savaitė teliko iki turėjusio viską pakeisti Žemės puolimo. Ir štai dabar... Dabar Didžioji gimtosios planetos saulė, kaip ir milijonus kartų prieš tai, lenkė Mažąją, glamonėdama savo švelniais spinduliais viską, kas gyva. Tik šį kartą Rahamnavuro tai nedžiugino. Jis jau suprato, kad lemiamas mūšis vyks čia ir jam teks kautis už tai, kad ši saulė ir toliau apšviestų gyvybės kupiną gimtąją planetą. „Iš pradžių maniau, kad jie atklydo atsitiktinai, – mąstė Rahamnavuras liūdnai žiūrėdamas į dangų. – Bandėme maskuotis, nuaudėme puikius iliuzijų tinklus... Tačiau dabar viltys sudužo. Vakar tapo aišku, kad jie mus aptiko ir artėja. Turėjome pasirodyti ir tai priešus šiek tiek sustabdė. Pragaištis... Kad bent planetos energija galėtumėm pasinaudoti. Nepavyks. Jei ginsimės planetoj, jie sunaikins abidvi saules ir tada jau gimtojo pasaulio neišgelbėsime. Teks kautis atviroje erdvėje. Daug jų... Labai daug. Šešis kartus daugiau nei mūsų. Visi priešai laukia tolimiausio planetos palydovo orbitoje. Kviečia atvykti ir stoti į kovą. Ką gi... Teks taip ir padaryti."

– Pradedam, – ištarė Rahamnavuras, apžvelgęs tvarkingomis eilėmis išsirikiavusias dešimt tūkstančių tris šimtus trisdešimt dvi Aukščiausiąsias būtybes. Būtybes, kurios galėjo užgesinti ir uždegti saules, kurių bijojo ir kurioms pakluso protingos rasės, gyvenančios didžiojoje Andromedos ūko dalyje ir kurios staiga pasijuto tokios pažeidžiamos prieš stodamos į kovą su žmonėmis.

Eilė po eilės, greta po gretos kilo į dangų atskiros jėgos, kaip kad save vadino šios rasės atstovai. Kilo tam, kad nugalėtų arba žūtų. Tam, kad apgintų savo namus. Tačiau net tokiu kritišku rasei momentu tik dešimtoji Aukščiausiųjų būtybių dalis dalyvavo kovos veiksmuose. Dar keli tūkstančiai abejingu pašalinio žiūrovo žvilgsniu įvykius stebėjo Bendrojoje sąmonėje. Likę nemanė, kad dėl tokios smulkmenos – gimtojo pasaulio žūties – verta nutraukti tik jiems patiems svarbius tyrinėjimus ar užsiėmimus. Galiausiai, kas jiems, begalės vidinių visatų valdovams, tas vienas niekingas uolos gabalas, nors prieš tai ir vadintas namais.

Ir štai kaip dvi rūsčios sienos viena priešais kitą, taip ir šios dvi kariuomenės sklandė tolimiausio planetos palydovo orbitoje. Jėgos nebuvo apylygės. Visi jautė, kad žmonės pranašesni. Nors viena Aukščiausioji būtybė savo disponuojama energija galėjo varžytis su trimis, o retais atvejais ir su keturiais prabudusiaisiais, tačiau šį kartą to nepakako. Žmonių buvo šešis kartus daugiau.

Kurį laiką Rahamnavuras dar vylėsi, kad žmonės padarys kokią nors klaidą. Pavyzdžiui, išsisklaidys, bandydami apsupti Aukščiausiąsias būtybes. Tada, veikdami bendrai, Rahamnavuro tautiečiai galėtų sumušti priešą dalimis. Tačiau taip neįvyko. Priešingai, prabudusieji akivaizdžiai suvienijo savo jėgas, taip keleriopai padidindami savo bendrą galią.

– Kodėl jie nepuola? – daugiau sau nei aplinkiniams sušnabždėjo pilotas. – Jei jie tikisi, kad mes pulsime pirmi ir taip truputį pažeisime savo rikiuotės stabilumą, jie labai klysta. Tai žmonės dabar gali sau leisti tai, ko jokiu būdu negali daryti Aukščiausiosios būtybės ir pulti. Jau dešimt minučių žiūrime vieni į kitus, o jie vis nepuola. Štai, jau pajudėjo... Ne... Tik trys iš jų. Matau, Ardas ir du jo palydovai. Ko jie nori? Gal nepasitiki savo jėgomis ir nori derėtis? Nors į Ardą tai nepanašu... Kiek spėjau susidaryti nuomonę, tai jis pasiutusiai ryžtingas ir labai pasitiki tiek savimi, tiek savo rase. Puikus to pavyzdys, kai jis vienas puolė mane ir du maniškius Diratų konfederacijos sostinėje. Na, bet jei jis nori pasikalbėti, pasikalbėsime. Ar sutinkate, kad pradėčiau derybas? – Bendrosios sąmonės padedamas kreipėsi jis į visus aplink jį išsirikiavusius tautiečius.

– Tai vienur, tai kitur iš pradžių nedrąsiai, o paskiau vis aiškiau nuskambėjo: „Derėkis!“ – Visi matė pavojų. Visi suprato, kad priešas gerokai stipresnis. Visi žinojo, kad žmonės sugeba labai ryžtingai ir meistriškai kautis. Niekas nenorėjo žūti, o ši galimybė visoms Aukščiausiosioms būtybėms staiga pasidarė labai reali ir akivaizdi. – Mes stebėsime tave Bendrojoje sąmonėje ir kartu priimsime sprendimus. Išklausyk, ko nori mūsų priešai.

Praėjus keliolikai sekundžių, vienas priešais kitą sustingo Ardas su savo palydovais ir Rahamnavuras, kuris atvyko vienas. Už jų nugarų dunksojo dvi kautynėms pasirengusios armijos ir tik vadų pokalbis galėjo nulemti daugelio žmonių ir Aukščiausiųjų būtybių gyvenimą ar mirtį. Maža to, tokiose epinėse kautynėse, kurios galėjo kilti netrukus, išsivaduotų energija, galinti sunaikinti ne tik Aukščiausiųjų būtybių gimtąją planetą, bet ir artimesnę iš dviejų jos saulių. Rahamnavuras tai puikiai suprato ir todėl visiškai netroško kuo greičiau pradėti kovos. Tiesą sakant, pasiduoti jis taip pat neketino.

– Sveikinu Rahamnavurą. Džiugu, kad atvyko pats „Ieties smaigalys“, – pirmasis nutraukė minčių tylą Ardas (beorėje erdvėje garso bangos nesklido ir bendravimas vyko tik apsikeičiant mintimis).

– Iš kur žinai mano vardą? – apstulbo Rahamnavuras. Jis rengėsi įvairioms pokalbio pradžioms, bet tokiai tikrai ne. Pasirodo, žmonės puikiai informuoti apie jo rasę ir žino ne tik jo vardą, bet ir tai, kaip jį paskutiniu metu vadino tautiečiai.

– Nekreipk dėmesio, – šelmiškai žybtelėjo Ardo akys. – Jūs turite savų informacijos šaltinių, mes – savų. Jūs žinote viską apie žmones. Bent jau tiek, kiek tu sužinojai pabuvojęs mūsų Bendrojoje sąmonėje ir iškvotęs Geltonojo demiurgų rato valdovą. Mes, kaip matai, žinome beveik viską apie Aukščiausiąsias būtybes. Norėtum sužinoti iš kur? – nusišypsojo Ardas. – Vis tiek ši informacija mums nebegali pakenkti.

– Norėčiau, – niūriai linktelėjo Rahamnavuras.

– Viskas labai paprasta – abipusio poveikio principas. Matau, tu apie tai nieko nežinojai, – tęsė žmogus. – Kai tave įtraukė į mūsų Bendrąją sąmonę, nemanyk, kad to nepastebėjome, vieną iš stipriausių mūsiškių įsuko į jūsiškę. Štai jis, – parodė Ardas į šalia kybantį ir besišypsantį Hansą. – Kaip tu daug sužinojai apie mus, taip pat jis daug sužinojo apie jus. Taip buvo pirmą kartą.

– Buvo ir antras? – niūriai pasidomėjo Rahamnavuras. Jam visiškai nepatiko toks žmonių informuotumas.

– Antras kartas buvo lemtas tavo klaidos kvočiant Geltonojo demiurgų rato valdovą. Tuo metu, kai tu, viską pamiršęs, skaitei jo atsiminimus, jis taip pat sėkmingai skaitė taviškius. Kiek suprantu, tu net nepagalvojai, kad Geltonojo rato valdovas prilygsta tau mentalinės įtakos srityje ir jo reikėtų saugotis? – vėl nusišypsojo puikiai nusiteikęs žmogus.

– Gerai, aš padariau klaidų, – niūriai pripažino Rahamnavuras. – Bet kaip tai susiję su mūsų dabartiniu pokalbiu?

– Niekaip, – gūžtelėjo pečiais Ardas. – Gal išskyrus tai, kad mes žinome tavo vardą ir galiu pasakyti: būk pasveikintas, Rahamnavurai.

– Būk pasveikintas ir tu, Ardai, – linktelėjo pilotas, susipratęs, kad jis dabar nedemonstruoja to mandagumo, kurį jaučia iš oponento. – Apie ką norėjai su manimi pakalbėti?

– Ilga kalba mūsų laukia, – šypsena dingo nuo žmogaus lūpų. – Reziumuodamas noriu pakalbėti apie bendrą darbą. Tu, jei gali, dabar mane išklausyk ir tada atskleisi savo mintis ar užduosi klausimus.

– Gerai, – linktelėjo smarkiai suintriguotas Rahamnavuras. Žmonės neprašė pasiduoti. Tai viskas, ko reikėjo pilotui. Visi kiti prabudusiųjų pasiūlymai buvo svarstytini. – Aš labai atidžiai tavęs klausau.

– Tai štai, – linktelėjo pašnekovui Ardas, parodydamas, kad pradėjo pasakojimą. – Visa istorija prasidėjo dar tada, kai buvau vienintelis prabudusysis, jei žinoma, neskaičiuosime ligijiečių. Jau tada pokalbiuose su mane mokiusiu Ligijos planetos gyventoju Tomu iškilo abejonių, kad žmonių prabudimo link vedė labai didelė pačių neįtikinamiausių atsitiktinumų ir sutapimų seka. Tai, kad kūrėjai, net nežinodami apie būsimą žmonių egzistavimą, nusprendė Žemės planetai suteikti savybių, be visa ko, dar ir slopinančių prigimtines žmonių galias. Tai, kad žmonės buvo sukurti ne viskam abejingų kūrėjų, o labai ambicingų demiurgų. Tai, kad žmonių kūrimo procese įsivėlė klaida, nors tai, atsižvelgiant į demiurgų patirtį genetikoje, buvo beveik neįmanoma. Tai, kad žmonėms pavyko pabėgti, nors jie tik pradėjo suvokti savo asmenybes ir buvo išskirtinai gerai saugomi. Tai, kad žmonės pateko į Žemę, ir tai lėmė jų galių praradimą, bet, kita vertus, smarkų jų skaičiaus didėjimą ir tobulėjimą karinėje srityje. Galiausiai tai, kad mane pagrobė būtent isai, pasižymintys savitu garbės supratimu. Ir dar, kad pagrobė žmogų, galintį prikelti visus kitus. Žinoma, iš pradžių kilusi mintis atrodė kaip nepagrįstas susireikšminimas, tačiau nagrinėjant giliau... Nagrinėjant giliau ir bėgant laikui visa tai nustojo būti panašu į paprastą susireikšminimą. Keliolika metų atliekama išsami analizė parodė, kad bet koks, net ir smulkiausias pasikeitimas, daugelio įvykių sekoje ilgainiui lemtų visiškai kitokį rezultatą. Tokios galios ir tokio didelio potencialo žmonijos nebūtų jokiu kitu įmanomu atveju. Tik dabartinė įvykių seka galėjo užtikrinti maksimalų žmonių rasės pajėgumą. Žinoma, aš tau pasakiau tik stambiausius įvykius. Buvo dar Žemės istorija, kurioje vėl galėjome įžvelgti stulbinamų sutapimų, vedusių prie vienintelio rezultato. Tas pats pasakytina ir apie demiurgų bei Mąstančiųjų sąjungos istoriją. Galiausiai po ilgo ir kruopštaus darbo padarėme vieną išvadą – kažkas nulemia ir nukreipia visus įvykius taip, kad pasiektų juos dominantį rezultatą. Beliko atsakyti į klausimą, koks tas rezultatas. Šis klausimas nebuvo labai sudėtingas. Tiesiog kažkam reikėjo sukurti galingiausią galaktikos rasę. Logiškai sekė kitas klausimas – kodėl tokia rasė buvo reikalinga? Tam, kad į jį būtų atsakyta, teko išsamiai išanalizuoti ankstesnę Paukščių tako istoriją ir jos padarinius. Mūsų galaktikoje egzistavo tokia rasė, vadinama kūrėjais. Tuo tarpu pas jus buvo jų analogas. Tarp šių dviejų rasių vyko konfliktas, pasireiškiantis tiek atvirais koviniais veiksmais, tiek kitų mąstančių būtybių, skirtų pratęsti kovą, kūrimu. Įvertinę visas aplinkybes, padarėme išvadą, kad žmonės tokie, kokie jie yra, suformuoti kovai su kitos galaktikos rasėmis. Visgi galėjo būti, kad tai tėra atsitiktinumas. Tam, kad būtų paneigta tokia galimybė, reikėjo surasti rasę, pagal savo jėgas prilygstančią žmonėms. Kai tik mes aptikome Aukščiausiąsias būtybes, paaiškėjo visos detalės. Kažkas dviejose galaktikose žaidžia žaidimą, sukurdamas panašaus pajėgumo rases ir stebėdamas, kuri nugalės. Pirmoji partija, kiek suprantu, pasibaigusi lygiosiomis, buvo kūrėjų kovos su jų priešais. Antroji partija – tai mes su jumis.

– Tai labai keista žinia, – iš lėto atsiliepė Rahamnavuras. – Tačiau mes matome šalia tavo minčių siunčiamą visą informaciją ir demonstruojamą loginę grandinę. Žinoma, mums reikia laiko tam, kad įvertintume, ar jūsų išvados atitinka skaičiavimus. Nepaisant to, aš vis dar nesuprantu, ko žmonės nori iš mūsų.

– Labai paprasta. Mes norime surasti tuos paslaptingus žaidėjus. Tačiau vieni to nepadarysime. Turi susivienyti abi pusės ir visą savo valią nukreipti ne į tarpusavio konfliktą, bet į siekį sunaikinti mus supančią iliuzijų sieną, – paaiškino Ardas.

– Tai tu manai, kad paslaptingieji žaidėjai pasislėpę už iliuzijų širmos?

– Taip. Tarp mūsų yra viena moteris, vardu Regina. Ji yra nepralenkiama mentalinės įtakos specialistė. Turbūt niekas visoje mūsų galaktikoje negali prilygti jos talentui suvokti ir kurti iliuzijas, – skaidri Ardo mintis žaibu nulėkė Rahamnavuro link. – Ji sugeba apčiuopti šią iliuziją, bet jos panaikinti negali. Supranti, ši iliuzijos siena pati save palaiko ir maitinasi energija tų, kuriems ji skirta ir kurie apie ją nesuvokia. Tai yra, ji maitinasi mūsų tarpusavio pykčiu. Tik abi pusės kartu gali ne tik nustoti ją maitinti, bet net ją sunaikinti.

Staiga, nespėjus Rahamnavurui atsakyti, netoli abiejų vadų ir Ardo palydovų atsivėrė didžiuliai erdvės šuolio vartai, pro kuriuos pasirodė truputį daugiau nei šimtas Aukščiausiųjų būtybių. Ryžtingai pajudėjo į priekį, pajutusios grėsmę savo vadams, žmonių eilės. Įsitempė atskirų jėgų gretos.

– Visiems pasilikti savo vietose! – valinga Ardo mintis sustabdė beprasidedantį prabudusiųjų puolimą. – Jie atvyko su tavo žinia? – kreipėsi jis į Rahamnavurą.

– Ne, – palingavo galvą pilotas ir pasidomėjo naujai pasirodžiusių gentainių. – Kodėl atvykote? Kai rengėmės kovoti, nesiteikėte net atsiliepti. Ko norite dabar?

– Suprantame tavo pyktį, Rahamnavurai. Tu darai, kas atrodo svarbu tau. Matome, kad sugebėjai suvienyti visas jaunesnes nei dešimties tūkstančių metų amžiaus atskiras jėgas. Tačiau, kaip dabar aišku, taip ir nesupratai, kodėl prie tavęs neprisijungė vyresni rasės atstovai. Kova dėl akmens gabalo neverta to, kad būtų nutraukti svarbūs darbai. Tuo labiau kad žmonės nieko šiai planetai nepadarytų, jei jūs nebandytumėte jos ginti, o tiesiog laikinai išsisklaidytumėte.

– Gal ir taip. Aš taip nemanau, – vis dar širdo Rahamnavuras. – Kodėl pasirodėte dabar?

– Žmogaus mintys atitinka mūsų tyrinėjimus. Sakyk, žmogau, – nuskriejo mintys Ardo link. – Kodėl tu nori surasti tuos paslaptingus žaidėjus?

– Manau, mums visiems reikia su jais pasikalbėti ir daug ką išsiaiškinti, – atsiliepė Ardas.

– Žmonės nebandys jiems kenkti?

– Žmonės ir nenori, ir negali jiems kenkti. Žmonės puikiai suvokia savo galimybes ir didybės manija neserga, – kiek grubiai, bet nuoširdžiai atsiliepė Ardas.

– Gerai... Mes kartu su tavo minėta moterimi iš prabudusiųjų rodysime jums kelią sugriaunant mus supančią iliuzijų sieną. Visi kartu manome, kad Rahamnavuras ir jo jaunimas prie mūsų prisijungs, mes padarysime tai, kas nepavyko mums vieniems. Ar jaunimas prisijungs, Rahamnavurai?

– Jaunimas visuomet klausė vyresniųjų išminties, – atsiliepė pilotas. Pajutęs kunkuliuojantį pritarimą Bendrojoje sąmonėje, jis pratęsė: – Mes prisijungsime.

– Gerai, – vėl nuskambėjo vyresniųjų mintis. – Vėl visi čia susitiksime ryt. Mums reikės sukaupti daugiau jėgų. Tegul jūsų minėta moteris taip pat būna kupina energijos. Kaip ir visi jūs. Turėsite teikti mums labai, labai daug energijos, kol pavyks panaikinti iliuzijas. Galite iki rytdienos įsikurti mūsų planetoje. Jums nereikės atidarinėti rytoj tolimojo šuolio vartų, reikalaujančių didelių energijos išteklių.

Tolesnio pokalbio nebuvo. Žmonės priėmė Aukščiausiųjų būtybių pasiūlymą ir trumpam įsikūrė jų planetoje. Tuo tarpu Aukščiausiųjų būtybių Bendrosios sąmonės kamputyje lengvai nupleveno, beveik niekieno nepastebėta, vieno iš pačių vyriausių atskirų jėgų mintis. „Vaikai... Kokie jie dar visi vaikai. Aiškinasi tai, kas ir taip aišku. Nors įdomu, ką žmonės darys, kai sužinos tai, ką jau žino pačios vyriausios atskiros jėgos? Jie neturėjo tūkstantmečių pasirengti tokiai žiniai."

• • • • •

Kurį laiką atrodė, kad jie vėl sėdi Eduro planetoje ir grožisi saulėlydžiu. Tik spalvos... Spalvos Edure nebuvo tokios sodrios. O ir dvi viena po kitos besileidžiančios saulės kūrė niekur iki šiol neregėtą atmosferą.

– Demiurgams čia patiktų, – pirmoji tylą nutraukė Regina. Nežinia, į ką ji kreipėsi. Gal pasakė tiesiog pati sau, o gal visiems buvusiems šalia jos? Kas tie visi, paklaus nekantrus skaitytojas. Ogi tie patys jau puikiai pažįstami mūsų herojai, tokie paprasti ir artimi, bet lemiantys net dviejų galaktikų likimą. Jie niekuo nesiskyrė nuo milijonų tokių pat žmonių Žemėje, išskyrus tai, kad jau prabudo, kai likę dar tebėra užstrigę gimtojoje planetoje. Galbūt ne vienas iš tų skaitytojų, priekabiai vertinančių šiuos žodžius, ateityje taps vienu iš jų. Vienu iš prabudusiųjų... Vienu iš valdančių, saugojančių, kuriančių, tyrinėjančių, kovojančių. Vienu iš tokių žmonių, kokie jie ir buvo sukurti. Žmonių, savo galiomis nenusileidžiančių jokiems Antikos dievams. Tačiau dabar... Dabar, kiek atsiskyrę nuo kitų, ant sraunios upės kranto sėdėjo ir aplinka grožėjosi Regina, Ardas, Elena, Hansas, Teromijus, Silvija, Loreta ir Demetrijus, prieš pat paskutinius įvykius prisijungęs prie Bendrosios prabudusiųjų sąmonės ir tapęs žmogumi.

– Ne tas žodis, – linktelėjo galvą Elena, pritardama draugės nuomonei. – Jie būtų tiesiog sužavėti. Kai kurie iš jų svajotų kokį šimtmetį pagyventi šioje planetoje, kad savo darbuose galėtų atkurti bent dalį aplinkui siaučiančios spalvų gamos. Gal, kai viskas baigsis, paprašom Aukščiausiųjų būtybių, kad leistų demiurgams čia lankytis? Meno labui...

– Kodėl gi ne, – sutiko Ardas. – Būtinai paprašysim.

– Grįžtant prie frazės, „kai viskas baigsis“, – pakeitė temą visuomet pragmatiškas Hansas. – O ką darysim toliau? Aš turiu omenyje, kai surasime ir pabendrausime su tais neaiškiais lėlininkais.

– Ogi bet ką, – atsiliepė Ardas. – Tyrinėsime, žvalgysimės, po truputį žadinsime žmones.

– Įkursim porą naujų bazių, – pratęsė jo mintį Teromijus. – Vieną iš jų – šioje galaktikoje.

– Aš norėčiau fiksuoti ar kopijuoti viską, ką gražiausio sukuria protingos rasės mūsų ir šioje galaktikoje, – mąsliai prakalbo Elena. – Tada norėčiau Žemėje įkurti didžiulį muziejų, kuriame visa tai demonstruočiau. Ar prabudusieji man pritars?

– Žinoma, – nuskambėjo vienu metu net keletas balsų.

– O aš svajoju kurti ir plėsti gyvybę mūsų galaktikoje, – nedrąsiai prisipažino Silvija. Nors jos prabudimas vyko milžiniškais šuoliais, sparčiau nei bet kieno kito, ji vis dar nedrąsiai jautėsi tokių legendinių asmenų kompanijoje. – Norėčiau pradėti nuo Marso. Sukurti ten gyvybei tinkamas sąlygas, o paskui ir naujas gyvybės formas.

– Tik prieš tai su Hansu suderink išteklių klausimą, – nusišypsojo Ardas. – Tikiu, kad bendraminčių surasi daug, bet reikės ir nemažai materialinių išteklių.

– Manau, mes viską su Silvija suderinsime, – atsiliepė Hansas. – Kažkodėl jaučiu, kad artimiausia ateitis – auštančio žmonijos aukso amžiaus pranašas. Rasime visko – ir išteklių, ir pagalbininkų. Man ir pačiam patinka Silvijos idėja. Nors asmeniškai aš pirmiausia noriu įvesti tvarką Žemėje. Jau esu sumąstęs, kaip spręsti mūsų planetos problemas. Galvoju net išplėtoti didžiulę reklaminę kampaniją žmonėms, kurie niekada nesugebės prabusti. Bijau, kad tokių dabar Žemėje dauguma. Surasiu jiems tinkamą gyventi planetą ir pasiūlysiu didžiules pinigų sumas ir puikias gyvenimo sąlygas tiems, kurie sutiks persikelti tenai gyventi. Kaip manote?

– Su tokiomis sąlygomis tu be vargo įkalbėsi pusę dabartinių Afrikos ir Azijos gyventojų, – nusišypsojo Ardas. – Kodėl gi ne... Taip išspręstum negalinčių prabusti žmonių daugėjimo Žemėje problemą ir lengviau įvestum mūsų planetoje tvarką. Kita vertus, atidžiai stebėtum naujos planetos gyventojus ir, atsiradus tarp jų prabudusiųjų, kviestumeisi pas mus. Turėtumėme du inkubatorius. O kam įdomi sociologija, galėtų stebėti, kaip formuojasi nauja žmonių visuomenė.

– O Žemė bus laikoma tik prabudusiųjų inkubatoriumi? – pasitikslino Loreta.

– Kitaip niekuomet ir nebuvo, – už Ardą atsakė Regina. – Žemė visuomet buvo prabudusiųjų inkubatorius su specifinėmis sąlygomis. Galiausiai manau, kad kiekvienas žmogus turi teisę atrasti ir pažinti tikrąjį save. Nors nieko per prievartą tapti prabudusiaisiais neversime.

– O gal pakeiskime savo strategiją ir nustokime reikalauti iš norinčiųjų tapti prabudusiuoju nutraukti visus asmeninius ryšius su likusiais Žemėje? Manau, kad, vienam šeimos nariui įsiliejus į mūsų gretas, ilgainiui jis įtrauks ir likusius arba pats savo noru nutrauks ryšius su tais, kurie jo nesupranta, – pasiūlė Loreta.

– Gera mintis, – linktelėjo Ardas. – Aš seniai jau apie tai galvojau. Vis tiek visi, kas turi ir kam rūpi, būdami Žemėje, aplanko savo dar gyvus tėvus ar giminaičius. Bent jau aš tai darau. Nuo pat prabudimo momento periodiškai lankau savo tėvą ir motiną, atjauninu ir gydau juos. Kalbinau jungtis prie prabudusiųjų, bet jie, prisirišę prie savo dabartinio gyvenimo, atsisakė. Tik sutarkim – niekas, be jūsų, to nežino. Net Bendrojoje sąmonėje šios informacijos nėra ir nebus.

– Bijai, kad atsiras, kas norės grasindamas jiems tave šantažuoti? – pasitikslino Hansas.

– Ne tik, – paaiškino Ardas. – Bijau, kad kas nors iš neapykantos man ar visiems prabudusiesiems bandys juos nuskriausti, o aš tuo metu negalėsiu padėti.

– Logiška, – linktelėjo Hansas. – Gerai, niekas Žemėje nežino, kas mes buvome iki prabudimo. Visus duomenis Brolija kruopščiai sunaikino. O tą mintį dėl šeimų įtraukimo dar apsvarstysime vėliau.

Tuo kalbos ir baigėsi. Ne bendravimas, o tik kalbos. Šiai grupei nebereikėjo kalbėti ar siųsti minčių tam, kad jaustų vienas kito emocijas. Kažkas juos vienijo. Kažkas gilesnio nei visų prabudusiųjų bendrumo jausmas. Gal tikra ir nuoširdi draugystė?

2031 metų lapkričio 17 diena. Andromedos ūkas. Aukščiausiųjų būtybių planetos tolimiausiojo palydovo orbita

Vėl tie patys žmonės ir tos pačios Aukščiausiosios būtybės toje pačioje vietoje... Vaizdas, atrodytų, identiškas tam, kurį stebėtojai, tarp jų ir sekretorius, matė vakar. Tačiau taip atrodytų, jei neatkreiptum dėmesio į detales. Jokių grėsmingų sienų, stūksančių viena prieš kitą. Ne, tiesą sakant, sienos buvo, bet jos jungėsi tarpusavyje ir sudarė vientisą ratą. Įsižiūrėjus dar atidžiau, bet koks stebėtojas pamatytų, kad žmonės sklandė pramaišiui su Aukščiausiomis būtybėmis, o jokios tarpusavio agresijos nebebuvo nė padujų. Visi turėjo vieną tikslą ir visi jo kryptingai siekė. Rato viduryje buvo dar vienas mažesnis ratas, kurį sudarė beveik visos vyresnės atskiros jėgos ir keli žmonės, pasižymintys net tarp prabudusiųjų išskirtiniais gabumais mentalinėje srityje. Tarp jų, be abejo, buvo Regina ir buvęs Baltojo demiurgų rato valdovas, o dabar žmogus, vardu Teromijus. To mažesniojo rato viduryje stovėjo trise: Ardas, Rahamnavuras ir Tiruhavas, vyresnių Aukščiausiųjų būtybių lyderis. Visi šioje rikiuotėje turėjo savas užduotis. Sudarantys išorinį ratą kaupė išorės ir savo vidaus energiją ir perdavinėjo ją esantiems vidiniame. Tie savo ruožtu naudodami tokius neapsakomus, milžiniškus energijos kiekius stengėsi jei ne panaikinti, tai bent pramušti visus supančią iliuzijų sieną. Jei ne visą, tai bent erdvėje aplink Ardą ir dvi Aukščiausiąsias būtybes, esančias vidinio rato viduje.

Iš pradžių stebėtojams atrodė, kad nieko nevyksta. Visiškai nieko... Paskui prasidėjo kibirkščiavimas. Daug kibirkščių... Visur... Aplink išorinį ratą, jo viduje, o ypač vidinio rato viduje. Teisybę kalbant, aplink Ardą, Rahamnavurą ir Tiruhavą neblyksėjo kibirkštys, o siautė ištisas nežabotos energijos vandenynas. Dar vėliau atsirado spalvos. Ištisas spalvų margumynas, judantis ir besikeičiantis. Jei už išorinio rato ribų teblykstelėjo vienas kitas spalvų atspindys, tai viduje... Viduje, ypač aplink trijulę, turinčią svarbiausią užduotį, spalvų šėlsmas sukosi kaip pasiutęs kaleidoskopas. Kartu su šurmuliuojančia energija šis vaizdas apakintų ir išvestų iš proto, žinoma, jei prieš tai tas neiškeptų, bet kurį neprabudusį žmogų. Tik šiuo metu ir šioje vietoje tokio žmogaus nebuvo. O Ardui ir dviem atskirom jėgom nei siaučianti energija, nei besiblaškančios spalvos jokio poveikio nedarė. Vėliau... Vėliau toje raizgalynėje atsirado plyšys. Plyšys, kuriame matėsi žvaigždės. Paprastos, tolumoje žibančios žvaigždės. Kurį laiką, lyg vandenyno bangos audros metu, bandančios užlieti vienišą salelę, spalvų mirgalynė vis taikėsi užgožti atsivėrusį plyšį. Tačiau joms nesisekė. Priešingai, plyšys plėtėsi. Labai sunkiai ir iš lėto, bet nenumaldomai plėtėsi. Kol galiausiai užėmė visą vidinio rato erdvę. Paskui viskas nurimo. Ne, spalvos vis dar šurmuliavo išoriniame rate ir už jo ribų, tačiau į vidinį ratą jos nebesikėsino. Tada... Tada atsirado akys. Keturios, akinamai skaisčiai žibančios, ryškaus dangaus mėlynumo akys. Tik akys – nei galvų, nei kūnų. Akys ir Ardo bei šalia jo esančių Aukščiausiųjų būtybių viduje skambantis balsas. O gal net ne balsas. Gal garsų ir vaizdinių samplaika, kurią viską Bendrojoje sąmonėje stebinčio sekretoriaus smegenys galėjo suvokti tik kaip balsą. „Keista, kad mes juos iš karto aptikome, – pagalvojo Ardas, bet tučtuojau pasitaisė: – Ne. Netiesa. Mes jų neaptikome. Jie juk yra visur, tik pasislėpę po iliuzijų siena. Jie stebi mus, valdo laiką ir erdvę, patys likdami nematomi ir nejuntami. Tai ne mes juos aptikome, tai jie atkreipė dėmesį į mūsų pastangas ir sutiko pabendrauti.“

– Na, ir vėl mums nepasisekė, – kažkas su kažkuo bendravo. Aišku tik, kad kreiptasi buvo ne į žmones ir Aukščiausiąsias būtybes.

– Tik šį kartą kitaip, – lygiai taip pat kažkas kažkam atsiliepė. – Jei anie, buvę prieš tai, beveik sunaikino vieni kitus, ar tiesiog patys išmirė taip ir nepasiekę pergalės, tai šitie...

– Šitie ėmė ir susitarė ir surado mus.

– Na, ir ko gi jūs norite, mūsų atspindžiai sukurtoje realybėje? – šį kartą abu „kažkas" kreipėsi būtent į Ardą, Rahamnavurą ir Tiruhavą, o per juos ir į visus likusius.

– Kodėl atspindžiai? – greičiausiai atsitokėjo Ardas ir uždavė pirmą pasitaikiusį klausimą.

– Kaip tai kodėl? – abu „kažkas" akivaizdžiai nesuprato klausimo. – Mes – mintys, o jūs – tik minčių atspindžiai.

– Palaukit, palaukit, – šį kartą neištvėrė Rahamnavuras. – Kokios mintys? Kokie atspindžiai?

– Tai jūs ką, nežinote elementarių tiesų apie šios visatos sandarą? – abu „kažkas" atrodė pasibaisėję. – O kaip tada susiprotėjote mūsų ieškoti?

– Toks įspūdis, kad kalbamės su genialiais kūdikiais, atsitiktinai padariusiais didžiulį atradimą, – ši mintis vėl nebuvo skirta žmonėms ir Aukščiausiosioms būtybėms.

– Taip, – kažkas kažkam pritarė. – Ir įdomiausia tai, kad jie neturi net žinių pagrindų šiam atradimui. Žinai, nuostabu. Didžiulis netikėtas potencialas. Kas bus, kai jie suaugs?

– Tai gal galėtumėte paaiškinti, – neiškentė Ardas.

– Gerai, – abu „kažkas" sutiko, susižavėję savo samprotavimais apie didžiulį potencialą būtybių, kurias patys, nors ir netiesiogiai, sukūrė. – Pirmiausia, ar jūs ką nors žinote apie visatų begalybę?

– Yra tokia teorija, – pagaliau įsiterpė ir Tiruhavas. – Ji teigia, kad kiekviename iš mūsų yra sava visata su savais gyventojais. O fizinis kūnas teskiria begalybę visatų mumyse ir už mūsų ribų.

– Puiku. Dar ne viskas prarasta, – nudžiugo abu „kažkas". – Taigi mūsų visata yra tokia pat gyva būtybė kaip jūs ir mes. Ji gyvena savoje visatoje, kuri savo ruožtu taip pat yra paprasta gyva būtybė kitoje ir taip iki begalybės. Atvirkščiai – lygiai tas pats. Kiekviename iš jūsų yra nuosava visata, tik jūs jos dar nepažinote. Žinoma, visos jos skirtingos. Priklauso nuo šeimininko. Vienos gyvos ir kunkuliuojančios, kitos šaltos – beveik be gyvybės. Tačiau apie tai pakalbėsime vėliau. Tų visatų gyventojai savyje taip pat turi ištisas visatas. Ir taip toliau, vėl iki begalybės. Žinoma, gali būti, kad tiek vienoje, tiek kitoje pusėje ta begalybė baigiasi. Tačiau tai tik svarstymai, kuriems kol kas neturime pagrindo. Dabar grįžkime prie klausimo apie mūsų visatą ir jos gyventojus. Svarbiausi šios visatos gyventojai yra jos mintys. Žinoma, mes tik abstrakčiai įsivaizduojame, kokios lyties yra tas gyvas objektas, kuris sykiu yra mūsų visata. Mes nesame mintys, susijusios su jos ar jo lytiniu gyvenimu, jei toks apskritai egzistuoja. Vienu žodžiu, nukrypome ir tai visiškai nesvarbu. Tai va, tos mintys būna įvairiausios ir atsiranda arba po vieną, arba grupėmis. Mes ir esame dvi vienu metu atsiradusios visatos mintys. Svarbiausia tai, kad atsiradusi mintis gyvuoja tol, kol gyva pati visata. Mūsų tyrinėjimų apimtys kol kas labai ribotos, todėl negalime pasakyti, ar egzistuoja tik visatos sąmonė, ar yra ir pasąmonė. Tokios gyvybės rūšys kaip jūs tėra minčių atspindžiai. Tai yra mūsų projekcijos į čia egzistuojančią realybę. Tas projekcijas mes abi darome sąmoningai, o kai kurios kitos net nesąmoningai. Priklauso nuo pačios minties aiškumo, skaidrumo ir svarbumo šeimininkui ar šeimininkei. Nesvarbu, kam... Jei jums įdomu, kaip šitai vyksta, paaiškinsime. Mes šiek tiek valdome laiką ir erdvę. Labai ribotomis apimtimis galime keisti vietomis padarinius su priežastimis. Taigi, iš pradžių viską įsivaizduojame, apskaičiuojame ir paskui priverčiame įvykius tekėti taip, kaip jie buvo suplanuoti. Kai kurias projekcijas sukuriame patys, o kai kurias kurdami pasinaudojame jau egzistuojančiomis gyvomis būtybėmis, kurios pasitarnauja tik kaip įrankis galutiniam tikslui. Jos net nesuvokia, kad vykdo mūsų valią. Pavyzdžiui, taip buvo kuriant žmones.

– Tai viskas nulemta iš anksto? Nėra jokio atsitiktinumo galimybės? – truputį susikrimto Ardas.

– Ką jūs, žinoma, yra, – nustebo abu ar abi „kažkas“. – Negi manote, kad mums rūpi kiekvienas Jonas Žemėje ar kiekviena Aukščiausioji būtybė? Mes apskaičiuojame ir kontroliuojame tik svarbiausius mums rūpimus įvykius. Visa kita mes paliekame savieigai.

– Šitai aišku, – įsiterpė Rahamnavuras. – Koks jūsų galutinis tikslas, susijęs su mūsų sukūrimu?

– Žaidimas, – nuskambėjo paprastas, žiaurus, bet tiesus atsakymas. – Tiesiog žaidimas. Kai kada būna labai nuobodu. Milijardus metų jau pragyvenome ir dar tiek pat pragyvensime, kol mūsų šeimininkas pasens. Toje visatoje, kur jis gyvena, jo amžius tesiekia kelis dešimtmečius. Mums tai milijardai mūsų metų. Žinoma, gali būti, kad jis susirgs ar žus ir visų mūsų gyvybės užges greičiau.

– Na, iš to nuobodulio mes ir sugalvojome žaidimą, – pratęsė aiškinimą antras „kažkas“. – Įsikūrėme šiose dviejose kraštinėse galaktikose, kuriose niekuomet nesilankė jokia kita skvarbesnė ar gilesnė mintis nei mudvi, ir pradėjome.

– Ką gi, žaidimas tai žaidimas, – net šyptelėjo Ardas, nors jam teko sukaupti visą savo savitvardą. Niekam nėra malonu išgirsti, kad pagrindinis jo egzistavimo tikslas – būti žaislu kieno nors rankose. – Tai galiausiai ne blogesnė už kitas priežastis egzistuoti. Kokį žaidimą žaidėte su žmonėmis ir atkiromis jėgomis?

– Tą patį kaip ir su prieš jus buvusiais, – ramiai aiškino abu „kažkas“. – Viena iš mūsų kūrė projekcijas jūsų vadinamajame Paukščių take, o kita – Andromedos ūke. Tikslas buvo pasirinkti tokią strategiją, kad visiškai identiškomis sąlygomis identiškos pagal galimybes rasės nugalėtų kitos minties suprojektuotas tokias pat rases.

– Aš nusprendžiau vadovauti Aukščiausiosioms būtybėms ir jų galaktikai. Suteikiau joms sustiprintą norą turėti palikuonių ir pasiunčiau į gyvenimą jau su didelėmis galiomis. Jos beveik iš karto per kelis tūkstančius metų įtvirtino savo viršenybę šioje galaktikoje ir išliko iki dabar.

– O aš, – aiškino jau kitas „kažkas“, – pasirinkau kitą kelią. Supratau, kad net sustiprinus poreikį turėti palikuonių, tokia galinga ir ilgaamžė rasė vis tiek sparčiai nesidaugins. Tad sukūriau kažką panašaus į inkubatorių. Jame rasė nebūna nei stipri, nei galinga, nei ilgaamžė. Susiduria su begale problemų, bet už tai labai sparčiai dauginasi ir semiasi bendros patirties. Ištrūkę iš inkubatoriaus, šios rasės atstovai atgaus savo galias, bet dauginimasis jiems visiškai neberūpės.

– Kaip tai neberūpės? – nustebo Ardas.

– O ką, daug prabudusiųjų per šituos dešimtmečius susilaukė vaikų? – atsikirto „kažkas“. – Kiek žinau, nė vieno. Tačiau pačios rasės skaičiui tai nesvarbu. Svarbiausia palikti inkubatoriuje tam tikrą skaičių neprabudusiųjų, kurie užtikrins būtiną prabudusiųjų skaičiaus didėjimą. Anksčiau ar vėliau tokia mano strategija turėjo lemti, kad reikiamu metu reikiamoje vietoje atgavusių galias žmonių atsiras daugiau nei Aukščiausiųjų būtybių. Maža to, jie bus jauni, energingi, dar nekamuojami neatsakytų filosofinių ir egzistencinių klausimų ir todėl gerokai ryžtingesni nei jų priešininkai. Visi įvykiai rodė, kad aš teisus. Nenumačiau tik vieno dalyko...

– Nenumatėme, kad kažkam gali šauti į galvą mintis apie mus ir noras mus surasti, – toliau aiškino abu „kažkas“. – O jūs sakėte, kad nebūna atsitiktinumų... Jų būna net su mumis, iš dalies valdančiais tiek erdvę, tiek laiką. Kai suvokėme galutinį jūsų pasitarimo tikslą, nusprendėme, kad žaidimo taisyklės mums neleidžia dabar kištis ir palikome viską savieigai. Štai dabar jūs ir esate prieš mus.

– Gerai, – linktelėjo Rahamnavuras. – Jūs esate visatos mintys, kurios nemiršta neišnykus pačiam šeimininkui, o mes trumpalaikės jūsų projekcijos ir atspindžiai. Kas tada žvaigždės, galaktikos, galaktikų spiečiai?

Elementaru, – klausiančiojo nemokšiškumas nustebino abi visatos mintis. – Vardijam iš eilės: atomai, molekulės, ląstelės. Tie patys fiziniai komponentai, kurie sudaro kiekvieną iš jūsų.

– O kas tada yra „paralelinė visata“? – įsiterpė Ardas.

– Čia šiek tiek sunkesnis klausimas, – abu „kažkas“ pralinksmėjo, patenkinti klausiančiojo žiniomis. – Be visatos minčių, yra visatos emocijų, svajonių ir sapnų. Štai jie visi ir sudaro „paralelinę visatą“. Tenai neegzistuoja fizinių kūnų ar kokių nors atomų. Tenai vientisas beribis jausmų ir emocijų vandenynas. Kiekvienas iš jūsų tenai turite savo dalį, kuri būna su jumis, kol esate čia, ir sugrįžta atgal, kai numirštate. Jūs tai vadinate siela. Taigi, jumyse visuomet yra dalis visatos sapnų ir svajonių, kuri sykiu tampa atgimstančia jūsų pačių dalimi. Argi ne puiku? Mes tokios dalies neturime. Arba, kitais žodžiais, ji visuomet su mumis. Mes gi nemirštame, kol gyva pati visata. Net pats pavadinimas „paralelinė visata“ nėra tikras. Tas emocijų ir jausmų vandenynas tyvuliuoja visur, nors kai kurios mūsų sutiktos mintys manė, kad sykiu jos yra visur ir niekur ir sudaro neatsiejamą šios visatos fizinio būvio dalį. Tad niekas, kol gyvas, negali tenai patekti. Tie, kurie jums sakė, kad jiems pavyko, buvo suklaidinti. Kai kurios mintys mėgsta kurti iliuzinius pasaulius. Jie skirti apgauti konkretų objektą ir išsisklaido, kai tai pavyksta. Netgi mes Žemėje porą kartų esame tokius sukūrę.

– Iš čia ir kilusios visos istorijos apie patekimą į „paralelines visatas“? – pasitikslino Ardas.

– Būtent, – pasigirdo bendras abiejų visatos minčių patvirtinimas.

– O kas bus toliau su mumis? – pagaliau prašneko, prieš tai įdėmiai klausęsis Tiruhavas.

– Nieko, – nuskambėjo atsakymas. – Žaidimo nė viena iš mūsų nelaimėjo. Panaikinti savo atvaizdus, tai yra jus, ir pradėti viską iš naujo negalime. Tiesą sakant, galime ir netgi lengvai, bet mums gaila įdėto darbo. Tuo labiau kad, atrodo, išėjo labai neblogas rezultatas. Keliausime kitur ir ten pradėsime naują partiją. Aplinkui tiek daug galaktikų, į kurias dar neužklydo jokia kita mintis. Jūs susitarkite tarpusavyje ir gyvenkite, kaip tik jums patinka. Galite tyrinėti visatas savo viduje ir jas kurti, galite užsiimti šitos visatos tyrimais. Ką norite, tą ir darykite. Mes retkarčiais užmesime akį pažiūrėti, kaip jums sekasi.

– O kitos mintys mums nekenks? – pasidomėjo Rahamnavuras.

– Visos mintys gerbia viena kitos darbus ir kūrinius. Mūsų nėra labai daug, o laisvų galaktikų – į valias. Na, nebent nuspręs, kokį nepiktą pokštą iškrėsti. Tačiau jūs gi nepėsti... Susiradote mus, susirasite ir pokštininkus, jei tokie kada nors užklys į šią šeimininko dalį.

– Dar vienas klausimas, – prabilo Ardas. – Žmonės kai kada serga, juose atsiranda įvairiausių bakterijų ir jas naikinančių dalelių. Čia tokių būna?

– Ai, nieko baisaus. Tai tokios didelės, protingos ir labai galingos planetos. Tiek tos, tiek tos. Susidorosite, jeigu ką... Kol kas mūsų šeimininkas pasižymi puikia sveikata. Tikėsimės, kad taip bus ir toliau.

– O šeimininkas mus suvokia? – vėl įsiterpė Tiruhavas.

– Nemanome... Bent jau kol kas nesutikome jokios kitos minties, kuri patvirtintų tai, kad jis sąmoningai suvokia vidinės visatos egzistavimą. Spėjame, kad norėtumėte dar kai ko paklausti. Kas būtų, jei šeimininkas suvoktų viduje turintis ištisą visatą? Tada jis imtų ją keisti ir reguliuoti pagal savo skonį. Kiltų minčių, dešimtys ir šimtai minčių apie tai, kas ir kaip turėtų atrodyti. Tik jam pagalvojus, viskas būtų taip, kaip jis panorėtų. Juk šeimininkas ir yra visata. Mums jis yra viskas, nes mes esame tik menka jo dalis. Niekas šioje visatoje negalėtų nepaklusti jo norams. Nebūtų jokių fizikos dėsnių, kurių netrokštų jis pats. Na, manome, jūs mus supratote ir nebereikia toliau aiškinti...

– Tokiu atveju mes, suvokę ir pajutę savas visatas jose, tampame visagaliai? – pasiteiravo Rahamnavuras.

– Ne, – nuskambėjo atsakymas. – Jūs ten tampate alfa ir omega, viskas ir niekas – atsižvelgiant į savo norus. Vienos jūsų minties užtenka sukurti protingų būtybių rases. Vienos minties užtenka joms sunaikinti. Jums tereikia surasti save ir visatą savyje...

Nuskambėjo dar kelios frazės, baigiančios šį pokalbį, bet jos nieko nebereiškė po to, ką žmonės ir Aukščiausiosios būtybės išgirdo apie save ir savo egzistenciją. Žmonės dar buvo labai jauni. Kaip kad pasakė visatos mintys – genialūs kūdikiai. Jiems viskas, ką jie išgirdo, buvo nauja ir stebuklinga. Galbūt nujaučiama ar numanoma, bet nežinoma ir neatrasta. Aukščiausiosios būtybės, palyginti su jais, buvo jaunuoliai. Patyrę ir žinantys gyvenimo skonį. Pokalbyje su visatos mintimis dalyvavo tik jaunoji jų karta ir dalis viduriniosios. Net Tiruhavas tik neseniai sulaukė dvidešimties tūkstančių metų amžiaus. Tuo tarpu Bendrojoje Aukščiausiųjų būtybių sąmonėje vėl nepastebimai ir tykiai nupleveno mintis: „Sveiki atvykę į mokyklą, vaikučiai. Kadaise, labai labai seniai ir man teko visa tai suvokti. O ir mokytojų tokių, kokius jūs susiradote, aš neturėjau. Nesvarbu... Tegul džiaugiasi. Jiems prieš akis atsivėrė visatų begalybė. O ta žmonių draugų rasė – isai, mane sudomino. Reikia tokią pačią sukurti manojoje visatoje.“

• • • • •

„Na, štai ir viskas... Tiksliau, beveik viskas. Žmonės ir Aukščiausiosios būtybės tikrai susitarė. Pasidalijo įtakos sferomis. Viską aptarė, net demiurgų menininkų galimybę apsilankyti Aukščiausiųjų būtybių planetoje. Nepamiršo ir diratų su silukarais, už kurių taikų gyvenimą atsakomybę prisiėmė žmonės. Tiesą sakant, dauguma Aukščiausiųjų būtybių labai apsidžiaugė, kad prabudusieji perima iš jų taikos palaikymo funkcijas Andromedos ūke. Nedidelė, labai nedidelė jų dalis iki šiol mėgo patruliuoti, reguliuoti ar kitaip kištis į žemesnių rasių gyvenimą. Net Rahamnavurai tai atrodė tuščias laiko gaišinimas. Laiko, kurį galima panaudoti kur kas racionaliau ir naudingiau.

Žmonės, priešingai, nei buvo galima pagalvoti, išgirdę iš visatos minčių apie savo menkumą, visiškai nenusiminė. Kai Hansas vieną kartą paklausė kitų nuomonės apie tai, ar jų dabartinis užsiėmimas įvairiausiomis smulkmenomis vertas jo gaištamo laiko. „Gal mums geriau užsiimti kokiais svarbesniais dalykais? Pavyzdžiui, bandyti suvokti visatas savyje ir nukreipti tinkama linkme jų gyvų būtybių evoliuciją?“ – tokia buvo jo išreikšta mintis.

– Bus tų visatų ir vėliau, ne bėdos, – atsiliepė Ardas. – Tegu visi užsiima, kuo kas nori. Prieš susitikdami visatos mintis, turėjome puikius planus. Kuo jie tapo prastesni dabar? Ateis laikas, pasidomėsime ir visata aplink mus ir visatomis mumyse.

Daug dar galėčiau pasakoti... Vien žmonių žvalgų nuotykiai ko verti. Jau buvome su Elena užsiminę apie vieno prabudusiųjų veiklą Medžiotojų planetoje. Buvo dar ir dviejų rasių planeta – požeminės, apdovanotos mentaliniais gebėjimais, ir antžeminės, neturinčios jokių ypatingų gebėjimų, bet sudarytos iš labai mielų ir nuoširdžių būtybių. O kur dar Demetrijaus vėlesni nuotykiai ir jo garsusis dienoraštis... Galima būtų rašyti ir rašyti, bet ar to reikia? Svarbu tai, kad savo užduotį mes su Elena įvykdėme. Aprašėme, kaip prasidėjo prabudimo procesas ir kiek daug turėjo nuveikti prabudusieji, kad taptų tuo, kuo yra dabar. Kitos istorijos... Manau, jos palauks, kol vėl kas nors panorės jas užrašyti. Jeigu panorės...“

Demonas

APSAKYMAS

2009 metai pagal krikščioniškąjį laiko skaičiavimą

Diena, bent jau ryte, atrodė tokia pat kaip ir kitos. Tas pats darbas toje pačioje advokatų kontoroje, tie patys partneriai ir beveik nesikeičiantis vaizdas už lango, net klientai, vienas po kito varstantys kabineto duris, atrodė kamuojami beveik identiškų problemų. Jau beveik prasidėjo nuobodi nuobodžios dienos pietų pertrauka, kai pasirodė Jis. Ne... Jo pasirodymas nebuvo kuo nors įspūdingas – nei žaibų, nei griausmo už lango, o ir Jis pats neatrodė kuo nors išsiskiriantis. Galbūt tik akys... Bet apie viską iš pradžių...

– Liutaurai, priimk dar vieną klientą, – pravėrusi kabineto duris be jokių įžangų išbėrė Vilija. Prieš kelerius metus, tik baigusi Teisės fakultetą, ji buvo nedrąsi ir mandagi, bet dabar... „Keista, kaip gyvenimas iš romios mergaitės padarė tvirtą, iki galo už save galinčią kovoti merginą. Nepavydžiu jos būsimam vyrui“, – mąstė Liutauras, jaunas, tik trisdešimtmetį perkopęs advokatas.

– Šiaip aš ruošiausi pietauti ir, be to, turiu nuolatinių klientų prašymu parengti kelis svarbius raštus. Kalbinki Nojų, – nemanė nusileisti vyras. Jis jau penktus metus dirbo šioje advokatų kontoroje ir puikiai žinojo visus smulkiųjų klientų atsikratymo būdus, klestinčius tarp kolegų.

– Bandžiau, – neatlyžo Vilija. – Pas jį kažkokie užsieniečiai, sako, stambus projektas. Paulius dirba poroje su juo. Sutiktų Sofija, bet ji jau išbėgusi pietauti, o klientas pageidauja susitikti su advokatu dabar pat.

– Maža ko jis pageidauja, – suirzo Liutauras. – Kalbink Gražiną, ji specializuojasi smulkiuose darbuose.

– Nieko nebus, – papurtė galvą užsispyrusi biuro administratorė, sykiu atliekanti ir teisininkės konsultantės pareigas. – Pas Gražiną septyni žmonės eilėje. Visą rytą pas ją senutes su jų smulkiais skundais siuntinėjate. Tu dabar laisvas, tai ir priimk. Kviečiu... – po tokių žodžių Vilija apsisuko ir mandagiai pakvietė užeiti už durų laukusį klientą.

Prieš Liutaurą sėdėjo nedidukas, jau praplikęs nenusakomo amžiaus žmogelis. Kostiuminis švarkas ir kelnės ant jo kabėjo kaip maišai, batai – toks įspūdis, kad jis jų niekuomet nevalė. Jokio auksinio laikrodžio ar brangaus portfelio. „Eilinis pilkas žiurkėnas su klausimu už penkiasdešimt litų...“ – galvojo advokatas, nuo kojų iki galvos nužiūrinėdamas nelauktą klientą. Bendrame paveiksle labiausiai netiko atvykėlio akys – skaisčiai mėlynos ir neapsakomai skvarbios, spinduliuojančios ryžtą ir, nors ir keistai skambėtų, šimtametę patirtį.

– Laba diena. Malonu, kad užėjote. Aš advokatas Liutauras V... – „užsidėjęs“ budinčios šypsenos kaukę, vyras pradėjo savo įprastą pasisveikinimą su klientais. – Kokios bėdos atvijo?

– Sveiki, sveiki, – sutrikęs linkčiojo galvą mažasis žmogelis. – Tiesą sakant, advokate, jokių bėdų, bent jau tokių, kurias galėtumėt padėti išspręsti, kaip ir neturiu. Turiu Jums pasiūlymą.

„Įdomiau, – svarstė Liutauras, klausydamasis kliento kalbos. – Gali būti, kad vienas iš tų užsimaskavusių investitorių. Žarsto milijonus, perka įmones ir brangiausią nekilnojamąjį turtą, bet atrodo kaip elgetos“.

– Kas per pasiūlymas? Įdėmiai Jūsų klausau...

– Ne, – šypsodamasis papurtė galvą žmogelis. – Pradėsiu nuo to, kodėl pasirinkau Jus, – po šių žodžių nenatūraliai spindinčios šnekančiojo akys prikaustė visą Liutauro dėmesį. Klientas nebebuvo nei pilkas, nei menkas. Dabar priešais advokatą sėdintis žmogus tiesiog fiziškai įkūnijo nepalaužiamą valią ir valdingumą, o jo žodžiai aidu skambėjo tiek teisininko galvoje, tiek širdyje. – Liutaurai, aš ilgai ieškojau tavęs ir būtent tavęs. Aš žinau, ką jauti nuo mažens. Žinau tą tuštumą, kuri tave lydi visą gyvenimą. Tą patį jaučia kalnų erelis, kuris gimęs nelaisvėje ir uždarytas labai dideliame ir gražiame narve. Tu kaip ir tas didingas paukštis jauti, kad visa tai, ką turi gyvenime, nėra tavo. Galvoji, kad iš tiesų tu gali daugiau, bet esi apribotas aplinkos. Nori skristi, bet negali. Nori laisvės, bet net neįsivaizduoji, kaip ji atrodo. Tad tau patinka iššūkiai, patinka kova ir todėl tik pasiektas tikslas tau tampa nebeįdomus. Tu niekada nerasi savęs verto tikslo. Viskas, kas aplinkui tave, yra tau per menka. Taip bus visuomet, nes toks yra tokių kaip tu likimas. Jūsų labai nedaug. Miglotai atsimenančių tą laisvę, kai dar nebuvote žmonės. Balansuojančių ant „proveržio" ribos, bet niekaip jo negalinčių peržengt. Kaip dažnai tu jausdavai, kad dar truputis ir galėsi atsiplėšti nuo žemės, dar kiek ir tau nereikės rankų tam, kad valdytum daiktus. Ir visada to trupučio pritrūkdavo. Man gaila tavęs, Liutaurai. Jei tik būtum gimęs tarp tokių kaip tu... Jie tave išmokytų, kas yra laisvė.

– Kaip ereliai išmoko savo vaikus? – sušnibždėjo Liutauras.

– Kaip ereliai išmoko savo vaikus... Tačiau to nebus, ir tu esi pasmerktas būti kaip vienišas fakelas tankiame rūke. Dabar aš negaliu tau parodyti, kas tu esi iš tikrųjų, tačiau galiu suteikti svarbiausią tavo gyvenimo tikslą, ką ten tikslą – didžiausią gyvenimo iššūkį. Pirmiausia aš galiu papasakoti... Papasakoti, kaip viskas buvo iš tikrųjų. Tada, jei tik norėsi, galėsi atgauti savo prigimtį ir keliauti su manimi.

Staiga viskas pasikeitė... Tiksliau sakant, pasikeitė pats kalbantysis. Vieną akimirką prieš Liutaurą sėdėjo neaukštas pilkas žmogėnas, o kitą į jį jau žvelgė aukštas, šviesiaplaukis, skaisčiai mėlynų akių atletas.

– Klausykis, Liutaurai. Klausykis ir bandyk prisiminti...

Teisininkas nieko nebeatsakė. Jis klausėsi įstabiausio pasakojimo savo gyvenime.

• • • • •

Šį kartą jis pasirinko aukšto, baltaodžio, geltonplaukio, šviesiai mėlynų akių žmogaus išvaizdą. Tiesą sakant, ši išvaizda jam labiausiai patiko ir todėl keliaujant ar laisvalaikiu ji tiesiog buvo tapusi tikrąja jo asmenybės išraiška. Bet dabar... Dabar pasirodyti tokiame kūne buvo mažiausiai įžūlu. Galima pasakyti dar daugiau – tai buvo absoliuti nepagarba teismui. Vakaris tai žinojo ir net nesirengė elgtis kitaip. „Tegu jie supranta, kad aš savo galvos nelenksiu prieš nieką. Jau vieną tokį teismą man teko išgyvent. Ištversiu ir antrąjį," – mąstė vyras, iššaukiančiu žvilgsniu nudelbdamas visus devynis Aukščiausiojo Teismo teisėjus.

– Stokis, Azazeli, – sugriaudėjo vyriausiojo teisėjo balsas, išplėšdamas Vakarį iš slogių, bet maištingų minčių. – Jei negerbi teismo, gerbk bent save patį. Tu pats kūrei taisykles, pagal kurias mes dabar dirbame. Prašau jų laikytis.

– Kodėl vadinate mane uždraustu vardu? Dabar aš esu Vakaris.

– Ne, – paprieštaravo teisėjas. – Vakaris buvo mano draugas ir mokytojas. Jis mane išmokė gerbti įstatymus. Tu – Azazelis, maištautojas ir protų drumstėjas. Taip, neneigsiu – jis mūsų didvyris. Tai Azazelis kartu su kitais sukilo prieš diktatūrą, viešpatavusią Originale. Tai jis mokė žmones. Jis kovojo šalia Aušrinio ir buvo ištremtas kartu su juo. Tai jo vardas buvo įrašytas į uždraustų vardų sąrašą. Vėliau Azazelis dingo ir atsirado Vakaris. Teisingumo sargas, teisės kūrėjas ir mokytojas. Tai jis padėjo tvarkos pamatus pirminiame chaose. Tačiau dabar... Dabar, kaip matau, Vakario nebėra. Vėl atsirado Azazelis.

– Gerai, teisėjau. Tai gal visus pradėkime vadinti savais vardais? Kodėl tu sakai, kad Azazelis kovojo šalia Aušrinio? Tada jis turėjo kitą vardą.

– Netark pamirštų vardų, – bandė nutraukti Vakario žodžius teisėjas.

– Kodėl netarti? – salėje nuskambėjo trečias balsas. Balsas ką tik įėjusio labai aukšto tamsiaplaukio žmogaus liepsnojančiomis akimis. Jei Vakario išvaizda niekuo nesiskyrė nuo daugelio europiečių, tai įėjusysis tik išoriškai teatrodė panašus į žmogų. Žinoma, jo ragiukai ir ryškiai šviečiančios, tiesiog liepsnojančios akys nesuteikė jam panašumo į mirtingąjį, bet tai tebuvo išoriniai veiksniai. Nuo atėjusiojo tiesiog spinduliavo nežmoniška galybė ir jėga. Jei būtų norėjęs, jis galėtų tai paslėpti, kaip kad savo galią paslėpė Vakaris. Tačiau atėjūnas to nenorėjo. Jis mėgavosi savo galia ir demonstruojamu pranašumu, nors ir suprato, kad jei reikėtų tikroj kovoj susiremti su Azazeliu, būtų labai sunku, o ir baigtis tokios kovos nebūtų lengvai nuspėjama. – Kodėl Jūs bijote ištarti mano tikrą vardą, nors taip lengvai ištarėt Vakario? Bijot konflikto su Originalu? Nenorit pažeisti jų draudimo ir išprovokuoti baudžiamosios ekspedicijos? Konfliktas vis tiek bus... Aš nuolat tai kartojau ir kartosiu. Taip, Vakario sukurtos teisės normos mums labai padėjo laimėti laiko. Tikiuosi, padės ir toliau, bet mes privalome rengtis tam, kas neišvengiama. Būtent todėl aš pasinaudojau įstatymuose nurodyta savo teise ir pasiskelbiau vienvaldžiu valdytoju.

– Bet ši teisė numatyta tik išimtiniams atvejams, – neiškentė ir pertraukė kalbėjusįjį Vakaris.

– Dabar ir yra išimtinis atvejis, – numojo ranka Aušrinis, o būtent juo ir buvo įsiveržęs į teismą asmuo. – Mes su tavimi ištisus mėnesius apie tai diskutavome. Galiausiai nusprendėme perduoti šį ginčą teismui ir dabar tu nebenori vykdyti tau nepalankaus teismo sprendimo.

– Aš viską žinau, – nuleido galvą Vakaris. – Bet aš nenoriu su tuo sutikti. Taip, aš kaip ir tu matau pavojus Originalo veikloje. Tačiau manau, kad jų galima išvengti kitais būdais.

– Todėl nusprendei maištauti?

– Ne, nusprendžiau nesutikti.

– Tada teisėjas buvo teisus sakydamas, kad dingo Vakaris ir vėl atsirado Azazelis.

– O tu pats? – užsiplieskė Vakaris, priversdamas susigūžti net teisėjus, jau nekalbant apie paprastus sargus. Jo išvaizda staiga pakito ir priešais Aušrinį stovėjo tas pats senasis Azazelis, tobulų bruožų švytintis angelas kraujo raudonumo sparnais. – O tu pats ar nejauti, kad nebesi tas Aušrinis, kuriuo prisiekei būti. Tu nebekuri naujo gyvenimo, o vėl rengiesi kovoti. Atmink, jau vieną kovą mes pralaimėjom, nors ji neatrodė beviltiška. Dabar vėl? Vėl kariauti? Vėl kančios ir mirtis? Negi tu vėl tapai juo? Negi vėl tapai Liuciferiu?

– Gal tu ir teisus, mano broli, – nuleido didingą galvą Aušrinis. – Gal aš vėl tapau tuo, kuo niekuomet nebenorėjau būti? Kadaise aš atsisakiau kunigaikščio vardo, bet dabar vėl trokštu vienvaldiškumo. Bet tu ir pats matai, ką išdarinėja Originalas... Jų sukurtos religijos užtemdė žmonėms protus. Kariaujami religiniai karai neša jiems nelaimes ir kančias. Visu tuo naudojasi Originalas. Jie kaip vampyrai siurbia energiją iš Žemės. Kuo tamsesni žmonės, kuo labiau jie praranda savo valią ir perleidžia gyvenimą tam Originalo išgalvotam Dievui, tuo daugiau gyvybinės energijos jie praranda. Gyvenimas Žemėje trumpėja, žmonės sumenko, visur viešpatauja tik karas, maras ir bažnyčios. Pagalvok apie tai... Pagalvok apie mūsų vaikus, kurie nepasiliko kartu su mumis Paralelėje, o nuvyko į Žemę padėti žmonėms. Dar ir dabar ten gyvena jų palikuonys, kurie ujami ir persekiojami visokių kryžiais pasidabinusių fanatikų, tarsi laukiniai žvėrys. Dar pora šimtų žemiškų metų ir ten nebeliks nė vienos jiems tinkamos gyventi oazės.

– Bet jei mes dabar pradėsim karą... – nuleidęs galvą prašneko Vakaris. Kalbančiojo žodžiai buvo teisingi ir jis pats tai žinojo, tačiau nenorėjo kariauti. – Pagrindinės kovos vyks Žemėje. Ji tiesiog paplūs krauju. Mes tikrai nežūsim. Nemanau, kad Originale daug to „Dangaus valdovo“ parankinių, kurie galėtų mesti iššūkį mums ir kitiems ištremtiesiems. Tačiau pagalvok apie kitus. Silpnesnius už mus... Jau gimusius Paralelėje. Tai jie akis į akį susitiks su kovinių angelų būriais. Jie tikrai gali žūti... O žmonės... Žmonės mirs šimtais tūkstančių. Tarp jų bus ir mūsų išėję vaikai. Negi tu viso šito nori?

– Nenoriu aš to! Nenoriu! – suriko Aušrinis kupinu kančios ir skausmo balsu. – Tu žinai, kad nenoriu, bet nežinau, ką mums daryti. Brolau, aš ilgai galvojau ir.... Man reikia tavo pagalbos, – ištarė jis, sunkiai nuleisdamas galvą.

– Pagalbos kam? – paklausė Vakaris, nurimęs ir vėl atgavęs savo ankstesnę išvaizdą.

– Dirbkim ir toliau kartu... Baikim tuos cirkus su teismais. Abu žinome, kas buvo, ir jaučiame, kas bus. Prisimink, kaip kiekvieną kartą susidūrę su sunkumais, visi susiimdavome už rankų ir vieningai irdavomės į priekį. Suraskime išeitį visi kartu. Padėk man.

– Kaip aš tau galiu padėti? – net sudejavo Vakaris. Tik vieną kartą brolis, o būtent broliai buvo Aušrinis su Vakariu, prašė jo pagalbos. Tik vieną kartą didysis Liuciferis atrodė toks nelaimingas ir pavargęs, negalintis surasti išeities. Tai buvo seniai, labai seniai. Tada, kai anksčiau toks garbingas „Dangaus valdovas" nusprendė sunaikinti žmoniją. Jie tebuvo jauni, po kelis tūkstančius dangiškųjų metų tegyvenę, angelai. Kupini entuziazmo ir idealizmo. Jie patys kūrė žmones. Patys stebėjo, kaip jiems sekasi toje rūsčioje, Žeme pavadintoje, vietoje. Ir staiga... Staiga toks gerbiamas vadovas nusprendė tapti diktatoriumi ir pasmerkti jų kūrinius amžinoms kančioms. Sukilo trečdalis angelų. Beveik visa jaunoji karta su Liuciferiu ir Azazeliu priešakyje. Sukilo ir pralaimėjo. Dalis žuvo, o dalis buvo ištremti į Paralelę, kurią „Dangaus valdovas" pavadino „Pragaru". Sunku buvo sukurti pasaulį nevaisingoje Paralelėje, bet ištremtieji sugebėjo. Dabar, kai ši tremties vieta tapo jiems namais, viskas gali pasikartoti iš naujo. Brangiai tada kainavo pergalė „Dangaus valdovui". Jo vadinamasis „Rojus" liko griuvėsių krūva, o ir ištikimųjų gretos labai praretėjo. Nebe žmonės jam tada rūpėjo... Dabar, kai „Dangaus valdovas" galutinai atsigavo, jis vėl prisiminė ankstesnius planus. Jau kelis šimtus dangiškųjų metų (vieni dangiškieji prilygsta dešimčiai Žemės metų) jis vertė žmones bevaliais vergais ir siurbė iš jų gyvybinę energiją. Tiesą sakant, viskas prasidėjo kur kas anksčiau – nuo asteroido. Daugiau nei prieš tūkstantį dangiškųjų metų „Dangaus valdovas" nukreipė Žemės link asteroidą ir sunaikino didingą, išdidžių ir gražių žmonių civilizaciją. Civilizaciją, kurios atstovai niekada nebūtų keliaklupsčiavę prieš jokį dievą. Katastrofa pražudė begalę žmonių ir Paralelės vaikų, atėjusių padėti žmonėms. Po jos sekę bado ir vargo tūkstantmečiai nusmukdė ir susilpnino žmones. Ir štai dabar... Dabar Žemėje karaliauja dirbtinų religijų atnešta tamsa, o „Dangaus valdovas“ žmones paverčia paprasčiausiomis baterijomis. – Gal tu ką nors sugalvojai, brolau?

– Tiesą sakant, taip, – pradžiugo Liuciferis, išgirdęs Azazelio sutikimą padėti. – Keliauk į Žemę. Sukurk stiprią oazę Paralelės vaikams. Tegul tenai atsiranda stiprių ir išdidžių bei garbingų žmonių ordinas. Tada grįžk, ir mes galvosim, ką daryti toliau. Aš per tą laiką dėl viso pikto paruošiu Paralelę karui.

– O šitą oazę panaudosi kaip bazę kariniams veiksmams Žemėje?

– Tik jei mums nepavyks kitaip išspręsti problemos. Aš labai tikiuosi, kad tavo sukurtas ordinas bus šviesos spindulys tamsos karalystėje, kuris plėsis, kol nustelbs visą tamsą.

– Kitais žodžiais, tu manai, kad tas ordinas bus toks pažangus, jog savo idėjomis užkrės likusias Žemės tautas?

– Būtent, – linktelėjo Aušrinis.

– Tai įmanoma, – sutiko Vakaris. – Bet lengva nebus. „Dangaus valdovas“ priešinsis.

– Be abejo. Jo bažnyčios sukurstys ištisas tautas prieš taviškius. Manau, kad ir tave bandys nužudyti jo pasiųsti angelai, apsimetę žmonėmis.

– Aš tą patį pagalvojau, – pratęsė mintį Vakaris. – Žemėje mane nužudyti įmanoma, nes mūsų galios ten sumenksta, bet lengva nebus, – šyptelėjo Vakaris. – Gerai, aš tau padėsiu, bet ar pagalvojai, kad mano buvimas ten gali būti pretekstas apkaltinti mus nesilaikant sutarties.

– Pagalvojau, brolau, – linktelėjo šypsodamasis Aušrinis. – Va, todėl mes tave ir nuteisime. Tremčiai į Žemę trisdešimčiai dangiškųjų metų. Tai neprieštarauja sutarčiai...

– Neprieštarauja... – taip pat nusišypsojo Vakaris. – Gudrus tu, „Tamsos kunigaikšti“. Viską apgalvojai.

– O tu labai drąsus, „Demonų lorde“. Mano gudrumas ir tavo drąsa ir išmintis. Kaip tu manai, gal šį kartą mums geriau pavyks atvėsinti „Dangaus valdovo“ įkarštį?

Niekas neįsiterpė į jų pokalbį. Niekas ir negalėjo įsiterpti. Visi salėje buvo pirmųjų ištremtųjų palikuonys. Demonai, kaip juos vadino Originalo, arba kitaip – „Rojaus“ gyventojai, labai gerbė savo tėvus. Kiekvienas iš puolusiųjų angelų jiems buvo didvyris, gyva mitinė figūra. Tik kai kurie žinojo dabartinius pirmųjų vardus ir tik kai kurie išdrįsdavo jiems paprieštarauti. Iš devynių teisėjų vienintelis vyriausiasis žinojo, ką jie ruošiasi teisti. Tad dabar, kai susitaikė šie stipriausi ir patys gerbiamiausi broliai, visiems buvusiems šioje salėje nepaprastai palengvėjo.

• • • • •

– Tai kur gi keliausi, brolau? – pagaliau paklausė Aušrinis. Šį kartą brolių pokalbis visiškai nepanašėjo į ginčus, vykusius paskutinius porą metų. Galų gale ir aplinka pašnekesiui buvo pasirinkta gerokai geresnė nei anksčiau. Niekas turbūt nesiginčys, kad sėdėti ant balto, smėlėto žydros jūros kranto yra kur kas maloniau, nei stirksoti teismo salėje.

– Sunku iš karto apsispręsti... Dabar Žemėje yra 1290 metai po Kristaus gimimo.

– Dirbtinės religijos įsivyravusios beveik visame pasaulyje, – pratęsė brolio mintis Aušrinis. – Išskyrus...

– Būtent... Išskyrus abu vakarinius kontinentus su raudonosios rasės žmonėmis – Indiją, Kiniją, Japoniją ir dalį Europos prie buvusio Sarmatų vandenyno.

– Aaaa... Sarmatai, – nusišypsojo Aušrinis. – Tavo mylimiausieji.

– Nežinau, kaip ten dėl mylimiausių, bet bent jau labiausiai panašūs į tuos baltosios rasės žmones, kuriuos kuriant aš pats dalyvavau. Tu teisus, – Vakaris prigulė ant smėlio, atkišdamas veidą šiltiems saulės spinduliams. – Keliausiu į Europą. Ten dabar vyksta pagrindiniai įvykiai, nulemsiantys visos žmonijos likimą. Užvaldysiu kokį nors religinį ordiną. Pavyzdžiui, tamplierius. Tik nežinau, kaip seksis. Labai jau laisvi ir laisvę mylintys riteriai ten susirinko.

– O kam jų klausti? – gūžtelėjo pečiais Aušrinis. – Elementari hipnozė ir visi su džiaugsmu tau paklus.

– Ne, brolau. Jei aš visur naudosiu mentalinę prievartą ir savo pavaldinius paversiu bukais, paklusniais sutvėrimais, kuo tada aš skirsiuosi nuo „Dangaus valdovo". Negalima kovoti prieš vergiją, siūlant kitą vergiją. Atsimeni, mes kalbėjom, kad mano sukurtas ordinas turės būti išdidžių ir laisvę mylinčių žmonių oazė, kaip švyturys, traukiantis visas pažangias jėgas ir Žemėje išlikusius mūsų vaikus. Grubi mentalinė prievarta tam nepadės. Suprantu, kad visiškai be minčių koregavimo neapsieisiu, bet stengsiuos tai daryti kuo rečiau.

– Pagalbininkų tau reikės?

– Manau, kad taip, – linktelėjo Vakaris, atsakydamas į brolio klausimą. – Man reikės dviejų kovinių demonų, galinčių idealiai kovoti bet kokiu ginklu ar be jo ir turinčių užtektinai galių, kad ir Žemėje galėtų keisti savo išvaizdą.

– Turiu tokius vadovybės apsaugoje. Gausi. Dar ko nors?

– Nežinau... – staiga Vakaris pajuto didžiulę neviltį, kurią pabandė atskleisti savo broliui. – Kol kas nieko. Brolau, aš net jokio plano neturiu. Mes smarkiai rizikuojam. Pagalvok pats – „Demonų lordas" atsiranda Žemėje. Tai grubiausias, koks tik gali būti, sutarties pažeidimas. „Dangaus valdovas" tiesiog pasius. Manai, kad sugebėsime jį apkvailinti ta netikra tremtimi?

– Manau, verta bent pamėginti, – Aušrinis, bandydamas kaip nors nuraminti, dešine ranka apkabino savo brolį per pečius. Seniai, labai seniai šie du puolusieji angelai nerodė vienas kitam broliškų jausmų. Tačiau šiandien, visai kaip kadaise, kai jie susikibę rankomis drąsiai stojo prieš „Dangaus valdovą", abu vėl jautėsi tikri broliai, kartu kovojantys, kartu gyvenantys ir pasiryžę kartu numirti. – Tiesiog pabandykim. O ten, kas bus – tas. Reikia kaip nors sugriauti tas prakeiktas bažnyčias. Jei nepavyks iš išorės, tai bent iš vidaus.

– Sugriauti iš vidaus? – Vakaris pakėlė nulinkusią galvą. – Čia tikrai gera mintis. Sugriauti iš vidaus. Žinai, čia bus antra mano veiklos kryptis. Jei pavyks sukurti kokias nors reformuotas ir gerokai liberalesnes krikščioniškos bažnyčios atšakas, tada sumenks pati jos galybė....

– O pastarosios nunyks savaime, – pritarė broliui Aušrinis. – Kuo daugiau atsiras mąstančių žmonių, tuo labiau jie abejos religinėmis tiesomis, o liberalios religijos neįstengs tam pasipriešinti.

– Nes jie, skirtingai nuo autokratinių ir konservatyvių religijų, neskirs tiek dėmesio psichologiniam žmonių apdorojimui, pradedamam jau pačiame ankstyviausiame amžiuje.

– Būtent...

Dar ilgai broliai kalbėjosi aptardami įvairiausias besiformuojančio plano detales. Tačiau tegu jos dabar lieka paslaptyje ir skaitytojui atsiskleis skaitant šį pasakojimą toliau. Užtenka tik pasakyti, kad po pokalbio abu broliai jautėsi kur kas labiau patikėję galima pergale. Nepraėjo ir mėnuo, skaičiuojant laiką dangiškaisiais matavimo vienetais, kai Vakaris galutinai pasirengė žygiui ir iškeliavo tapti vieno iš garsiausių riterių ordino – tamplierių – faktiniu valdovu.

1291 metai pagal krikščioniškąjį laiko skaičiavimą

Vakaris labai nemėgo karų ir kautynių. Ne todėl, kad būtų bailys. Ne, bailiu „Demonų lordo“ pavadinti negalėtų net pikčiausi jo priešai. Jis tiesiog laikė žmonių gyvybes pačia didžiausia vertybe. Žinoma, kai kurie su karo menu susipažinę asmenys, perskaitę šiuos žodžius, pasakytų, kad Vakaris negalėtų būti geras karvedys. Karvedys, kuris brangina gyvybes, nesugebės priimti sunkių sprendimų, aukodamas dalį karių lemiamai pergalei iškovoti. Galbūt šie žodžiai ir būtų teisingi, jei kalbėtumėme apie paprastą žmogų. Tačiau Vakaris nebuvo žmogus. Tai, kad jis laikė kitų gyvybes vertingomis, jam netrukdydavo būti tvirtam ar kai kada net žiauriam. Štai ir dabar ką tik pasibaigusiose riterių tamplierių būrio kautynėse su turkais... Žuvus riterių vadui, iš pradžių kovojęs kaip paprastas karys riteris, Vakaris iš karto perėmė vadovavimą ir, lydimas niekur nesitraukiančių demonų Artorijaus ir Ginčio, nuvedė saviškius karius turkų karvedžio link. Kaip pesliai per balandžius, taip Vakario minčių ir poelgių įkvėpti tamplieriai perskrodė jiems kelią užtvėrusių musulmonų kareivių gretas. Mūšis buvo laimėtas. Dalis priešų žuvo, dalis paspruko, o dalis kartu su karvedžiu pateko į nelaisvę. Štai tada Vakaris ir turėjo priimti sunkų sprendimą. Palikęs gyventi karingąjį turką, Azazelis sukurtų pavojų savo kuriamai „Dievo kario“ reputacijai.

„Patikėk manim, aš visai nesidžiaugiau tave žudydamas, – galvojo Vakaris, žiūrėdamas į vienu kalavijo smūgiu nukirstą narsaus turkų karvedžio galvą. – Suprask, kitaip negalėjau pasielgti. Tu galėjai tapti rimta kliūtimi ateityje“.

– Meistriškas smūgis, Valdove, – ištarė iki tol viso mūšio metu tylėjęs Artorijus. – Tik kodėl žudei jį pats? Galėjai liepti kariams arba mums su Ginčiu.

– Kiekvienas pats turi vykdyti ir atsakyti už sunkiausius savo sprendimus. Tai mano našta, aš ją ir privalau nešti, – atsisukęs į demonus atsiliepė Vakaris. Abu asmens sargybiniai atrodė tiesiog siaubingai. Nuo galvos iki kojų išsitepę priešų krauju, jie traukė pagarbius aplinkinių žvilgsnius. Be abejo, jei vyrai nebūtų kiekvienas mažiausiai septynių pėdų ūgio, banguojančiais raumenimis, bylojančiais apie nepaprastą fizinę jėgą, vaizdas nebūtų toks įspūdingas, bet dabar... Dabar jie kitiems riteriams atrodė kaip protėvių karžygiai, apie kuriuos vakarais prie laužo dainuojamos dainos. Retas kuris tarp tamplierių galėjo pasigirti tokiais plačiais pečiais ar įspūdingais raumenimis kaip šie du, bet nė vienas net iš tolo jiems neprilygo savo koviniu meistriškumu. Jie buvo pirmieji, kurie rėžėsi į darnias turkų gretas. Priešai dešimtimis krito nuo Artorijaus ir Ginčio kalavijų smūgių, kol pagaliau neatsirado nė vieno, kuris, net apimtas mūšio kvaitulio, bandytų jiems pastoti kelią. Žinoma, nepamiršo demonai ir savo pagrindinės pareigos – saugoti Vakarį. Tačiau jam apsaugos nelabai reikėjo. Nebuvo Žemėje tokio kardo ar kirvio, kuris galėtų pakenkti Azazeliui, o ir liepsnojančių „Dangaus valdovui" ištikimų angelų kalavijų „Demonų lordas" per daug nesibaimino. Jis puikiai žinojo, kokios jo jėgos. Žinoma, Vakaris galėjo žūti būdamas Žemėje. Tačiau tik nuo už jį stipresnio angelo rankos. Svarbiausia, kad tas priešininkas turėjo būti stipresnis ne fiziškai, bet savo valia ir mintimis. Tik įveikęs Vakarį valios dvikovoje, angelas galėjo tikėtis pergalės fizinėje kovoje. Net tarp artimiausių „Dangaus valdovo" tarnų tokių, kurie galėtų pabandyti stoti su Azazeliu į dvikovą, buvo labai nedaug, o ir tie patys buvo per daug vertingi savo šeimininkui.

– Šauniai kovėtės. Aušrinis nesuklydo sakydamas, kad jūs geriausi.

– Dėkui už gerą įvertinimą, šeimininke, – abu demonai pagarbiai nulenkė galvas atsakydami. Gal iš šalies galėjo pasirodyti, kad tai tiesiog tuščias ir formalus gestas, bet tiesa buvo kitokia. Artorijus ir Gintis dar nebuvo gimę per puolusiųjų maištą. Jie gimė ir augo jau „Pragare", taip tremtinių buveinę pavadino „Dangaus valdovas", tačiau Liuciferis ir Azazelis buvo jų herojai. Gal geriau sakyti – stabai. Tie, kuriems meldžiamasi ir už kuriuos nedvejojant atiduodama gyvybė. Demonai didžiavosi savo misija ir būtų pasiryžę verčiau leistis sukapojami į gabalėlius, nei nuvilti Vakarį. – Ką įsakysi daryti toliau?

– Paimkit dalį vyrų ir surinkit trofėjus. Pravers ateityje kaip dovanos reikiamiems asmenims. Tada nusiprauskit upelyje. Neleisiu jums tokiems grįžti į miestą. Atrodote kaip demonai, – šyptelėjo Vakaris abiem palydovams. Netrukus nuskambėjęs juokas patvirtino, kad Artorijus ir Gintis, be visa ko, buvo apdovanoti ir neblogu humoro jausmu. – Aš einu rikiuoti karių. Trauksim atgal.

– Kalbėsite su Didžiuoju magistru? – pasidomėjo Gintis, pademonstruodamas dar ir neeilinį protą.

– Taip, – linktelėjo Vakaris. – Pats metas kalbėtis su Didžiuoju magistru. Jis privalės mane išklausyti. Dabar, kai išsiskyriau iš kitų riterių tarpo, bus kur kas lengviau gauti jo audienciją. Užteks tik vieno pokalbio, kad jis taptų mano. Žinai, ko Didysis magistras labiausiai trokšta?

– Žinių? – atsiliepė Gintis.

– Būtent žinių, – linktelėjo šypsodamasis Vakaris. – O žinių aš jam tikrai galiu suteikti...

Sargybiniai nusilenkė, parodydami, kad viską suprato ir, negaišdami laiko, nuskubėjo vykdyti Vakario nurodymų. Pats Azazelis iš lėto nuėjo jo laukiančių riterių link. „Ką gi, pradžia nebloga, – galvojo „Demonų lordas“, apsvarstydamas nuveiktus darbus. – Mažiau nei per mėnesį palenksiu savo valiai patį tamplierių Didįjį magistrą. Anksčiau maniau, kad teks tam užtrukti ne mažiau kaip pusmetį.“

• • • • •

Skvarbus vėjas ir šaltis tą dieną, atrodo, veržėsi visur ir nesigailėjo nieko. Kiekvienas, kas buvo lauke, pakliūdavo į jo stingdantį glėbį. Ir nesvarbu, ar tai buvo storais kailiais apsikaišęs garbingas grafas, sėdintis patogiai vežėčiose, ar kirvį pasičiupęs darbštus valstietis, traukiantis malkų į artimiausią mišką, visi pajusdavo atėjusios žiemos gniaužtus. Netgi pirkiose tik nuolat deganti ugnelė gelbėdavo nuo aplinkui stūgavusių vėjų, vis besitaikančių įsibrauti vidun pro plyšius sienose. Atrodo, visoje apylinkėje tik vienas pastatas nebuvo pasiekiamas lediniams šalčio nagams. Žinoma, pastatu pavadinti didingą ant kalvelės stūksančią pilį yra taip pat tikslu kaip lėktuvnešį pavadinti laiveliu. Kaip ten bebūtų, svarbiausia buvo tai, kad žmonės, tuo metu buvę pilyje, visiškai nejautė lauke siautėjančios žiemos. Įstiklinti langai, bylojantys apie didžiulį savininkų turtą, nepraleido vėjo, o puikiai suderinti rytų ir vakarų architektūros stiliai, preciziškai tiksliai apskaičiuota būtina oro cirkuliacija ir išvedžiotos jos angos, leidžiančios mažiausiomis sąnaudomis apšildyti pastatą žiemą ir atvėsinti jį vasarą, rodė, kad prie šios pilies brėžinių plušo aukščiausios klasės architektai. Retas grafas ar net hercogas, tegul ir valdantis ištisas provincijas, galėjo sau leisti tokią prabangą. Tik ši pilis nepriklausė nei grafui, nei hercogui, nei pačiam Prancūzijos karaliui. Ją pasistatė ir tvirtai joje įsikūrė plačiai savo brolių narsa ir žygiais pagarsėjęs tamplierių ordinas, neseniai persikraustęs į Prancūziją iš Kipro. Būtent čia vykdavo aukščiausių ordino brolių susirinkimai, kuriuose priimami sprendimai neretai nulemdavo ištisų valstybių ateitį. Būtent joje buvo sukrauti neišmatuojami ordino turtai, įgyti per šimtmečius besitęsiančias kovas su netikėliais. Pilies rūsiuose buvo saugomi šimtai dėžių aukso luitų ir kelis kartus daugiau sidabro monetų, bet didžiausias ordino turtas buvo ne tai. Labiausiai broliai vertino ir saugojo milžinišką, nuostabiai pilies rūsiuose įrengtą biblioteką, architektų išmonės dėka puikiai apsaugotą nuo išorinių sąlygų. Papirusai iš senosios Aleksandrijos, Babilono manuskriptai, Platono, Aristotelio, kitų senovės Graikijos ir Romos filosofų raštai, atrodo, čia buvo surinkta visa rašytinė žmonijos išmintis, sukaupta per tūkstančius metų. Didysis tamplierių ordino magistras Žakas de Mole buvo smalsus žmogus. Tiesą sakant, jis buvo labiau mokslininkas negu karys, nors drąsos jam taip pat nestigo. Ištisas paras, dar būdamas vienas iš aukštesnių ordino brolių, de Mole tūnodavo bibliotekoje ir po kruopelytę rinkdavo amžių bėgyje pražuvusias žinias. Dabar, tapęs Didžiuoju ordino magistru ir pats parašęs tris knygas, atskleidžiančias pamirštas filosofines, o kai kada ir technines idėjas, Žakas de Mole manė, kad nesugebėjo atskleisti tik dviejų paslapčių. Ir štai...

„Negi tai tiesa? – niekaip neatsitokėdamas po pokalbio su neseniai prie ordino prisijungusiu, bet jau išgarsėjusiu grafu Vakariu, svarstė magistras. – Negi pagaliau turiu galimybę atskleisti tai, kas atrodė amžiams prarasta. O gal tas grafas melavo? Gal tai tik būdas įgyti mano pasitikėjimą? Nemanau, įrodymai labai svarūs. – Žakas dar kartą peržiūrėjo senuosius pergamentus su ištraukomis iš pirmosios Biblijos. – Nemanau, kad tai klastotė“. Tačiau labiausiai magistro akį traukė labai senas, tik po Kristaus gimimo parašytas manuskriptas su išsamiu Šventojo Gralio ir jo galimybių aprašymu. „Tik pamanyk. Čia rašoma, kad Šventasis Gralis buvo medicininis įrenginys, skirtas atgaminti mirštančias žmogaus kūno ląsteles ir atjauninti organizmą. Bet juk tai reiškia amžiną jaunystę ir išsigelbėjimą nuo visų ligų. – Tik geležinė žmogaus savitvarda neleido jam pradėti šaukti nuo emocijų pertekliaus. – Ir visa tai brolis Vakaris siūlo atgabenti man, – toliau svarstė magistras, apžiūrinėdamas senovinį žemėlapį, kuriame, pasak Vakario, buvo nurodyta pirmosios Biblijos ir Šventojo Gralio slėptuvė, kurią įrengė pirmieji krikščionys netrukus po to, kai didžioji dalis Bažnyčios valdovų parsidavė Romos imperatoriui ir pradėjo persekioti nesutikusius išduoti savo tikėjimo. – Keisti šitie grafo žodžiai, bet kažkodėl jaučiu, kad jie teisingi. Apsisprendžiau, duosiu jam kelis brolius į pagalbą ir leisiu vykti atgabenti šiuos neįkainojamus lobius, – mąstė toliau magistras, net neįtardamas, kad Vakaris labai subtiliai, siekdamas neišsiduoti „Dangaus valdovo“ tarnams, palenkė de Mole valią sau ir jau tapo faktiniu ordino valdovu. – Tik kodėl mano asmeninis sekretorius taip išsigando pamatęs grafą? – toliau svarstė magistras, prisimindamas, kaip išbalo pats garsiausias ordino karys ir kokia baime nušvito jo akys, kai, užėjęs į magistro kabinetą, jis pastebėjo priešais Žaką de Mole sėdintį Vakarį. – Toks įspūdis, kad sekretorius pažino grafą... Bet iš kur galėtų?“ – magistras net neįtarė, kad vienas iš „Dangaus valdovo“ šnipų, pusiau angelas, tarnavęs Žakui kaip sekretorius ir asmens sargybinis, iš tiesų pažino „Demonų lordą“. Maža to, pažvelgęs į Vakario akis jis suprato ne tik esąs demaskuotas, bet ir tai, jog gyventi jam beliko tol, kol „Demonas gundytojas", kaip Vakarį dažnai vadindavo „Rojuje", baigs savo pokalbį su magistru. Pusiau angelas net nebegalvojo apie kovą ar išsigelbėjimą. Jis realiai vertino savo jėgas ir puikiai suvokė Azazelio galimybes. Svarbiausias jo likusio gyvenimo tikslas buvo pranešti naujienas vieninteliam tikrajam angelui Žemėje, „Dangaus valdovo" atsiųstam šnipinėti Romos popiežių ir pakreipti Bažnyčią reikiama kryptimi. Norėdamas tai padaryti, magistro sekretorius turėjo nubėgti į priešingą pilies pusę, kuo toliau nuo „Demonų lordo", kad nebesiektų pastarojo įtaka, ir mintimis susisiekti su tikruoju angelu. Neįtarė ordino magistras ir to, kad kaip tik tuo pačiu metu, jam besvarstant apie Vakario pasiūlymą, staigus Ginčio kardo smūgis nuridens sekretoriaus galvą nuo pečių. Negalima pasakyti, kad sekretorius nesipriešino. Būdamas kelis kartus greitesnis ir stipresnis už žmones, jis stojo į kovą su demonu ir priešinosi, tiksliau kalbant, bandė priešintis. Kova netruko nė dešimties sekundžių. Keletas žaibiškų Ginčio smūgių, apgaulingas judesys ir beveik nepastebimas kirtis nutraukė taip ir nesuspėjusio nieko tikrajam angelui pranešti sekretoriaus žemiškąją kelionę.

• • • • •

Pirmas sukrėtimas praėjo, ir Liutauras pasijuto gerokai laisviau. Ne, jokios abejonės dėl to, ar pasakotojas kalba tiesą, jam nekilo. Vyras nežinia kodėl tikėjo viskuo, kas jam buvo sakoma, nors jokiu būdu negalime sakyti, kad Liutauras buvo naivus ar labai patiklus asmuo. Žinoma, kai kurie skaitytojai galėtų kategoriškai teigti, jog jie jokiu būdu netikėtų tokiomis pasakomis, o Liutauras buvo tiesiog kvailas ir užkibo ant kokio nors šarlatano meškerės. Aš pats sakyčiau kitaip... Mano manymu, šis pasakojimo herojus turėjo išskirtinai imlų protą, sugebantį be automatinės atmetimo reakcijos priimti bet kokią informaciją ir ją šaltai apsvarstyti. Pasakotojo demonstruoti išvaizdos pasikeitimai, galią spinduliuojanti jo esybė teisininkui akivaizdžiai rodė, kad jis susidūrė su kažkuo nežinomu ir sunkiai paaiškinamu. O pasakojime dėstomi faktai buvo ne keistesni už Liutauro regėtus vaizdinius ir visiškai galėjo būti tikrovė. Priešingai, aš labai nusivilčiau šiuo herojumi, jei jis, sekdamas blogiausiomis tradicijomis, pultų šūkauti, kad jam tik vaidenasi ir nieko panašaus negali būti ar, kaip dažnai elgiasi pilkosios vidutinybės, net atsisakytų klausytis to, kas netelpa į jų mielo jaukaus pasaulėlio vidų. Džiugu, kad šis asmuo buvo kitoks. Bėgant minutėms jis atsipalaidavo ir aktyviai pradėjo dalyvauti pokalbyje, kartas nuo karto pasitikslindamas kokią nors pasakotojo praleistą detalę.

– Tai Jūs tikrai suradote Šventąjį Gralį ir pirmąją Bibliją? – gyvai pasiteiravo Liutauras, pajutęs, kad pasakotojas susiruošė praleisti savo kelionę ir tęsti nuo įvykių, prasidėjusių 1295 metais po Kristaus.

– Žinoma, – linktelėjo nepažįstamasis. – Tai nebuvo sunku... Pirmiausia todėl, kad dar ketvirtojo amžiaus pradžioje juos paslėpė mūsų agentai. Reikia nepamiršti, kad „Šaltasis karas“ tarp „Pragaro“ ir „Rojaus“ vyko tūkstančius žemiškųjų metų. Jau nuo tada, kai „Rojaus“ agentai sukūrė judaizmą ir pradėjo jį skiepyti tarp izraelitų ir griauti šios kadaise išdidžios tautos tradicijas bei kultūrą, mes, suprasdami visą pavojų, stengėmės tam priešintis. Žinoma, ne taip akivaizdžiai kaip nuo tryliktojo amžiaus. Galbūt padarėme klaidą vengdami atviros kovos... Tačiau dabar nieko nebepakeisi. Mums nepavyko ne tik kad sustabdyti judaizmo, bet ir užkirsti kelio krikščionybės atsiradimui ir vėlesniam jos išsigimimui, savo ruožtu privedusiam prie islamo atsiradimo.

– O kaip reagavo Didysis magistras, kai Jūs pargabenote tai, ko ieškojote?

– O kaip tu manai? Kaip gali reaguoti žmogus, įgijęs galimybę būti amžinai jaunas ir įrodymus, kad esama Bažnyčia iškreipė tikėjimo tiesas. Jis tapo aršiu, nors ir slaptu, Romos Šventojo sosto priešininku. Turiu pasakyti, kad ne jis vienas. Iki 1312 metų aš buvau užvaldęs beveik visų ordino brolių protus ir sielas ir tai padariau su minimalia mentaline įtaka. Stebėtina, ką gali padaryti laiku pateikti įrodymai ir nurodytas didingas ir šventas tikslas. Dar vienas kitas dešimtmetis ir ordinas taptų rimta karine jėga, sukurtų savo valstybę, o vėliau paskelbtų šūkį atkurti tikrąją krikščionybę ir karą bažnyčiai apsišaukėlei. Tokia įvykių seka buvo labai reali ir daug ką galėjo pakeisti vėlesnėje istorijoje. Jei ne mano lemtinga klaida vertinant ordino pasirengimo laipsnį ir kelionė ne laiku ieškant sąjungininkų... Viskas tikrai galėjo būti kitaip. Vėliau jau aš nieko nebegalėjau padaryti ir teko daug ką pradėti iš naujo. Bet papasakosiu apie viską nuosekliai.

1295 metai pagal krikščioniškąjį laiko skaičiavimą

Žmogus įžengė pro duris beveik nekeldamas jokio triukšmo. Bet kuris atidesnis stebėtojas, atkreipęs dėmesį į aukštaūgį ir atletišką įėjusiojo kūną, pakaustytus batus ir energingą eiseną, tikrai nustebtų dėl tokio gebėjimo vaikščioti be garso. Taip pat stebintų dviejų įspūdingos išvaizdos elitinių gvardiečių, stovėjusių prie jau minėtų durų, elgesys. Mažų mažiausiai keista, kai pagarba atiduodama asmeniui ne tik kad nevilkinčiam karinės uniformos ir neturinčiam jokių skiriamųjų ženklų, bet net neužimančiam jokio oficialaus posto. Žinoma, tiesos dėlei reikėtų paminėti, kad šie faktai keisti būtų tik pašaliniam stebėtojui. Vatikano kanceliarijoje visi pažinojo vienuolį Pjerą, artimiausią popiežiaus patarėją, žmogų, tapusį tikra „Dievo rykšte“ visokio plauko eretikams ir netikėliams. Nieko čia nestebino jo gebėjimai pasirodyti nekeliant jokio garso ar retkarčiais pademonstruojama neįprasta fizinė jėga.

– Aaa... Tai tu, Pjerai, – juodaplaukis, jau gerokai pražilęs vyras pakėlė akis nuo ką tik skaityto dokumento ir kreipėsi į užėjusįjį. – Kaip visada tylus. Kaip visada net nepristabdytas sargybinių.

– Jie mane pažįsta, Šventasis tėve, – pradėjo vienuolis, bet buvo nutrauktas nekantraus popiežiaus mosto.

– Pažįsta... Be abejo... Dar pridėk, bijo kaip velnias kryžiaus. Blogiausia, kad ir aš tave gerai pažįstu ir suprantu, kad taip įsiveržei ne be reikalo. Ką nori pasakyti? Dėstyk... – tik tada Bonifacas VIII atkreipė dėmesį į neįprastai perbalusį savo artimiausio patarėjo veidą ir jau gerokai lėčiau tardamas žodžius ir neslėpdamas užplūdusio susijaudinimo perklausė: – Kas nutiko? Negi pasitvirtino spėlionės?

– Azazelis, – teištarė vienuolis ir sunkiai šleptelėjo ant pirmo pasitaikiusio krėslo.

– Pats „Demonų lordas“... – dar prieš kelias akimirkas atrodęs visiškai ramus, popiežius neatpažįstamai pasikeitė. Dar pusamžis, gražaus stoto vyras kaip burtu lazdele mostelėjus paseno mažiausiai dvidešimčia metų. Jo veidas tapo gelsva kauke be lašo kraujo, o rankos drebėjo kaip girtuoklio po lėbavimų nakties. Tačiau gebėjimo mąstyti dvasininkas neprarado. – Kaip sužinojai?

– Vienas po kito be pėdsakų dingo trys mano agentai, kuriuos siunčiau stebėti Tamplierių ordiną. Atsimenate, dar prieš kurį laiką kalbėjom, kad ordinas darosi per daug nepriklausomas ir kai kada laisvamanis. Pirmas ir pats vertingiausias agentas prapuolė prieš ketverius metus. Jau tada sunerimau, bet nusprendžiau, kad kaltos kokios nors objektyvios aplinkybės. Tada prieš porą metų nusiunčiau dar porą agentų, kurie turėjo išsiaiškinti, kas atsitiko pražuvėliui. Praėjo pusmetis, bet neatsiliepė nei pirmas, nei pas jį pasiųsti vyrai. Tiesą sakant, dar ir tuomet labai neišgyvenau. Visi trys buvo išskirtinai stiprūs ir puikūs kariai – labai nedaug Žemėje žmonių, kurie sugebėtų jiems pakenkti. Pagaliau nusprendžiau pats viską patikrinti ir prieš mėnesį išvykau į Prancūziją. Šiaip ne taip man pavyko nusigauti iki pat Didžiojo magistro pilies niekieno nepastebėtam... Įsivaizduoji, prieš išvykdamas iš Romos, aš dar svarsčiau spjauti į slaptumą ir traukti tiesiai į pilį ir pasiklausti ko nors apie pražuvėlius. Ačiū Dievui, kad nusprendžiau būti atsargesnis. Taigi, nepraėjo nė pusvalandis nuo mano atvykimo, kai pamačiau iš pilies išvykstantį Azazelį, lydimą dviejų kovinių demonų, įgijusių žmonių išvaizdą.

– O tu negalėjai suklysti? – nedrąsiai ištarė popiežius. Angelai, demonai, „Dangaus valdovas“, amžina priešpriešа... Viso to dar prieš porą metų dvasininkas nežinojo ir, tiesą sakant, dabar jam dažnai atrodė, jog geriau būtų buvę ir toliau nežinoti. Tarsi tai būtų įvykę šiandien – taip gerai Bonifacas atsiminė pirmąjį savo pokalbį su vienuoliu Pjeru, įvykusį iš karto po to, kai jis buvo išrinktas popiežiumi. Iki to laiko dvasininkui atrodė, kad Pjeras tėra paprastas, nors ir labai įtakingas, vienuolis ir buvusiojo popiežiaus patikėtinis. Tačiau po to pokalbio... Po to pokalbio sekęs šokas tęsėsi iki pat šios dienos. Šokas, sužinojus, kad prieš tave ne paprastas gobtuvu apsigobęs žmogus, o tikras angelas, atsiųstas vadovauti. Angelas, kuris nevengia bausti, kuriam reikia paklusti ir kuris lengvai gali užvaldyti visas tavo mintis ir tavo protą. Kai kada Pjeras kalbėdavo kaip senas patikimas bičiulis ir pats norėdavo, kad popiežius su juo elgtųsi kaip su išmėgintu draugu. Tačiau Bonifacas žinojo... Jis žinojo, kas iš tiesų valdo Bažnyčią ir kaip miršta Pjerui neįtikę žmonės. Tad ilgainiui jis tiesiog vaidino jam skirtą vaidmenį ir tegalėdavo mintyse pasiguosti, kad jei būtų žinojęs, ką reiškia tapti popiežiumi, niekuomet nebūtų sutikęs kandidatuoti. O dabar... Dabar Bonifacas bijojo. Jis bijojo baisaus „Demonų lordo“, apie kurį tiek buvo prisiklausęs. Bet ir pro šią beveik viską apimančią baimę netikėtai prasimušė šviesus minties spindulėlis. Minties, apie kurią niekas negalėjo sužinoti. Maža to, ji buvo slepiama net nuo paties savęs. „Ar gali net pats „Demonų lordas“ būti blogesnis už tikrąjį angelą. Gal atvirkščiai, demono atsiradimas yra mano išgelbėjimas ir jis galėtų išvaduoti mane iš Pjero vergijos.“ Tačiau tik suvokęs savo minties prasmę, popiežius išsigando dar labiau. Tik šį kartą šalia sėdinčio angelo melsdamasis, kad tas nebūtų išgirdęs minties išdavikės. Galima pasakyti, kad dabar dvasininkui pasisekė. O gal ne tiek pasisekė, kiek Pjerui nerūpėjo visokios ten niekingo žmogelio mintys. Jis pats buvo išsigandęs ne mažiau nei popiežius ir, kas įdomiausia, lygiai taip pat pasimetęs. „Ką man dabar daryti? – vėl užduodavo sau tą patį klausimą apsimetėlis vienuolis. – Lyg ir turėčiau apie Azazelį iš karto pranešti „Dangaus valdovui“. Bet jei taip pasielgsiu, kils triukšmas, viską sužinos „Demonų lordas“ ir pats atvyks pas mane. Manau, kad mano susitikimas su demonu gundytoju nebus nei ilgas, nei įdomus. Tiesiog po to vienu vidutinių gabumų angelu pasidarys mažiau. Žinoma, jei aš būčiau archangelas... Deja, toks nesu ir dvikovoje su Azazeliu neturiu jokių galimybių išgyventi. Gal paprašyti „Dangaus valdovo“ atsiųsti į Žemę kurį nors iš archangelų, gal net patį Gabrielį? Jis galėtų įveikti „Demonų lordą“, nors, žinoma, garantijos tikrai nėra... Prašyti aš galiu, bet „Dangaus valdovas“ nesutiks. Gabrieliu nerizikuojama, o ir kiti archangelai nesišlaisto būriais. Vadinasi, pranešdamas sukeliu tiesioginę grėsmę sau asmeniškai. O jei nepranešiu...“ – Sakau, gal netyčia suklydai, – dar kartą pakartojo popiežius, nesulaukęs atsakymo.

– Ką sakei? – išsiblaškęs perklausė Pjeras. – Ne, nesuklydau. Aš puikiai žinau, kaip atrodo Azazelio aura. Nei jis, nei jo demonai net negalvojo rimtai maskuotis.

– Tai kas dabar bus? – sušnibždėjo Bonifacas, viltingai žiūrėdamas į tikrąjį angelą. – Gal mums padės „Dangaus valdovas“.

– Nežinau, kas bus! – suriko beveik netramdydamas įtūžio apsimetėlis vienuolis. – Kodėl visuomet aš turiu viską žinoti? Nori mirti greitai? Jokių problemų... Aš apie Azazelį pranešu „Dangaus valdovui“ ir jau po mėnesio pasijusi bežiūrįs „Demonų lordui“ tiesiai į akis. Nebijok, šitas demonas nėra žiaurus. Mirsi ramiai ir neskausmingai. Štai aš į tokią malonę negalėčiau pretenduoti. Manau, mano paskutinės valandos šioje ašarų pakalnėje būtų net labai nemalonios.

– O „Dangaus valdovas“?

– Nepadės mums joks „Dangaus valdovas“. Tokie rūpesčiai neverti jo dėmesio, o ir savo geriausių archangelų jis mums tikrai nesiųs.

– Kodėl? – nedrąsiai pasidomėjo popiežius.

– Azazelis per daug stiprus. Netgi archangelas Gabrielis galėtų smarkiai nukentėti kovodamas su šiuo demonu. Mes su tavimi per daug smulkūs padarai, kad dėl mūsų būtų rizikuojama iškiliausiais archangelais. Ne... Turime suktis patys.

– Gal pavyktų jį kaip nors nužudyti? Na, pavyzdžiui, nunuodyti? – Bonifacas stengėsi mąstyti, bet didžiulė baimė, pakurstyta dar ir neslepiamo angelo įniršio, po truputį ribojo net iki tol buvusių aktyvių dvasininko smegenų veiklą.

– Na, tu visiškas idiotas, – pašoko iš savo vietos Pjeras. – Angelai jo nesugeba nužudyti, o tu štai imsi ir nunuodysi. Kvailys... Ne kitaip. Bet ko norėti iš žmonių! Durnių laivas, ir tiek. Ne... Turime imtis kitų priemonių. Atrodo, aš netgi sugalvojau kokių. Manau, turime sunaikinti ne Azazelį, o Tamplierių ordiną. Svarbiausia, jog tai turime padaryti svetimomis rankomis.

– Kieno?

– Na, kad ir Prancūzijos karaliaus, – gūžtelėjo pečiais vienuolis.

– Kodėl Prancūzijos karalius turėtų kariauti su ordinu? Kiek atsimenu, magistras ir karalius Pilypas yra geri draugai, – vėl įterpė savo trigrašį popiežius.

– Tai ne problema, – mostelėjo ranka Pjeras. – Apsilankysiu karaliaus rūmuose. Pabendrausiu su juo akis į akį ir jis vykdys visus mūsų nurodymus. Problema kitokia. Demonas jau užvaldė ordiną ir, pajutęs grėsmę, gali suburti visas tamplierių karines pajėgas Prancūzijoje. Jei Azazelis imsis vadovauti savo sukurtai kariuomenei, joks karalius prieš jį neatsilaikys. Turime veikti kitaip. Reikia kaip nors atskirti „Demonų lordą“ nuo tamplierių ir ordiną pulti jam išvykus. Pulti netikėtai, klastingai ir stipriai. Tik va, kaip tai padaryti?

– Reikėtų demoną apgauti, – cyptelėjo susigūžęs ir visas tirtantis dvasininkas.

– Apgauti demoną? Kvailys... Kaip tu apgausi demoną? Nors ne... Gal tavo mintis ir nėra tokia idiotiška. Jei pakištumėm jam kokią nors klaidingą informaciją per „Pragaro“

agentus, kuriais Azazelis pasitikėtų. Žinai, gal tada kas nors ir pavyktų. Man reikia pagalvoti, – nieko daugiau nebesakydamas, Pjeras apsisuko ir skubiai išėjo į savo apartamentus. Likęs vienas popiežius kurį laiką dar jautėsi kaip žuvis, ištraukta iš vandens, bet palaipsniui nurimo ir atgavo galimybę aiškiai mąstyti. „Pjeras teisus. Jokiu būdu negalima išsiduoti demonui apie savo tikruosius ketinimus. Jei tik jis pagalvos, kad aš esu pavojingas – mano gyvenimas bus baigtas. Apsimesiu ordino draugu. Kai kils konfliktas tarp karaliaus ir magistro, viešai visur palaikysiu tamplierius ir rodysiu savo priešiškumą Pilypui IV. Taip Azazeliui nesukelsiu jokių įtarimų. Tačiau kaip spręsti Pjero klausimą? Gal ir nebūtų visiškai blogai, jei demonas iš patikimų šaltinių sužinotų apie tikrąjį šito, tebūnie jis tris kartus prakeiktas, vienuolio vaidmenį. Žinoma, idealiausia būtų, jei Pjeras sunaikintų ordiną, o demonas pribaigtų mane užsėdusį angelą," – ši mintis taip pradžiugino popiežių, kad tiesiog akyse dingo visi buvusio sukrėtimo pėdsakai.

• • • • •

– O man, tiesą sakant, šis popiežius labai patiko, – liūdesiu sužibusios pasakotojo akys nerodė, kad prisiminimai jam labai malonūs. – Tvirtas vyras buvo. Mes net buvom porą kartų susitikę, kai lankiausi Romoje tryliktojo amžiaus pabaigoje... Įsivaizduoji, kaip aš nustebau supratęs, kad popiežiumi tapo vienas iš mūsų pražuvusių vaikų.

– Kodėl tu sakai „tvirtas"? – nustebo Liutauras. – Kiek supratau, Pjeras jį buvo visiškai užvaldęs.

– Ne... – palingavo galvą Vakaris. – Įbauginęs – taip, bet neužvaldęs. Mūsų vaikų neįmanoma visiškai užvaldyti. Bonifacas visuomet turėjo savo viziją ir savo tikslą, kuris beveik niekuomet nesutapo su apsimetėlio vienuolio jam brukamomis idėjomis. Jis tai žodelį netinkamą pašnibždėdavo Konstantinopolio pasiuntiniams, taip sugriaudamas tarp bažnyčių vykstančias derybas. Tarsi netyčia prasitardavo apie rengiamas pasalas tiems, kas tikrai viską pranešdavo ordinui. Iki pat jo mirties Pjeras taip ir nesugebėjo paspęsti tamplieriams spąstų.

– O kaip jis mirė?

– Vienuolis nužudė. Jis pagaliau suprato, kad popiežius žaidžia savąjį žaidimą ir suvokė negalįs jo valdyti, todėl tiesiog sustabdė Bonifaco širdį. Paskui susirado tinkamą marionetę. Tokį Klemensą V. Nors gal ir neturėčiau labai smerkti vargšiuko Klemenso. Juk jis, skirtingai nuo Bonifaco, tebuvo paprastas žmogus.

– Gal gali kai ką paaiškinti? – pasidomėjo Liutauras. – Tu daug kartų kalbėjai apie prarastuosius vaikus. Kas jie tokie?

– Tai ilga istorija, – ištarė Vakaris patogiai atsilošdamas. – Pabandysiu paaiškinti keliais žodžiais. Matai, kai mes pralaimėjome ir buvome ištremti iš Originalo, kitaip dar vadinamo „Rojumi", įsikūrėme Paralelėje arba, kaip ją pavadino „Dangaus valdovas", – „Pragare". Visą savo energiją ir jėgas skyrėme tam, kad padarytume „Pragarą" tinkamą mums gyventi. Apie kovą su „Dangaus valdovu" daugiau nebegalvojome. Tačiau dalis mūsiškių nenorėjo pasiduoti. Tai buvo patys geriausi, patys rūpestingiausi iš mūsų. Vadovaujami Barakelio jie nusprendė toliau mokyti žmones ir gyventi Žemėje. Sudaryta sutartis su „Dangaus valdovu", kuri buvo labai mums nenaudinga, neleido puolusiesiems angelams, arba demonams, kaip mus vėliau pavadino, gyventi tarp žmonių. Išeitį rado Barakelis. Visi pasilikę Žemėje tiesiog tapo žmonėmis. Na, bent jau beveik žmonėmis. Kaip ir žmonės, jie pasendavo ir numirdavo, tačiau, skirtingai nuo žmonių, kiekvieną kartą atgimdavo tokie patys. Gal aš dabar sakau nevisiškai tiksliai. Tokie patys reiškia, kad kiekvieno kito gyvenimo metu jie atrodydavo taip pat kaip ir ankstesniuose gyvenimuose ir visuomet buvo protingesni ir ryškesni už aplinkinius. Vieni visuomet galėjo gydyti kitus žmones, kiti visada domėjosi mokslu, treti pasižymėjo kitomis savybėmis. Svarbiausia, kad tokie demonai galėjo turėti vaikų su paprastais žmonėmis. Dabar Žemėje gyvena šimtai tūkstančių individų, turinčių puolusiųjų angelų kraujo. Visus Žemėje pasilikusius demonus, kurie nuolat atgimsta, ir jų palikuonis mes ir vadiname „Prarastaisiais vaikais“ arba „Mūsų vaikais“.

– O kaip baigėsi istorija su Tamplierių ordinu?

– Liūdnai baigėsi. Gavau pranešimų iš patikimų šaltinių, kad Bizantijos imperatorius sutinka perleisti ordinui Nikėjos miestą ir aplinkines žemes. Labai jau viliojanti man buvo ši žinia. Pagaliau atsirado galimybė sukurti stiprią valstybę, galinčią tapti oaze visoms progresyvioms jėgoms. Nors ir nujaučiau, kad tai gali būti klasta, bet tuomet dar nenutuokiau, jog ne aš esu svarbiausias angelų taikinys. Be galo pasitikėdamas savimi išvykau į Konstantinopolį derėtis dėl žemių perėmimo, o tuo tarpu klastingai buvo užpulti ir sulaikyti visi ordino magistrai ir beveik penki šimtai riterių. Kai skubiai parvykau atgal, jau buvo per vėlu. 1314 metais Didysis magistras Žakas de Mole buvo sudegintas ant laužo, o tamplieriai teliko istorija. Gerai, kad keli atsidavę riteriai sugebėjo išgelbėti visus ordino lobius, tarp jų Šventąjį Gralį ir neįkainojamą biblioteką. Dar ir šiandien viskas saugiai sudėta ten, kur neras joks „Dangaus valdovo“ pakalikas. Kai tik žmonės atgaus tą gėrį, laisvę ir kūrybinį polėkį, kuris buvo iki Didžiojo tvano, nedelsiant jiems viską sugrąžinsiu.

– O su Pjeru buvai susitikęs? – pasidomėjo Liutauras.

– Buvau, – šyptelėjo Vakaris, prisimindamas savo susitikimą su apsimetėliu vienuoliu. – Tai buvo 1314 metų balandžio pradžia.

1314 metai pagal krikščioniškąjį laiko skaičiavimą

Kūnai... Šimtai kūnų... Gvardiečiai, dar prieš keliolika minučių išdidžiai stovėję sargyboje, dvasininkai, susirūpinę savo kasdieniais darbais ir intrigomis, tarnaitės, nepaisant sunkiausių laikų, neprarandančios linksmumo ir žavesio, – visi jie buvo čia. Atrodo, visi dabar žiūrėjo savo nieko nereginčiomis, tačiau kupinomis priekaištų akimis į Pjerą, o jų bejėgės rankos taip ir taikėsi sučiupti bėgančiam vienuoliui už sutanos. Bet koks pašalinis stebėtojas, netyčia atsidūręs Vatikano koridoriuose, būtų tiesiog pakraupęs iš baimės. Vaizdas beveik kaip iš Apokalipsės vaizdų – vienintelis likęs gyvas Dievo tarnas bėga tarp susmukusių kūnų nuo demono, atvykusio iš „Pragaro“. Tiesą sakant, vaizdas tik iš pirmo žvilgsnio atrodė taip, kaip kai kurie įsivaizduoja Apokalipsę. Iš tiesų visi susmukę žmonės buvo netgi labai gyvi. Jie tiesiog kietai miegojo. O bėgantis koridoriais vienuolis, nors ir atvyko iš „Rojaus“, savo širdyje buvo nepalyginti labiau perpuvęs ir mažiau žmogiškas nei jį besivejantis „Demonų lordas“.

– Jis išsikraustė iš proto, – šnabždėjo Pjeras, iš baimės jau nebekontroliuodamas savo kalbos. – Tai juk atvirai priešiški veiksmai ir sutarties laužymas. Padėk man, „Dangaus valdove“! – apsimetėlis vienuolis ir pats suprato, kad jo pagalbos šauksmas gal ir bus išgirstas, bet padėti jam nesugebės net pats „Rojaus“ valdovas. Tiesą sakant, Pjeras jau vieną kartą buvo sulaukęs didelės pagalbos. Pagalbos, kuri jį gerokai nuramino ir paskatino imtis galbūt nevisiškai apgalvotų veiksmų prieš Tamplierių ordiną. Prieš porą žemiškų metų „Dangaus valdovas“ atsiuntė jam apsaugą. Labai įspūdingą. Du didingus kovinius angelus, įgijusius labai aukštų ir atletiškų vyrų išvaizdą. Šie angelai teoriškai turėjo saugoti nuo bet kokių Azazelio pasiųstų demonų. Būtent, kad turėjo tik teoriškai. Pirmas abejones Pjeras pajuto pamatęs, kaip savimi pasitikėdami „Demonų lordo“ atsiųsti demonai stojo į kovą su, atrodo, tokiais nenugalimais „Dangaus valdovo“ siųstais kovotojais. Tačiau tai dar nebuvo baimė. Neišsigando jis ir tuomet, kai iš pradžių vienas, o paskui ir kitas angelas jau ne vientisais kūnais, o dalimis išsidraikė ant grindų. Tikroji baimė atėjo pamačius Azazelį, pasirodžiusį už savo sargybinių nugarų. Tada, kaip papūtus gaiviam vėjui, vienuoliui išdulkėjo bet kokios mintys apie galimą pasipriešinimą ir jis, vaizdingai kalbant, pasipustė padus. Dabar Pjeras teturėjo vieną viltį – nubėgti iki popiežiaus kabineto ir slaptu tuneliu pasprukti iš rūmų.

– Gal Azazelis manęs po visą miestą nepersekios? Man tereikia kelioms dienoms pasislėpti ir tada „Dangaus valdovas“ grąžins mane atgal į „Rojų“. O ten jau būsiu saugus, – vis dar paklaikusiu balsu pats su savimi kalbėjo Pjeras. Posūkis, dar vienas, ir štai išsvajotos durys, šalia kurių į krūvą suvirtę miegojo sargybiniai. „Demonų lordas“ nebesismulkino. Tamplierių žūtis jį supykdė. O supykęs Azazelis galėjo būti pavojingas bet kam, net pačiam „Dangaus valdovui“. Per dvi savaites po magistro sudeginimo su gyvybe atsisveikino ne mažiau kaip dešimt žemesnio rango angelų agentų. Dabar atėjo eilė svarbiausiam intrigų organizatoriui, sėdinčiam Vatikane ir sėjančiam aplink save neapykantą. Atėjo eilė tikrajam angelui, dabar vadinamam Pjeru. Vakaris tik atvykęs į Romą iš karto patraukė Vatikano link. Jis nieko neplanavo, nesislapstė, veikė impulsyviai ir dėl to labai efektingai. Vienu sąmonės dvelktelėjimu užmigdęs visus popiežiaus rūmuose buvusius žmones, leidęs Ginčiui ir Artorijui susidoroti su kelią pastojusiais „Dangaus valdovo“ kariais, jis, kaip tamsusis keršto angelas, koks iš tiesų ir buvo, neatsilikdamas persekiojo paknopstomis bėgantį vienuolį. Pjeras buvo sučiuptas prie pat popiežiaus kabineto durų. Paskutinis dalykas, ką pajuto apsimetėlis vienuolis, buvo Azazelio ranka, spaudžianti jam gerklę, ir deginanti pragaro ugnis, persmelkusi visą kūną.

• • • • •

– O kas buvo toliau? – paklausė Liutauras, pamatęs, kad pasakotojas nutilo, paniręs į prisiminimus.

– Toliau? Nieko ypatingo. Atsikratęs vienuolio, užėjau į popiežiaus kabinetą. Pamaniau, padėsiu tam nelaimingam žmogui, bet pamačiau, kad geriausia jam leisti labai ramiai numirti. Pjeras tiesiog nepataisomai sužalojo kažkada iškilaus dvasininko psichiką ir smegenis. Nutraukiau jo kančias ramiai ir neskausmingai, tiesiog sustabdydamas ir taip pavargusią širdį. Žinai, nors ir keista, bet kerštas pasitenkinimo man neatnešė. Aš nuoširdžiai gailėjausi tamplierių ir jų magistro. Tokių dvasingų žmonių dar ilgai po to nesutikau.

– Paskui pasitraukei iš Žemės?

– Ne, – papurtė galvą Azazelis, – Nors ir keista, „Dangaus valdovas“ atviro karo nepradėjo. Jis tiesiog atsiuntė kitus agentus, kurie veikė ne mažiau efektingai už buvusiuosius. Ko verta vien mintis įkurti inkviziciją!? Aš kovojau, stengiausi, bet ilgai patirdavau pralaimėjimus. Konstantinopolio žlugimas, Čekijos husitų judėjimo tragedija... Visa tai sužlugdydavo ilgametes mano pastangas ir surikiuotus planus. Pagaliau man pavyko sukurti reformacinį bažnyčios judėjimą. Tiesa, tam teko atsisakyti nuo idealų ir pradėti skatinti kai kurių žmonių tamsiuosius troškimus. Pavyzdžiui, Kalvinas labai troško valdžios, o Liuteris norėjo vesti, tačiau nenorėjo atsisakyti dvasininko statuso. Kad ir kaip ten būtų, kokių priemonių besiėmiau, šį kartą man pavyko. Pavyko taip, kad angelai sukėlė Europoje trisdešimtmetį karą ir daugelį religinių konfliktų. Kiti pora šimtmečių praėjo nepertraukiamai kovojant, kol vienas iš mūsų prarastųjų vaikų, tau žinomas Napoleonas Bonapartas, galutinai palaužė bet kokią katalikų bažnyčios politinę valdžią. Tačiau angelai nenurimo. Dvidešimtajame amžiuje jie sukūrė kitą žmones zombiais verčiančią filosofiją – komunizmą.

– Aišku, toliau vėl karai, intrigos ir panašiai. Tu visą laiką praleidai Žemėje?

– Ne, – papurtė galvą šypsodamasis Azazelis. – Dažnai grįždavau namo ir tik kai kada nuvykdavau į Žemę. Atvirai metę iššūkį „Dangaus valdovui“, mes tik svarbiausiais momentais galėdavome rizikuoti tokio aukšto rango demonų gyvybėmis. Žemėje dirbo mūsų agentai ar žemesni demonai.

– Karas baigėsi?

– Ne visai... Mes lyg ir sutarėme su „Rojumi“ dėl karo veiksmų Žemėje nutraukimo, bet pats karas tęsiasi. Viskas pasikeitė nuo Gabrielio vizito. Tu žinai, kad Gabrielis kažkada buvo vienas iš mūsų, bet pakeitė savo nuomonę ir neprisidėjo prie sukilimo. Gaila... Jis toks pat galingas kaip Aušrinis ar aš. Taigi...

1953 metai pagal krikščioniškąjį laiko skaičiavimą

Jei kas iš skaitytojų paklaustų, kur sprendėsi žmonijos likimas po Antrojo pasaulinio karo, atsakymų turbūt būtų įvairių. Vieni sakytų, kad valstybių vadovų kabinetuose, kiti prisimintų Potsdamo konferenciją, treti, besižavintys sąmokslo teorijomis, pradėtų kalbėti apie masonų ložes ar žydų finansininkus. Tačiau manau, kad visiškai niekas net nepagalvotų, jog iš tiesų visos žmonijos likimas tą kartą sprendėsi paprasčiausioje smuklėje, prieš kelis šimtmečius pastatytoje prie kažkada svarbaus kelio. Maža to, smuklė toli gražu nebuvo iš tų, kurioje keliautojas apsistotų kitaip nei verčiamas smarkaus alkio ar nuovargio. Bet kuris stebėtojas iš karto surastų jai tinkantį apibūdinimą. Gal pavadintų „lūšna", o gal – „tvartu". Tačiau tą dieną smuklės kieme būriavosi kaip niekada daug žmonių. Žinoma, pasakymas „daug" nieko iš esmės nereiškia. Sakykim kitaip – dvi dešimtys tvirtų vyrų, pasidaliję į dvi grupes, varstė vienas kitą piktais žvilgsniais. Dar čia reikėtų apibūdinti, ką reiškia „tvirtas vyras". Galiu lažintis, kad tiek daug tokių vyrų vienoje vietoje retas kuris yra regėjęs. Tai nebuvo dabartiniai stipruoliai atsikišusiais pilvais, kokius mes dažnai matome per televiziją. Kiekvienas smuklės kieme besitrainiojantis vyriškis atrodė mažiausiai kaip Antikos didvyris: ne mažiau septynių pėdų ūgio, labai plačių pečių ir tokiais raumenimis, kurių pavydėtų pats Arnoldas Švarcnegeris savo jaunystės metais. „Iš kur jų tiek prisirinko?" – paklaustų skaitytojas. Ogi iš dviejų skirtingų vietų. Vieni atvyko iš „Pragaro", o kiti – iš „Rojaus". Tiesą sakant, tai net buvo visiškai ne žmonės, tik padarai, pasirinkę žmonių išvaizdą. Įsižiūrėjus atidžiau, vienoje grupėje pamatytume jau gerai pažįstamus Gintį ir Artorijų, kurie, kaip žinia, buvo koviniai demonai. Be visa ko, Gintis, dėl savo skambių pergalių prieš angelus dar besibastydamas su Azazeliu Žemėje, išgarsėjo net tarp „Dangaus valdovo" tarnų ir dabar vadovavo ne tik šiai grupei kovinių demonų, bet ir visoms „Pragaro" specialiosioms pajėgoms. Taigi, jei viena grupė buvo demonai, tai logiškai mąstant, kita grupė vyrų, taip piktai bežiūrinčių į pirmosios pusę, tegalėjo būti koviniai angelai. Būtent taip ir buvo. Tačiau ką gi veikė šios dvi rinktinės „Pragaro" ir „Rojaus" kovotojų grupės Žemėje? Atsakymas vienas – saugojo. Saugojo asmenis, kurie buvo labai svarbūs tiek demonams, tiek angelams ir kurie dabar sėdėjo suklypusioje smuklėje, toli nuo smalsių akių, pasirinktoje kaip neutrali vieta ir sprendė visos žmonijos likimą. Tokiais asmenimis tegalėjo būti tik puolę angelai Aušrinis ir Vakaris ir kadaise buvęs jų artimas draugas, o dabar nesutaikomas priešas, dešinioji „Dangaus valdovo" ranka, stipriausias iš archangelų – Gabrielis.

– Vaikinai, prisidirbote kaip reikiant, – jau kelintą kartą pakartojo Gabrielis. – „Dangaus valdovas" jumis labai nepatenkintas.

– Kažkaip senokai buvo tie laikai, kai jis žavėjosi mumis ir vadino savo geriausiais mokiniais, – gūžtelėjo Vakaris, visa savo išraiška rodydamas, kad „Dangaus valdovo" pyktis nėra jam toks svarbus.

– Būtent, – pritarė broliui Aušrinis. – Iki sukilimo... Paskui rodė vien tik nepasitenkinimą.

– Tačiau šį kartą jis labai nepatenkintas. Paskutinis karas perpildė jo kantrybės taurę.

– Gal ne karas? – pasitikslino Aušrinis. – Gal tai, jog mes sukliudėme jūsų planams įvesti pasaulinę komunistinę diktatūrą, veikti pilkas mases, nemąstančius žmones, kurių gyvybinę energiją taip lengvai galėjote savintis. O dabar... Didžiojoje pasaulio dalyje gyvena laisvi, kūrybingi ir energingi žmonės, kuriems nė motais dievai ir stabai, kurie nesileidžia būti traktuojami kaip paprasčiausios baterijos.

– Labai jau tu gudrus, Azazeli, – viptelėjo Gabrielis. – Žinai, net gudri višta užpakalį išsidilgina. Jūs abu puikiai žinote, ką reiškia, kai „Dangaus valdovas“ labai nepatenkintas ir nereikia čia apsimetinėti, kad jums nė motais. Atsiminkit atlantus. Jei pokalbis pakryps taip, kaip tada, padariniai bus tokie patys.

– Jis vėl sunaikins du trečdalius žmonijos? – pašiurpo Aušrinis.

– Kaip žinia, „Dangaus valdovo“ apkaltinti neryžtingumu negalima. Reikės, sunaikins ir visą žmoniją kartu su tais demonų išperomis, kurie dabar gyvena Žemėje. O jei reikės, apsiribos tik atskirais miestais ar valstybėmis. Prisiminkit Sodomą ir Gomorą... Prikūrėt ten saviškių rezervatų, neklausėt perspėjimo, pamatėt, kas atsitiko, – abejinga išraiška dėstė Gabrielis.

– Sunaikinsit žmones – vėl „Rojuje“ prasidės energijos badas, – nepasidavė Vakaris. – Kitų energetinių šaltinių, priešingai nei mes, neturite. Gal geriau pats prisimink nepriteklių šimtmečius, užklupusius „Rojų“ po Atlantidos sunaikinimo. Negi „Dangaus valdovas“ vėl lips ant to paties grėblio. Kažkodėl nemanau. Atskirus miestus ar net valstybes jis gal ir sunaikins, bet tikrai ne visą žmoniją. Taigi, nustok gąsdinti ir pereikim prie konstruktyvių kalbų. Ką siūlot?

– Gerai, nori konkretumo – bus. Tiek „Rojus“, tiek „Pragaras“ pašalina visus agentus, lemiančius politinę situaciją Žemėje. Tegu viską toliau sprendžia patys žmonės, – aiškino Gabrielis.

– Kitais žodžiais, – įsiterpė Aušrinis. – Jus tenkina esama padėtis ir užtenka jau komunizmu apkrėstos Žemės dalies.

– Galima sakyti ir taip, – gūžtelėjo Gabrielis. – Supraskit, tai, ką sakau, yra kompromisas. Nesutiksit, „Rojus“ pradės atvirą karą.

– Žemėje?

– Ne, tiesiogiai prieš jus. Žemėje mes sunaikinsim nepaklusniuosius ir po „Dangaus valdovo“ numatytų griežtų priemonių ten gyvens tik religiniai fanatikai ar fanatikai komunistai. Mus tenkina ir tie, ir tie. O kas liks gyventi „Pragare“, šito aš nežinau.

– Puikiai žinai, kad net jei laimėsite, pergalė kainuos labai brangiai, – atsikirto Vakaris.

– Galbūt, bet „Dangaus valdovas“ pasiryžęs galimoms aukoms. Bet kokiu atveju laimėsime. Šį kartą jūs nebeturite Barakelio ir jo ieties...

Kalbos kuriam laikui nutilo. Abu broliai suprato, kad teks priimti išdėstytą pasiūlymą. Savo ruožtu Gabrielis nesijautė toks užtikrintas nei tuo, jog pavyks susitarti, nei galima „Rojaus“ pergale būsimame kare.

– Gerai, – patvirtino abiejų sprendimą Aušrinis. – Mes sutinkame su sąlygomis.

– Puiku, – su palengvėjimu ištarė Gabrielis, nors išoriškai ir nerodė jokių emocijų. – Tik atsiminkit, jei sulaužysit sutartį ar bent vienas iš jųdviejų tik pasirodysite Žemėje, karas prasidės nedelsiant.

– Negąsdink, Gabrieli. Mes ne iš bailiųjų.

– O gaila. Būtumėt bailesni, daug blogybių nebūtų įvykę.

– Bet kodėl, Gabrieli? Kodėl tu nepritari mums? Puikiai supranti, kad sukilom ne dėl valdžios, o siekdami išgelbėti žmones. Tu kadaise buvai vienas iš mūsų. Pats kūrei juodosios rasės žmones. O dabar taip jų nekenti...

– Nekenčiu, – gūžtelėjo pečiais archangelas. – Kodėl gi? Man jie tiesiog nesvarbūs. Skirtingai nuo jūsų, niekuomet jų rimtai nevertinau. Jie buvo kaip žaislai, kurie vėliau nusibodo. Kai sukilote, norėjau prisidėti prie jūsų, bet tik skatinamas draugiškumo. Vėliau apsigalvojau... Apsigalvojau dėl to idiotiško tikslo apsaugoti žmoniją. Kvaila sukilti prieš savo valdovą ir savo gentainius dėl kažkokių žaislų. Tačiau jūsų likimas man vis dar rūpi. Kadaise mes buvome draugai ir aš to nepamiršau. Man labai daug pastangų kainavo, kol įkalbėjau „Dangaus valdovą“ suteikti jums dar vieną galimybę. Žiūrėkit, neapvilkite manęs. Vėliau aš nebegalėsiu jums padėti.

– Ką gi, – atsiduso Vakaris. Būtent jie su Gabrieliu kadaise buvo patys geriausi draugai, besidalijantys planais ir išgyvenimais. Draugai, kurių, rodės, niekas negali išskirti... Bet išskyrė. – Ir tu saugok save...

Nieko nebetaręs Gabrielis pakilo ir išėjo pro duris. Išsekę paskui jį broliai neberado nei archangelo, nei jį atlydėjusios kovinių angelų grupės.

– Ką gi, – tarstelėjo Aušrinis. – Politikos paveikti nebegalėsime, bet apie mokslą juk nieko nekalbėjome.

– Būtent, – pritarė broliui Vakaris. – Padidinsim agentų skaičių tarp mokslininkų. Reikės smarkiai pakelti demokratinių šalių techninį ir mokslinį lygį.

• • • • •

– Kas ta Barakelio ietis? – supratęs, kad pašnekovas baigė pasakojimą, paklausė Liutauras.

– Iš tiesų tas daiktas tik atrodo kaip ietis, – aiškino Vakaris. – Jo paskirtis visiškai kitokia. Paskutiniai iš dievų jį sukūrė kaip universalią energijos talpyklą. Tačiau, kaip ir daugelį taikiems tikslams sukurtų daiktų, jį galima panaudoti kare. Tuo daikčiuku galima išsiurbti visos saulės energiją ir paskiau ją išlaisvinti reikiamu momentu, nukreipus į priešus ar sukūrus nepralaužiamus apsauginius skydus.

– Tik saulės?

– Ne, – šyptelėjo Azazelis, – Galima išsiurbti energiją ir iš bet kokio žmogaus, angelo ar net paties „Dangaus valdovo“.

– Kodėl ji vadinasi Barakelio?

– Barakelis buvo vienas iš vyriausiosios kartos angelų. „Dangaus valdovo“ amžininkas. Prieš iškeliaudami mus sukūrę dievai pagamino šį daiktą specialiai Barakeliui. Tik jis arba asmuo, kuriame visiškai atsikartojo jo genai, gali naudotis įrenginiu. Visus kitus, kurie pabandytų suvaldyti ietį, ji tiesiog sunaikintų. Dievams Barakelis patiko labiausiai iš senosios kartos angelų, todėl jam ir tik jam jie buvo linkę patikėti savo kūrinius. Jis, o ne „Dangaus valdovas" turėjo užimti valdžią „Rojuje". Tačiau Barakelis buvo kūrėjas, o ne tironas ir išvykus dievams valdovu tapo ne jis. Tačiau net ir kūrėjas kai kada tampa kariu. Negalėdamas pakęsti savo kūrinių naikinimo, nes būtent jis vadovavo žmonių kūrimo projektui, jis vienintelis iš senosios kartos angelų sukilo kartu su mumis. Barakelis buvo mūsų mokytojas, įskiepijęs mums atsakomybę už savo kūrinius ir išmokęs juos mylėti. Jei ne Barakelis, mes būtume sutriuškinti. Tai jis pagrasino savo ietimi „Dangaus valdovui" ir privertė sudaryti sutartį su mumis ir nenaikinti žmonių. Kaip jau sakiau, jis nepasiliko su mumis „Pragare", o tapo žmonių mokytoju, pats pavirsdamas beveik žmogumi. Kas kelis tūkstantmečius Barakelis atgimsta ir, nors visiškai nieko neprisimena, jis visada būna aplinkinių mokytojas. Ilgai mano agentai ieškojo Barakelio. Mes apskaičiavome jo atgimimo laiką. Tereikėjo jį surasti. Trisdešimt žemiškų metų praėjo nuo Barakelio atgimimo, kol vėl jį radome.

– Radote... – dar labiau susidomėjo Liutauras. – Kur? – staiga teisininkui dingtelėjo viena nerami mintis. Jis prisiminė pasakojimo apie susitarimą su Gabrieliu atkarpą. – Palauk... Tu sakei, kad jei bent vienas iš jūsų pasirodys Žemėje, prasidės karas. Kodėl tu čia?

– Negalėjau kitaip, – nusišypsojo Vakaris. – Tik kažkas iš mudviejų tegalėjo pargabenti Barakelį namo. Liuciferis ruošiasi gynybai.

– Pargabenti Barakelį namo? – perklausė šokiruotas Liutauras. Teisininkas pats nesuprato, kodėl šis vardas jam atrodė toks artimas ir pažįstamas. Vyro pasąmonėje jau knibždėjo suvokimas, bet šaltas teisininko protas negalėjo jo priimti.

– Taip, mielas mano mokytojau. Aš atvykau pargabenti tavęs namo. Tik taip galime išsigelbėti patys ir išgelbėti mūsų kūrinius.

Kas gali šokiruoti žmogų? Jį sustingdyti, atimti gebėjimą mąstyti ir gaudytis aplinkoje? Baimė, pasakytumėte Jūs. Na, gal dar stiprus džiaugsmas ar pyktis... Tačiau yra ir dar vienas veiksnys, žmones veikiantis ne silpniau nei baimė. Tai suvokimas. Suvokimas, kad viskas, kuo tu tikėjai, tebuvo savęs apgaudinėjimas, kad tavo pastangos surasti prasmę aplinkinėje pilkumoje, vadinamoje gyvenimu, tebuvo bandymas neprarasti sveiko proto. Pasirodo, tik norėdamas išsaugoti sveiką protą vengei klausimų apie esamo gyvenimo prasmę ar bent jau apie tai, ką, po galais, veiki šioje Žemėje ir kodėl čia esi. Jau senokai, dar tik atsisveikinęs su paauglyste, Liutauras suprato, kad tikrų atsakymų į šiuos klausimus nėra. Jokia religija, jokia filosofija, kuriomis taip domėjosi teisininkas jaunystėje, nesugebėjo net parodyti galimo ieškojimų kelio. Ir dar tas jausmas... Jausmas, kad viskas aplinkui netikra ir svetima, kad pats nepriklausai šiai aplinkai, bet niekaip negali suprasti, kas gi esi iš tikrųjų. Vieną dieną Liutauras, pajutęs, kad tokie svarstymai paprasčiausiai jį veda iš proto, užsiaugino šarvą. Ne, ne paprastą kaulinį šarvą, bet šarvą, nuaustą iš minčių ir mintelių. Jis išmoko atsiriboti nuo klausimų, į kuriuos atsakymo nesugebėjo rasti. Kitais žodžiais, Liutauras susitaikė su esama padėtimi ir tiesiog plaukė pasroviui susikūręs paprastą, bet labai efektingą egoizmo filosofiją. Ši filosofija iš tiesų labai paprasta. Liutauras nusprendė pirmiausia paisyti tik savo norų ir interesų, o kitų žmonių poreikius tenkinti tik atsižvelgiant į tai, kiek tie žmonės buvo jam pačiam svarbūs. Taigi, anksčiau vyravęs žodis „reikia“ pasitraukė toliau, o pirmoje vietoje atsirado žodis „noriu“. Ir štai dabar... Dabar šis šarvas ne tik sutrūkinėjo, jis subyrėjo į gabalėlius. Liutauras pajuto tiesą ir ilgai ieškotas savęs suvokimo kelias staiga atsivėrė prieš jo akis visu savo gražumu. Tad visiškai natūralu, kad vyras buvo šokiruotas. Šokiruotas tiek, kad tolesni įvykiai tik probėgomis atsispindėjo jo atmintyje. Jis tarsi atsiminė į kabinetą įsiveržusius du labai aukštus ir galingus vyrus ir jų šūksnį:

– Valdove, angelai mus aptiko ir puola. Turime kuo greičiau iš čia nešdintis.

Prisiminė keistą didžiulį sūkurį, kuris, paklusdamas valdingam Azazelio mostui, atsivėrė viduryje kambario. Kažkieno rankas, stvėrusias ir lengvai tarsi kūdikį pakėlusias Liutaurą nuo žemės. Ir žingsnį. Žingsnį į tą nepaaiškinamą sūkurį. Toliau – tamsa... Vientisa tamsa ir nieko daugiau. Išgąsdintos informacijos gausos smegenys tiesiog atsijungė, nusprendusios apsaugoti šeimininką nuo tolesnių įspūdžių.

Atsipeikėjo Liutauras kažkur. Turbūt „kažkur“ yra tiksliausias žodis, nusakantis tuometes vyro mintis. „Aišku, kad tai ne Žemė, – pagalvojo Liutauras, žvelgdamas į tris saules, kybančias už lango virš horizonto. Įspūdį sustiprino aplinkoje vyraujančios raudonos ir mėlynos spalvos, kurios Žemės gamtoje nebuvo svarbiausia spalvų paletės dalis. Kiek pasidairęs pro langą, Liutauras nukreipė žvilgsnį į kambarį, kuriame atsibudo. – Sakyti, kad apstatytas gerai, būtų netikslu. Tokios prabangos aš dar nemačiau“, – mąstė vyras, vieną po kito nužvelgdamas ant grindų patiestus kilimus, paveikslus, kabančius ant sienų, baldus, padabintus įmantriausiais raižiniais. Staiga iš viršaus pasigirdęs ir greitai nurimęs griausmingas dundėjimas atplėšė Liutauro dėmesį nuo aplinkos tyrinėjimo. Ieškodamas garso šaltinio, vyras vėl žvilgtelėjo pro milžinišką langą ir šį kartą įsistebeilijo ne į tris saules virš horizonto, bet į didžiulį piltuvo pavidalo objektą, primenantį milžinišką vėjo sūkurį, kurį tarsi grandinės buvo apsivijusi ryškiai šviečiančių linijų raizgalynė.

– Matau, jau atsigavai, – netikėtai pasigirdęs Azazelio balsas privertė krūptelti užsižiūrėjusį į nematytą reiškinį Liutaurą.

– Kas čia? – mostelėjo vyras ranka milžiniško „piltuvo“ link.

– Nieko ypatingo, – šyptelėjo Vakaris. – „Dangaus valdovo“ kariauna bando pas mus prasiveržti. Tas objektas, kuris tave nustebino, yra jų vartai, o tos šviečiančios linijos – tai mūsų energijos gijos, neleidžiančios vartams atsiverti. Kaip matai, kol kas viskas normaliai.

– Ilgai taip tęsis?

– Nežinau. Gal parą, gal dvi. Viskas priklauso nuo abiejų konflikto pusių turimos energijos. Kiekvieną kartą, kai išgirsi dundėjimą, žinok, kad suplyšo viena iš laikančiųjų gijų. Anksčiau ar vėliau angelų vartams siunčiama energija sunaikins mūsų laikančiąsias gijas ir tada...

– Kas tada? – dar ganėtinai apspangęs ir negalintis greitai mąstyti pasitikslino Liutauras.

– Nieko ypatingo, – gūžtelėjo pečiais Vakaris. – Tada čia pasirodys angelų kariauna ir mes stosime į kovą.

– Kokių nors galimybių nugalėti turime? – pats nepajutęs Liutauras pradėjo save tapatinti su demonais.

– Galimybių nugalėti visuomet yra, – šyptelėjo Azazelis. – Na, bent jau sakyčiau, kad mes galime labai nustebinti įsiveržusias angelų pajėgas. Visų pirma, kol aš basčiausi po Žemę ir rezgiau visokias intrigas, Aušrinis visas savo jėgas skyrė mūsų gynybinėms pajėgoms sukurti ir tobulinti. Žinai, net aš pats nustebau pamatęs, kokią profesionalią ir kovingą kariuomenę mes dabar turime. Mūsų specialiosios pajėgos turbūt į miltus sumaltų bet kokį kovinių angelų būrį.

– Tu ką bandai nuraminti? Mane ar save? – šaltai pasidomėjo Liutauras, pamažu atgaudamas dvasios pusiausvyrą ir minčių aiškumą. Kažkodėl aplinka jį veikė geriau nei patys veiksmingiausi vaistai. – Pamiršai Gabrielį ir archangelus?

– O jiems nereikėtų pamiršti manęs, Aušrinio ir dar daugiau nei šimto puolusių angelų, kadaise jau kovojusių prieš „Dangaus valdovą“. Kad tik šlapia vieta iš tų išgarsintų archangelų neliktų... – staiga Vakaris nutilo nepabaigęs sakinio ir kiek patylėjęs pratęsė: – Na, gerai... Tu teisus. Bandau nuraminti save ir tave. Vertindami objektyviai mes tikrai galime pridaryti angelams didelių nuostolių, bet vis dar esame silpnesni ir labai tikėtina, kad pralaimėsime. Tačiau yra vienas veiksnys, kurį žino tiek „Dangaus valdovas“, tiek mes. Būtent todėl jie taip skuba ir būtent todėl mes visomis išgalėmis stengiamės užvilkinti laiką. Tas veiksnys esi tu. Viskas priklausys nuo to, kaip greitai tavyje atsibus senoji asmenybė ir kaip greitai tu vėl įgysi gebėjimus valdyti savo ietį. Tu alkanas?

– Ne, – papurtė galvą Liutauras, pats stebėdamasis šiuo faktu. Jei gerai pagalvojus, vyras buvo labai seniai nevalgęs ir dabar turėjo jaustis nepaprastai alkanas.

– Tai gerai, – linktelėjo Vakaris. – Vadinasi, tavo kūnas jau persitvarko ir pradėjo energiją siurbti tiesiogiai iš aplinkos. Taigi, tavo asmenybė po truputį grįžta ir pradėjo reguliuoti fiziniame kūne vykstančius procesus. Puiku... O dabar kelkis. Einam, pašnekėsim su Aušriniu. Tiesa, jei pakeliui pamatysi daug subjektų, neprimenančių žmonių, neišsigąsk. Demonai čia labai lengvai keičia savo pavidalą. Iš tiesų mes išoriškai niekuo nesiskiriame nuo angelų, bet tradiciškai nenorime šito akcentuoti. Tad mūšyje retas demonas pasirinks savo tikrąją angelo išvaizdą.

– O aš? – pradėjo Liutauras, bet dar nebaigęs sakinio buvo Vakario rimtai patikintas.

– Tu – taip pat. Pamatysi, kaip po kelių valandų ar dienų... Aš asmeniškai tikiuosi, kad po kelių valandų tu vienu lengvu sąmonės dvelktelėjimu galėsi užsiauginti puikiausius sparnus ar atvirkščiai – kanopas. Žemėje tai būtų sunkiau padaryti, kadangi ten aplinkoje kur kas mažiau energijos. Tačiau čia... – kol Vakaris pasakojo, Liutauras laiko veltui negaišo. Dar „Demonų lordui“ nebaigus savo samprotavimų, Barakelis, o būtent toks buvo tikrasis vyro vardas, jau buvo apsirengęs ir pasiruošęs išeiti iš kambario. – Puiku, – linktelėjo Azazelis, pamatęs pašnekovo spartą. – Einam...

• • • • •

„Aš jau visą parą esu „Pragare“ ir turiu pasakyti, kad čia man kuo toliau, tuo labiau patinka. Kas patinka? Šauni kompanija čia susirinko. Apie Azazelį jau žinote, tai bendravimo su juo daugiau neatpasakosiu. Toks įspūdis, kad vyrukas pasišovė pabūti mano aukle ar bent jau globėju. Nuvedė mane pas Liuciferį. Kadaise buvau prisiskaitęs religinės literatūros... Galiu pasakyti, kad tikrasis „Pragaro" kunigaikštis, kaip jį kai kada pavadina, neturi jokių panašumų su Žemėje sukurtu literatūriniu personažu. Atrodė kaip simpatiškas tamsiaplaukis vyras, protingas, iškalbus ir labai susirūpinęs. Štai tuo susirūpinimu jis ir skyrėsi nuo Azazelio. Jei Vakariui daugiau rūpėjo žmonės ir idealai, tai Aušrinis labiau rūpinosi demonų likimu ir buvo kur kas pragmatiškesnis už linkusį į idealizmą brolį. Būdamas sąžiningas iki galo, turiu pasakyti, kad šis tas mane „Pragare" trikdė. Tai pagarba. Taip, jūs nesuklydote, mane trikdė visur man demonstruojama pagarba. Toks įspūdis, kad bent jau sostinėje visi žino, kas buvo Barakelis ir akivaizdžiai mane tapatina su juo. Turbūt tie specialiųjų pajėgų demonai, kurie kadaise bastėsi su Azazeliu po Žemę, o dabar kaip prikibę sekioja man iš paskos, negavo nurodymo laikyti visko paslaptyje. Na, niekis... Pagarbą aš kaip nors išgyvensiu. Jei, žinoma, išgyvensiu po to, kai čia įsiverš angelų ordos. Jau trečdalį vartus apraizgiusių gijų užpuolikai sunaikino. Atsižvelgiant į tai, kad tai įvyko per vieną parą, atomazgos ilgai laukti nereikės. Kai kada pagalvoju, kaip reaguotų analogiškoje situacijoje žmonės. Turbūt tikėtųsi iš manęs stebuklo ar žygdarbio. Jei nesulauktų, pradėtų pykti ir garbinimas greitai virstų panieka. Čia viskas kitaip. Niekas nieko iš manęs, bent jau atvirai, nesitiki. Jokiose akyse neišvydau maldavimo padėti. Visi rimti, susikaupę, pasirengę kovai ir nesirengiantys lengvai pasiduoti. Sunku bus „Dangaus valdovui" juos palaužti. Tokie išdidūs ir garbingi padarai vergais netampa net pralaimėję. Kaip gaila, kad Žemėje tokių žmonių pasitaiko ypač retai. Kita vertus, gal tokių žmonių visiškai nėra? Gal tokiomis savybėmis gali pasižymėti tik turintieji demonų kraujo? Gal tikrieji žmonės – tai pilki, linkę išduoti, pikti padarai, mielai žudantys silpnesnį ir nekenčiantys pranašesnio, dažniausiai besivadovaujantys primityviais instinktais, pritvinkę pagiežos egoistai? O gal juos tokius padarė „Dangaus valdovas“ su savo pakalikais? Azazelis minėjo, kad kadaise egzistavo žmonių, nenusižeminusių prieš „Rojų“, civilizacija. Egzistavo ir buvo sunaikinta, nes kitaip negalėjo būti pavergta. Vadinasi, žmonės sugeba tobulėti, keistis ir mokytis. Juose taip pat yra gėrio, išdidumo, polinkio kurti, siekti žinių. Gal tereikia juos nukreipti teisinga linkme? Na, va, prabilau kaip tikras Barakelis... Tiesą sakant, aš jau beveik patikėjau, kad esu būtent jis. Atsirado kažkokių atsiminimų. Atsiminimų, kurie tikrai nepriklauso Liutaurui ir kurie nėra haliucinacijos ar vaizduotės žaismas. Prieš dešimt minučių užsimaniau turėti angelo sparnus, ir staiga... Už nugaros išsiskleidė didžiuliai angelo sparnai. O dar ta ietis...“ – vyras padėjo plunksną, kuria užsirašinėjo savo mintis ir pasiėmė ganėtinai įmantrią ir didžiulę, bet iš pirmo žvilgsnio paprastą ietį, tik atbukusiu galu.

– Kažkoks keistas jausmas, – sušnabždėjo Barakelis, laikydamas ietį rankose. – Tarsi būčiau sutikęs seniai pamirštą draugą ar grįžęs į kadaise paliktą tėviškę. Kažkas sava, tik labai seniai pamiršta tūno toje ietyje.

Jau pirmą kartą palietęs daiktą rankomis, Liutauras pasijuto lyg būtų išgėręs stiprių stimuliatorių. Toks netikėtas jėgų ir energijos antplūdis net sutrikdė vyrą. Ietis savo ruožtu, atrodė, džiaugėsi kaip ištikimas šuo, pajutęs šeimininką. Kibirkštys, kurios nedegino Barakelio rankų, spalvos, kurios glostė jo akis... Tačiau tai dar nebuvo kontrolė. Tikroji kontrolė dar buvo prieš akis. Iš lėto, bet užtikrintai viena po kitos vėrėsi Liutauro sąmonės kertelės, atgijo seniai nenaudotos smegenų dalys, prasidėjo tapimo angelu procesas. Gal tiksliau ne tapimo angelu, o savo prarastos būties atgavimo procesas. Tačiau jis vyko lėtai, gal net pernelyg lėtai. Jei „Dangaus valdovo“ būriai įsiveržtų dabar, bet kuris kovinis angelas paliktų iš Liutauro tik šlapią vietą. Kita vertus, gijos dar laikė.

• • • • •

„Gijos laikė dar ištisas dvi paras. O tada... Būtent tada ir prasidėjo visas įdomumas. Pro vartus iš karto prasiveržė dešimtys angelų ir nosimis atsirėmė į Azazelio bei Liuciferio sukeltą pragaro ugnies bangą. Koviniams angelams turbūt atrodė, kad degė viskas, kas gali degti, ir net tai, kas degti negali. Kiekviena oro dalelė liepsnojo visa ėdančia liepsna. Neišskiriant į plaučius įkvepiamo oro. Jei ne Gabrielis su keliais archangelais, laiku atskubėjusiais į pagalbą ir sukėlusiais dangišką vėją, nupūtusį ir išsklaidžiusį pragaro ugnį, angelų puolimas būtų pasibaigęs dar dorai ir neprasidėjęs. Net ir po tokios pagalbos dešimtys užpuolikų, kaip paukščiai liepsnojančiais sparnais, negyvi krito iš padangių žemyn. Tačiau šimtai, o gal net ir tūkstančiai dar liko. Sumirgėjo oras ir priešais prasiveržusius angelus atsirado stiprus energijos skydas. Gabrielis pasinaudojo sukauptomis energijos atsargomis ir, siekdamas išvengti daugiau staigmenų iš besiginančiųjų, sukūrė stiprų skydą. Ir štai, nepraėjus nė valandai, viena prieš kitą sklandė dvi didžiulės armijos. Niekada anksčiau nuo pat sukilimo laikų pasaulis nematė vienoje vietoje tiek daug skraidančių ir mūšiui pasirengusių angelų. Tiesą sakant, vieni iš jų save vadino demonais ir gal net atrodė šiek tiek kitaip. Tegul tik skaitytojas neapsigauna įsivaizduodamas ordą raguotų raudonų velnių, plėvėtais sparnais. Nors buvo tarp demonų ir pasirinkusių būtent tokią išvaizdą. Tačiau dauguma atrodė taip, kaip priekyje sklandantys Azazelis, Liuciferis ir kiti puolusieji – stambūs ir didingi angelai kraujo raudonumo sparnais. Tik sparnų spalva ir skyrė demonus nuo priešininkų, kurie labiausiai mėgo baltą spalvą. Jei Gabrielis tikėjosi tokių pat kautynių, kokios vykdavo sukilimo metu, jis labai apsiriko. Pagal sukilimo laikais susiklosčiusią tradiciją abi šalys, vengdamos nuostolių, susikurdavo energetinius skydus ir, lyg du ragus surėmę jaučiai, jais stumdydavosi, kol viena pusė visiškai išsekdavo ir pabėgdavo iš kautynių lauko arba žūdavo nuo persekiojančių priešininkų. Šį kartą viskas buvo kitaip. Demonai visą energiją sukoncentravo dviejuose taškuose ir tiesiog perplėšė atstatytą angelų skydą. Nieko nelaukdami pasiutę ir šaukdami kaip mitologiniai velniai pro plyšius priešo link pasileido kovinių demonų būriai. O tada... Tada prasidėjo chaosas. Puolimą sekė kontrpuolimas, o paskui vėl viskas iš naujo. Švytavo ugniniai angelų kalavijai ir iš juodojo žvaigždžių metalo nukalti demonų kardai, blykčiojo žaibai, liejosi pragaro ugnis, siautė vėjas, draskantis kūnus ir plėšantis sparnus. Nežinia, kaip pasibaigtų tos siaubingos kautynės. Viena tikra – šimtai angelų ir demonų savo kūnais nuklotų žemę po mūšio. Tačiau to neįvyko... Staiga dingo angelų susikurtas energetinis laukas. Maža to, kaip vėjui papūtus užgęsta žvakė, o gal tiksliau – kaip įkaitusioje dykumoje išgaruoja vanduo, taip užgeso ir išgaravo didelė dalis angelų energijos. Dešimtimis, o paskiau ir šimtais sparnuočiai pasijusdavo netekę jėgų ir lėtai nusileisdavo žemyn. Tiesą sakant, vienodai kliuvo abiem kariaujančioms pusėms. Tik stipriausieji dar laikėsi ore, tačiau jau nebe kautynės jiems buvo galvoje. Vieninteliai išvengę poveikio liko Azazelio vadovaujami demonų rezervo būriai. Štai jie ir pareikalavo visiškos angelų armijos kapituliacijos. Nors tikrai negalėčiau pasakyti, kad būtent „Pragaro" rezervas nulėmė kautynių baigtį. Galbūt bus labai nekuklu, bet iš tikrųjų šią kovą užbaigiau aš." – Liutauras, kaip kai kada dar pavadindavo save istoriją rašęs vyras, padėjo plunksną, skubėdamas peržvelgė tekstą ir sumurmėjęs „vėluoju", išbėgo pro duris.

• • • • •

– Valdove, puolimas užstrigo, – prie Azazelio pribėgęs Gintis raportavo apie žvalgybos duomenis. – Liuciferio vadovaujami būriai paspaudė angelų centrą, bet juos sustabdė Gabrielis su savo rezervinėmis pajėgomis.

– Matau, – tarstelėjo Vakaris, vidiniu regėjimu stebėdamas Aušrinio ir Gabrielio dvikovą. O pažiūrėti tikrai buvo į ką.

Erdvė aplink juos net kibirkščiavo nuo dvikovininkų energijos pertekliaus. Joks žmogus, atsidūręs per šimtą žingsnių nuo besikaunančiųjų, nebūtų išgyvenęs ir kelių sekundžių. Netgi stipriausi koviniai angelai ir demonai turėjo atsitraukti toliau nuo dviejų tokių nežabotų ir gaivalingų jėgų susidūrimo. – Dešinysis sparnas?

– Kol kas sėkmingai, – iš karto atsiliepė Gintis. – Artorijus sugebėjo nukauti vieną archangelą. Tiesa, jau sužeistą kovoje su keliais puolusiaisiais.

– Vis tiek šaunu. Net sužeistas archangelas stipresnis už dešimtis kovinių demonų. Jūs vyrukai kietesni, nei atrodote. Kaip kairysis?

– Blogiau, tuoj trauksis. Tačiau gera naujiena ta, jog Gabrielis beveik nebeturi rezervų.

– Tai gerai. Ką gi... – kiek pamąstęs Vakaris pratęsė: – Ruošk antrą bangą. Aš ir visi likę puolusieji kartu su paskutiniais būriais atakuosime kairįjį angelų kariaunos kraštą. Bandysime jį nustumti ir apsupti centrą. Tikiuosi, Aušrinis iki tol išsilaikys. Tu su specialiosiomis pajėgomis liksi čia.

– Bet, Valdove, – buvo bepradedąs Gintis, tačiau pamatęs Azazelio žvilgsnį iš karto užsičiaupė.

– Jokių bet, – iš pažiūros ramiai ištarė Vakaris, bet iš tikrųjų viduje tiesiog kunkuliavo emocijomis. Rūpestis dėl brolio, mūšio jaudulys – viskas susidėjo į vieną vietą. Tokiu metu „Demonų lordas“ nepakentė jokių prieštaravimų. – Būsi paskutinis rezervas. Įsijungsi į kovą tik tada, kai tai bus tikrai būtina, tam, kad laimėtume laiko ar sulaikytume priešą, – tada nurimęs, jau kur kas švelniau, pratęsė: – Aš pasitikiu tavimi. Suprask, niekuomet nepalikčiau paskutine viltimi to, į kurio rankas negalėčiau atiduoti savo gyvybės. O tu lieki paskutinė mūsų kariuomenės viltis. Jei man nepavyks, privalėsi savo ir kitų saviškių gyvybių kaina sulaikyti angelus ir suteikti mums laiko pasitraukti.

– Supratau, Valdove, – nulenkė galvą Gintis ir netikėtai pratęsė: – O kas ten?

Aukštai virš besikaunančiųjų būrių žibėjo nauja saulė. Ne, iš tiesų tai nebuvo saulė, bet nuo jos sklindanti šviesa niekam, net pačiam Azazeliui, neleido įžvelgti, kas buvo iš tikrųjų. O tada... Tada įvyko kažkas nepakartojamo ir sykiu sunkiai paaiškinamo. Dingo demonus varžęs angelų energetinis skydas, o ir patys angelai staiga neteko jėgų ir lėtai leidosi žemyn. Ne vien angelai pajuto keistos jėgos poveikį. Vienas po kito jėgas prarado ir iš dangaus leidosi ir su jais kovoję demonai.

– Planas keičiasi, – tarstelėjo Azazelis greitosiomis apžvelgęs mūšio vietą. – Pasiųsk būrį užblokuoti vartus, kad niekas negalėtų pasitraukti. Likusieji vyrai, surinkite visus nukentėjusiuosius. Mūsiškius iš karto siųskite į ligonines. Angelus išskirstykit grupėmis ir izoliuokit, bet elkitės pagarbiai ir drausmingai. Supratai mane?

– Taip, Valdove. Ką pasakyti ligoninėms? Nuo ko reikės gydyti mūsų kovotojus?

– Energetinis išsekimas. Tegu maksimaliai apsirūpina energijos atsargomis. Tegu ima, iš kur reikia ir kiek reikia. Perduok, kad gali naudotis mano vardu, jei koks valdininkėlis pradėtų prieštarauti.

– Dar klausimas, „Demonų lorde“... – Gintis nusprendė viską išsiaiškinti iki galo, kas tai buvo.

– Barakelis, – paaiškino Vakaris. – Tik labai originaliu būdu panaudojo savo ietį. Akivaizdu, kad buvimas žmogumi labai daug ko jį išmokė. Dar, – mostelėjo ranka „Demonų lordas“, sustabdydamas jau nueinantį Gintį. – Skirk kelis stipriausius savo būrio karius saugoti Gabrielį. Gal net geriausia, kad davęs nurodymus ir pats to imtumeisi. Atvesk jį po trijų valandų į Puolusiųjų angelų citadelės pasitarimų kambarį. Mums su juo daug ką reikės aptarti.

„O aš einu – susirasiu brolį, – mąstė toliau Azazelis, žiūrėdamas nueinančiam Ginčiui pavymui. – Ko aš toks įsitempęs? Jau laikas būtų pradėti džiaugtis... Atrodo, nugalėjome. O gal dar anksti? Reikėtų dar atskirai šnektelti su Barakeliu. Labai daug kas nuo jo pradėjo priklausyti.“

• • • • •

„Ir kur ta didybė Jūsų pasidėjo?!“ – sušuktų bet kas netyčia pakliuvęs į Puolusiųjų angelų citadelės pasitarimų kambarį ir pamatęs Gabrielį. Negi tas vyras bejėgiškai nusvirusiais pečiais ir lyg skudurai nukarusiais sparnais tai tas pats didingas, savimi pasitikintis nenugalimas archangelas, dar visiškai neseniai taip šaltakraujiškai Žemėje diktavęs sąlygas „Demonų lordui“ ir „Tamsos kunigaikščiui“? Tik žvilgsnis, nuožmus ir neužgesęs, bylojo apie tai, kad kartu su gyvybine energija nedingo nei Gabrielio valia, nei nepalaužiamas išdidumas. Kitoje didžiulio stalo pusėje sėdėjo be galo pavargęs, bet vis dėlto kur kas geriau atrodantis Aušrinis, spėjęs per kelias ligoninėje praleistas valandas atstatyti šiek tiek prarastų jėgų. Vakaris, išvengęs Barakelio ieties poveikio, todėl kaip visada kupinas energijos, ramiai sau vaikštinėjo palei didžiulį, beveik visą sieną užimantį langą. Pats Barakelis, įgavęs sau labai artimą ir įprastą Liutauro išvaizdą, kukliai sėdėjo stalo gale. Jo įtūžis, sukilęs matant kruvinas kautynes ir pakurstytas besikaunančiųjų energija persisunkusios aplinkos ir padėjęs suvaldyti ietį, jau buvo praėjęs. Tad Liutauras tiesiog ramiai stebėjo besiderančiuosius, visiškai netrokšdamas veltis į užvirusius ginčus. Štai, tiesą sakant, ir visi asmenys, kurie šį kartą lėmė žmonijos likimą. Jokios apsaugos, jokių piktais žvilgsniais besisvaidančių kovinių demonų ar angelų. Tik šie keturi, iš kurių vienas jautėsi pralaimėjęs, bet nesugniuždytas, du triumfavo laimėję mūšį, bet suprato, kad pats karas dar prieš akis, o vienas tiesiog stebėjo, kol kas nesikišdamas ne į savo reikalus.

– Aš nepriimsiu šitų sąlygų, – aiškiai ir nedviprasmiškai atsakė Gabrielis, ką tik išgirdęs Liuciferio reikalavimus angelams pasišalinti iš Žemės ir perduoti ją demonų įtakai.

– Kaip tu gali nepriimti? – plykstelėjo Aušrinis. – „Dangaus valdovo“ kariuomenė sunaikinta. Jis prarado stipriausius archangelus. Karas baigtas. Suprask, šį kartą jūs pralaimėjote. Nepriimsi dabar, mes sunaikinsime visus angelus ir jų agentus, kuriuos tik surasime Žemėje, ir niekas mums nesutrukdys. Tada patys įsiveršime į „Rojų" ir nuversime „Dangaus valdovą".

– Tu bent suvoki, ką šneki? – prunkštelėjo Gabrielis. – Matau, Barakelio ietis labiausiai paveikė tavo protines galias. Jums pavyko sunaikinti vieną „Dangaus valdovo" armiją. Vieną iš penkių. Tegu ir pačią stipriausią... „Rojuje" dar liko daugiau nei pusė archangelų, o šita jūsų pergalė privers į kovą įsitraukti patį „Dangaus valdovą". Norėtumėte susitikti su juo akis į akį? Manai, Liuciferi ar tu, Azazeli, esate tokie galingi, kad sugebėtumėte priešintis pačiam „Dangaus valdovui"? Juokdariai... Garbingoj kovoj jūs manęs nesugebėtumėte įveikti, ne tik kad pasipriešinti jam.

– Mes gal ir nesugebėtumėme, – tarstelėjo Vakaris. – Nors aš tavo vietoje taip smarkiai nenuvertinčiau puolusiųjų. O ką manai apie Barakelį? Atsimeni sukilimą ir jų dvikovą? „Dangaus valdovas" niekuomet nebuvo pats stipriausias iš savo kartos. Gal pats ambicingiausias ir ryžtingiausias... Žinoma, užėmęs valdžią, jis gerokai sustiprėjo, bet Barakelio su jo ietimi tada įveikti nesugebėjo. Manai, sugebės dabar?

– Aš nežinau, ar „Dangaus valdovas" sugebėtų nugalėti Barakelį, – ramiai atsikirto Gabrielis. – Pirmiausia jums reikėtų turėti Barakelį. Šitas vyrukas, – archangelas parodė pirštu į netoliese sėdintį Liutaurą, – kol kas tėra menkas tikrojo Mokytojo šešėlis. Kada jame prabus tikrasis Barakelis – nežinia. Kaip nežinia ir tai, ar žmoniškoji būtis nepataisomai nesuteršė Mokytojo esybės. Gal jis visiškai nenorės rimtai kovoti jūsų pusėje?

– O gal tiesiog reikėtų paklausti manęs? – pyktelėjęs įsiterpė Liutauras. – Gal aš dar ir nesu tikrasis Barakelis? O gal juo niekada ir nebūsiu? Gal aš niekuomet nejausiu tokios meilės žmonėms, kaip jautė jis, ir nesu linkęs taip aukotis jų labui, kaip aukojosi Mokytojas? Tačiau tai dabar nėra svarbu. Aš čia pasijutau tarp saviškių, tarp tokių pat kaip aš, kurie visuomet gins mane ir kuriuos nesusimąstydamas ginsiu aš. Aš kovosiu... Kovosiu iki paskutinių jėgų. Jei negalėsiu kitaip, kovosiu negarbingai ir žiauriai, tegul ir su pačiais dievais.

– Aišku, – gūžtelėjo pečiais Gabrielis. Iš šono atrodė, kad archangelui Liutauro žodžiai nepadarė jokio įspūdžio. – Tada Žemė bus sunaikinta. „Rojuje“ ne kvailiai gyvena. „Pragaro“ daugiau nepulsime. Vadinasi, pagrindiniai karo veiksmai vyks Žemėje. Gal po jų ten ir išliks gyvų žmonių, bet tik tuo atveju, jei mes laimėsime. Pralaimėdamas „Dangaus valdovas“ sunaikins pačią planetą.

– O gal mes įsiveršime į „Rojų“? – ištarė Liuciferis ir pats suprasdamas oponento argumentų pagrįstumą. Demonai galėjo laimėti kautynes, bet pergalė kare, net jei ir būtų galima, kainuotų nepaprastai brangiai.

– Šneki, kad šnekėtum, – paniekinamai mostelėjo Gabrielis. – Per skystos blauzdos... Ir pats tai puikiai žinai.

– Ką tu siūlai? – iniciatyvą derybose vėl perėmė Vakaris.

– Grįžtam prie buvusio susitarimo. Nei angelai, nei demonai nesikiša į Žemės tautų politiką. Kitur tegu būna laisva konkurencija. Kurkite savo finansines institucijas, kuriomis iki šiol taip sėkmingai veikėte valstybių gyvenimus, ar mokslo centrus. Mes jiems trukdysim ir savo ruožtu kursime sektas, skatinsime konservatyvias religijas. Jūs galėsite kovoti su jomis. Viskas kaip iki šiol... Islamo, kuriame įsitvirtinome mes, ir Vakarų civilizacijos, iš kurios mus beveik išstūmėte, priešpriešа. Slapta ir arši kova dėl įtakos likusiam pasauliui. Tik viena sąlyga – nustojam fiziškai naikinti abiejų pusių agentus. Tos jūsų specialios pajėgos, periodiškai užklystančios į Žemę, „Dangaus valdovui“ nusibodo. Jis gali užsimanyti jas sutraiškyti.

– Tavo pasiūlymas svarstytinas, – ištarė Aušrinis. – Tik vienas papildymas. Tiek aš, tiek mano brolis, tiek kiti demonai be jokių apribojimų gali keliauti ir veikti Žemėje.

– Gerai, – linktelėjo archangelas. – Tik su sąlyga, kad jie tiesiogiai neveiks politikų ir fiziškai nekenks „Rojaus“ agentams. Be to, tokia pati laisvė ir tokie patys apribojimai galioja man ir kitiems archangelams. Dar jūs paleidžiate visus belaisvius.

– Ne, – papurtė galvą Vakaris. – Mes paleidžiam tik tuos belaisvius, kurie norės grįžti į „Rojų“. Visiems tavo kariams bus pasiūlyta rinktis: pasilikti su mumis „Pragare“ ar grįžti atgal. Tą, kuris norės, galės pasilikti ir „Rojus“ jų nepersekios. Sutinki?

– Tebūnie, – sutiko archangelas.

• • • • •

„Dar daug kalbėjosi angelas su demonais. Aptarė kiekvieną smulkmeną... Kas galima ir kas draudžiama abiem pusėms jų kovoje dėl įtakos Žemėje. Visi suprato, kad „Rojus“ su „Pragaru“ tiesiog paskelbė paliaubas. Kaip Žemėje buvo anksčiau sakoma – tarp jų prasidėjo „Šaltasis karas“. Žinoma, tai kur kas geriau nei tikrieji karo veiksmai. Tuo labiau kad juose nukentėtų visų pirma žmonės. Ir neduok Dieve, kad „Dangaus valdovas“ pasijustų pralaimintis. Tokiu atveju po trumpo aukso amžiaus žmonija bus sunaikinta kokio nors planetos kataklizmo. Demonai kol kas per silpni, kad apgintų Žemę nuo tikro „Dangaus valdovo“ pykčio“. – Liutauras padėjo plunksną ir išskubėjo iš kambario. Jis tiek daug dar norėjo pamatyti ir sužinoti. Viskas aplinkui dar buvo nauja ir nepatirta. Kaip jaunas eržilas, jei tik galėtų, nesustodamas lėktų plytinčių tolių link, taip ir šis vyras net nesiruošė grįžti į Žemę. Jis su viltimi žvelgė į nuostabų ir tokį tolimą gyvenimo horizontą.

• • • • •

Prie seno, tačiau dar tvirto stalo sėdėjo angelas. Angelas mėlynais sparnais. Jau senokai jis nebesinaudojo Liutauro išvaizda. Tiesą sakant, ir pati Liutauro asmenybė jau nebesudarė tokios didžiulės Barakelio dalies ir buvo gerokai aptirpusi begalinėje angelo savimonės jūroje. Senokai dingo viltis ir siekis pažinti neištirtą aplinką. Vėl sugrįžo apatija ir pesimizmas. Barakelis vėl kaip ir prieš tūkstančius metų suvokė, kad mokiniai taip jo iš tiesų ir nesuprato. Žinoma, demonai rūpinosi žmonėmis, tačiau ir jie tai darė labai savanaudiškai. Tas rūpinimasis daugiau tapo paties „Pragaro" egzistavimo vidiniu pateisinimu. Niekas, net pats Azazelis, niekada net nepagalvodavo apie tikrosios laisvės suteikimą žmonėms. Laisvės patiems pasirinkti savo gyvenimą. Kova dėl įtakos Žemėje tapo varomąja jėga pačiam „Pragaro" gyvavimui. Jei nebūtų amžino karo su „Rojumi", demonai išnyktų. Jie tiesiog neturėtų ką veikti ir dėl ko stengtis ir ilgainiui tiesiog išsisklaidytų kas sau. O ir „Rojuj"... Jei nebūtų sukilimo, „Dangaus valdovas" jį turėtų pats išgalvoti. Kitaip ir angelų būtų laukęs seniai iškeliavusių, nuobodulyje paskendusių dievų likimas. Karas niekuomet nesibaigs, nes jis naudingas abiem pusėms. „Rojus" niekuomet nesunaikins „Pragaro", o demonai niekada nenuvers „Dangaus valdovo". Tik ar apie žmones kas nors pagalvojo? Kiek jie gali būti marionetėmis svetimuose karuose? Tačiau kokia išeitis? Kažkada surinkau artimiausius sekėjus ir išsikėlėme į Žemę. Norėjome mokyti žmones, patys tapdami beveik tokie kaip jie. Iš pradžių sekėsi, paskiau viskas žlugo. Net pats tik per didelius vargus atgavau didžiąją savo esybės dalį. Turi būti kitas kelias. Reikia sukurti naują žmonių rasę. Žmonių, kurie savo galiomis prilygs demonams ir angelams ir patys galės kovoti už savo interesus, – angelas padėjo plunksną ir atsipalaidavo. Dingo mėlyni sparnai, sumažėjo ūgis. Prie stalo vėl sėdėjo Liutauras. Barakelis kažkodėl nusprendė, kad įgavus žmogaus išvaizdą jam geriau seksis sukurti planą. Ir iš tiesų, dar truputį pasėdėjęs, vyras vėl griebė plunksną ir užrašė: „Lengva nebus... Žmogus turi visas galimybes, bet jį labai riboja neefektyvus energijos gavimo būdas. Reikės spręsti energijos gavimo ir paskirstymo tarp smegenų ir kūno problemą. Tada..." – ilgai dar skrebėjo plunksna, užrašydama Barakelio mintis. Lapas po lapo gulė ant seno ir daug mačiusio stalo. Tačiau vienas dalykas jau buvo aiškus. Angelas sugalvojo amžiname „Rojaus" ir „Pragaro" kare sukurti trečią stiprią ir įtakingą jėgą – naujus žmones. Maža to, jis net tiksliai suplanavo, kaip tai padaryti ir baigęs rašyti su didžiuliu, bet kokią apatiją ir pesimizmą nupūtusiu įkarščiu puolė savo planą įgyvendinti. Žemės padangėje brėško ryškus permainų rytas, savo šviesa paliesiantis didžiulėje puikybėje paskendusius angelus ar savo teisumu ir negebėjimu klysti patikėjusius demonus.

Turinys

Drakšas, Romualdas

Dr57 Žmonija : fantastinis romanas / Romualdas Drakšas. – Vilnius : Eugrimas, 2009. – 271 p.

ISBN 978-9955-790-69-3

Pagaliau žmonės išsiveržė iš Žemės planetos, daugėja prabudusiųjų, auga jų galia. Niekas Paukščių tako galaktikoje nebegali mesti atviro iššūkio žmonėms. Tačiau ar jie patys nėra tik kažkieno marionetės? Naujas tikslas nuveda prabudusiuosius į gretimą galaktiką. Galaktiką, turinčią savus šeimininkus...

Romane „Žmonija“ toliau tęsiama istorija, pradėta knygoje „Žmogus“. Čia vėl sutiksite žinomus herojus: Ardą ir Teromiją, Hansą ir Tomą, dvarvą Chrzą ir Baltojo demiurgų rato valdovą. Tie, kam patiko „Žmogus“, tikrai nenusivils istorijos tęsiniu.

UDK 888.2-3

Romualdas D r a k š a s
ŽMONIJA

Redaktorė *Jadvyga Šaparauskienė*

2009 12 01. 17 sp.l.
Išleido leidykla „Eugrimas“, Kalvarijų g. 98-42, LT-08211 Vilnius
Tel./faks. (8-5) 273 3955, el. paštas info@eugrimas.lt, www.eugrimas.lt
Spausdino AB „Aušra“, Vytauto pr. 23, LT-44352 Kaunas
Užsakymas 1137